Mi amado marqués

books4pocket

Jillian Hunter

Mi amado marqués

Traducción de Claudia Viñas Donoso

EDICIONES URANO

Argentina - Chile - Colombia - España
Estados Unidos - México - Perú - Uruguay - Venezuela

Título original: *The Seduction of an English Scoundrel*
Copyright © 2005 by Maria Hoag

© de la traducción: Claudia Viñas Donoso
© 2007 by Ediciones Urano
Aribau, 142, pral. – 08036 Barcelona
www.edicionesurano.com
www.books4pocket.com

1ª edición en books4pocket febrero 2011

Diseño de la colección: Opalworks
Imagen de portada: Alan Ayers
Diseño de portada : Epica Prima

Impreso por Novoprint, S.A.
Energía 53
Sant Andreu de la Barca (Barcelona)

Fotocomposición: Books4pocket

ISBN : 978-84-92801-79-4
Depósito legal: B-1469-2011

Impreso en España – *Printed in Spain*

Dedicada a Linda Marrow, con gratitud por su simpatía, sus conocimientos y el apoyo que me ha brindado.

Capítulo 1

Mayfair, Londres, 1814

El enlace Boscastle-Welsham habría sido la boda del año si el novio se hubiera tomado la molestia de hacer acto de presencia. Sir Nigel Boscastle brillaba tanto por su ausencia en sus nupcias que el padre de la novia se vio obligado a acompañarla hasta el altar, donde esperaba a la sufrida lady Jane la comitiva para la boda con la excepción de su novio. Y donde continuaron esperando.

—Ya me encargaré de ese bobo después de la ceremonia —masculló el distinguido séptimo conde de Belshire, cuando se detuvo a un lado de su hija, de espaldas a los desconcertados invitados—. Ese idiota va a llegar con retraso a su propio funeral.

Pasados varios minutos de confusión, el cura y los padres de la novia decidieron que mientras esperaban la llegada del novio, su lugar junto a Jane lo ocupara su hermano mayor, Simon, vizconde Tarleton. Así pues, su hermano fue a colocarse junto a la novia. Y allí continuaron.

Al principio nadie dudaba de que finalmente Nigel aparecería y salvaría a Jane de la vergüenza. Si es que recordaba qué día era, comentó un invitado del tercer banco.

Al fin y al cabo, sir Nigel no tenía fama en la ciudad por tener un intelecto superior, aun cuando su generosidad le había conquistado muchos y leales amigos.

La novia no había querido que la boda se celebrara en la popular iglesia Saint George de Hanover Square. Siendo una jovencita respetable cuyo nombre jamás había estado envuelto en un escándalo, evitaba por norma los acontecimientos grandiosos de mucho alboroto y pompa. De todos modos, ese día los miembros de la alta sociedad abarrotaban el interior de la capilla privada de Park Lane, la mansión del marqués de Sedgecroft en Londres, para asistir a una boda que al parecer no se celebraría.

Lady Jane Welsham, estaban de acuerdo todos los invitados, parecía una princesa. Resplandecía con su vestido de satén blanco que caía sobre un corpiño interior de tul color marfil. La orilla festoneada del vestido parecía flotar delicadamente como espuma sobre sus zapatos recubiertos por diminutas perlas. Un vaporoso velo de encaje Honiton le enmarcaba y cubría la cara, dejando en sombras cualquier emoción que pudiera revelar, para gran desilusión de la embelesada concurrencia.

En su mano brillaba el ramo de capullos de rosas blancas con los bordes de los pétalos teñidos con polvo de oro. Unos guantes de cabritilla blanca le cubrían las esbeltas manos, unas manos que se veían extraordinariamente firmes, si se tomaba en cuenta que su dueña estaba pasando la peor humillación que puede sufrir una jovencita en su vida: ser plantada en el altar.

¿Qué podría haber ocurrido?

Todo Londres sabía que los padres de Jane y Nigel llevaban planeando esa boda desde que ambos empezaron a dar sus primeros pasos en la sala cuna, en pañales. Los diarios que publicaban los ecos de sociedad habían comentado varias veces que rara vez se había visto una pareja de novios tan compatibles.

¿Qué podría haber ido mal?

—Si Nigel tarda otro poco más, esas rosas estarán tan secas que se podrá rellenar con ellas una almohadilla —comentó amargamente lady Caroline, una de las hermanas de la novia—. Lo voy a estrangular.

—Pobre Nigel —dijo lady Miranda, la hermana menor, moviendo la cabeza compasiva—. ¿No crees que podría haberse perdido? Jane dice que necesita un mapa para encontrar su coche.

Caroline entrecerró sus ojos castaño dorados, contemplando a su hermana plantada.

—Está llevando bastante bien la humillación, ¿no te parece?

—¿Esperarías menos de una Welsham? —susurró Miranda.

—No lo sé, pero me parece que este comportamiento tan horroroso es típico de los hombres Boscastle. Hay que tener en cuenta que Nigel, con toda su amabilidad y dulzura, desciende de uno de los linajes más notorios de Inglaterra. Fíjate, si no, en nuestro anfitrión Sedgecroft, que está repantigado ahí en su banco como el señor de los leones con sus pájaras alrededor.

—¿Sus qué? —preguntó Miranda, horrorizada.

—No puedo gritar la palabra, Miranda. Esa mujer del vestido rosa oscuro es lady Greenhall, la última de sus amantes.

—Y ¿la ha traído aquí, a la boda de Jane?

—Salta a la vista.

—Bueno, dicen que sus hermanos no son mejores —añadió Miranda—. Todos ellos deberían llevar la ese de sinvergüenza marcada en la frente.

—Me gustaría saber qué piensa Sedgecroft de todo esto —musitó Caroline—. No parece lo que se diría complacido, ¿eh?

El susodicho anfitrión, el dueño de la capilla, Grayson Boscastle, quinto marqués de Sedgecroft, estaba pensando que la novia tenía el trasero más atractivo que había visto desde hacía muchísimo tiempo. Y no era que fuera aficionado a mirar con codicia a jovencitas vestidas de novia, no, pero llevaba más de dos horas mirándole la espalda. Era imposible que no se le despertara la curiosidad propia de un hombre normal. ¿Qué otra cosa tenía para mirar? Le encantaría saber si el resto de ella sería igualmente tan atractivo.

Además, adrede evitaba mirar a los invitados sentados en los bancos reservados para sus familiares: diversos primos y tíos medio dormidos; dos ex amantes, una de las cuales había traído a sus hijos patanes, y sus tres hermanos, que estaban medio tumbados en el banco, sin mostrar el menor respeto por la sacrosanta ceremonia.

Si es que la ceremonia llegaba a su normal conclusión desgraciada, es decir, otro hombre atrapado en los grilletes del matrimonio.

En ese momento, uno de sus hermanos, el teniente coronel lord Heath Boscastle, que estaba sentado en el banco de atrás, se inclinó hacia él y le dijo, divertido:

—¿Qué te parece? ¿Empezamos a hacer apuestas sobre si se presenta o no?

—Será mejor que se presente, o responderá ante mí —contestó Grayson en tono lúgubre—. Ya me he pasado medio día mirando..., bueno, digamos que mirando algo que normalmente está reservado para los ojos de un marido.

Nigel era su primo, un Boscastle que, daba la casualidad, le caía muy bien, en realidad, aunque en esos momentos deseaba darle una paliza, por bobo.

En la hermosa cara de Heath se dibujó una ancha sonrisa.

—La última vez que vi una colección igual de familiares Boscastle en una iglesia fue en el funeral de nuestro padre. ¿Quién invitó a las amantes?

—Creo que yo —contestó Grayson, reprimiendo un bostezo—. Llevo tanto tiempo sentado aquí que se me ha agarrotado el cerebro.

—¿Tú las invitaste a la boda?

—No es mi boda, gracias a Dios.

—Bueno, es tu capilla.

—Por lo tanto, invito a quien me da la gana.

—A alguien se le podría haber ocurrido invitar al novio.

Grayson se cruzó de brazos sobre su elegante levita gris marengo.

—Esto está durando tanto que estoy tentado de casarme yo con la novia.

—Di que no.

Grayson emitió una risa ronca.

—No.

—Por cierto —dijo Heath, reprimiendo la risa—. Anoche tuve que declinar una invitación contigo para cenar en casa de Audrey. ¿Dónde diantres estabas cuando vine a buscarte?

—Sacando a Drake y a Devon de un antro de juego, para que esta mañana pudiéramos hacer un simulacro de aprobación familiar en esta boda.

—Creí que las bodas te ponían nervioso.

Los ojos azules de Grayson brillaron con destellos diabólicos.

—El soltero jurado que hay en mí se está muriendo minuto a minuto.

A Heath se le desvaneció la sonrisa.

—Y el soldado que hay en mí presiente que el problema sólo ha comenzado. ¿Cómo está la apasionada y ardiente Helene?

—Considerablemente más fría la última vez que la vi, por lo menos hacia mí. No logramos llegar a un acuerdo.

—Ah, ¿así que los ojos se te han ido hacia otra?

—No.

—¿No, Gray? ¿No todavía?

Grayson miró disimuladamente alrededor. Sus dos ex amantes parecían estar enzarzadas en una batalla de miradas glaciales. Era posible que hubiera apertura de hostilidades.

Sus hermanos menores, Drake y Devon, y uno de los escandalosos amigos de Drake, habían estado hablando de cierta joven de reputación dudosa a la que conocieron la noche anterior. La conversación se convirtió en una muy acalorada discusión cuando los tres se enteraron de que ella se había prometido a los tres. Una pelea a puñetazos parecía inevitable.

Chloe, la menor de sus dos hermanas, estaba inclinada en su banco hablando en susurros con las damas de honor de la novia, que parecían mucho más afligidas que la novia.

Como granadas en medio de esos tres campos peligrosos estaba un grupo pequeño pero selecto de gente del bello mundo. Políticos, aristócratas, jovencitas debutantes y señoras mayores casamenteras que lo contemplaban más o menos como si él fuera una fortaleza que hay que conquistar.

Sin querer se pasó los dedos por dentro de la corbata, como para protegerse el cuello del dogal del matrimonio. Se sentía ahogado, sofocado, por ese aire de sacrosanto matrimonio, las amantes en guerra, las militantes damas de honor, las responsabilidades que había heredado casi de la noche a la mañana. Nadie, y mucho menos él, había esperado la repentina muerte de su padre el año anterior cuando se enteró de que habían matado a su hijo menor, Brandon, en Nepal. Él seguía sintiéndose culpable por no haber estado ahí para darle la noticia.

El peso de las obligaciones familiares había caído sobre sus anchos hombros como una mortaja. Eran muchísimas las preguntas que había deseado hacerle a su padre, y ya era demasiado tarde. Los afanes egoístas de que tanto disfrutaba antes ya no tenían ningún atractivo para él. Encontraba poco placer en su vida anterior.

No le gustaba el hombre en que se había convertido, y últimamente había comenzado a pensar si podría cambiar alguna vez.

Y ahora ese desastre, su primera prueba pública como patriarca del clan Boscastle. ¿Cómo debía actuar ante el abandono de la novia por su bobalicón primo?

—¿Qué hace uno en esta situación? —masculló en voz baja, para sí mismo.

Heath negó con la cabeza, desconcertado.

—Es una lástima que nuestra Emma esté tan lejos en Escocia. Ella sabría exactamente qué hacer.

Emma, su hermana mayor, había quedado viuda hacía poco y daba clases de etiqueta a la flor y nata de la aristocracia de Edimburgo para ocupar sus horas de ocio.

Volvió la atención al ocioso y más placentero examen del trasero en forma de corazón de la novia. Muy, muy bonito, pensó. No estaba mal como elección de esposa, en el caso de tener que elegir una. Claro que Nigel ya la había pedido para él; una lástima que no se hubiera presentado para coger el paquete. De todos modos, ¿quién podía saber qué acechaba debajo de ese velo?¿Una bella o una bestia? ¿Una sirena o una arpía?

Una palmadita en el hombro de su hermano Heath puso fin a su sugerente ensoñación de libertino.

—La novia es muy hermosa, ¿verdad? —le comentó Heath.

—Mmm —musitó, juntando las yemas de los dedos de las dos manos bajo su mentón con hoyuelo—. No le he hecho un examen detenido. Supongo que podría serlo. No es algo en lo que yo me fije.

—Qué mentiroso eres, Grayson —dijo Heath, ahogando una risita—. Esos ojos azules tuyos la están devorando en todos sus detalles, hasta las ligas.

Bueno, una de sus cualidades menos admirables no había cambiado; seguía siendo un hombre, aun cuando no estuviera seguro de ninguna otra cosa.

—Es muy grosero hacer un comentario como ese en una capilla, Heath —dijo, con fingida piedad, mirando con el rabillo del ojo a su ex amante, la señora Parks, que estaba sentada en el otro extremo del banco entre sus dos revoltosos hijos, resultado de un romance anterior al que tuvo con él. Cuando se lió con él era una próspera modista; gracias a su generosa pensión ya no tendría que trabajar nunca más en su vida, y tenía una relación de amistad con él—. ¿He de recordarte, Heath, que estamos en un recinto sagrado?

—¿Es la primera vez que vienes aquí, Grayson? —le preguntó su hermano, divertido.

—La segunda —contestó él, carraspeando para aclararse la garganta.

Nuevamente paseó la mirada por la capilla. Una de las damas de honor se había echado a llorar y la novia la estaba consolando. Los invitados estaban decididamente inquietos, moviéndose nerviosos en sus asientos, preguntándose en susurros qué iba a ocurrir. Él tendría que actuar pronto, inventar alguna ridícula excusa para explicar el comportamiento de Nigel. Comenzó a ensayar mentalmente.

Aunque era muy improbable, no podía descartar la posibilidad de que el maldito imbécil de su primo se hubiera caído por la escalera al resbalársele una de sus zapatillas de satén y se hubiera golpeado la cabeza quedando inconsciente. A los invitados que conocían a Nigel no les costaría nada creer eso.

Volvió la atención a la atractiva mujer que estaba de pie ante el altar con sus blancos hombros muy erguidos. Un hombre tendría que tener un corazón de piedra para no sentir compasión por ella, el deseo de protegerla del sufrimiento infligido por su pariente.

—Es digna de admiración —le dijo a Heath en voz baja—; no se ha echado a llorar ni ha hecho polvo las flores del ramo en un ataque de histeria, como habrían hecho algunas mujeres que conozco.

Diciendo eso frunció el ceño en broma haciendo un gesto hacia lady Greenhall y la señora Parks, que no tenían fama de ser precisamente sumisas.

En uno de los bancos de ese mismo lado de la nave, un anciano miembro del Parlamento fue despertado por su mujer, y con una exclamación algo confusa preguntó si ya había terminado la maldita boda.

—No ha comenzado —le susurró la señora Parks, azorada—. Parece que el novio se ha perdido.

El caballero movió la cabeza de lado a lado, mirando compasivo a la abandonada heroína que estaba ante el altar.

—Lo lleva bien, me parece —comentó, con voz bronca—. Estoica, como su padre. Esas son las agallas firmes y resistentes de antaño. El espinazo Welsham es irrompible.

—La pobre inocente debe de estar destrozada —musitó la señora Parks, sorbiendo por la nariz para contener las lágrimas—. Ser plantada por el hombre al que ha amado toda su vida. Me gustaría saber qué piensa de esto la pobrecilla.

Lo que estaba pensando lady Jane Welsham no se podría repetir ante personas educadas. En primer y principal lugar, ansiaba correr a casa para quitarse el corsé de seda y el pequeño polisón; el armazón de acero de apuntalamiento de las prendas interiores la ceñía como un fuelle, haciéndole difícil respirar. Ya llevaba un buen rato sufriendo. Y seguro que ya era evidente para todo el mundo que la habían dejado plantada.

Su segunda preocupación giraba en torno a su madre, una delicada flor de feminidad que no descendía del linaje sajón más fuerte de su padre. Su madre parecía estar fuera de sí; parecía incapaz de creer que una jovencita, y mucho menos su propia hija, fuera capaz de soportar ese tipo de humillación tan pública.

—La única explicación es que hayan asesinado a Nigel —decía lady Belshire vehementemente a quien quisiera oírla.

A lo que contestaba el conde con igual vehemencia:

—Y asesinado será, no te quepa duda, cuando yo logre ponerle las manos encima.

—Pero es que han estado comprometidos desde siempre —decía su mujer, llorosa—. El día en que nacieron, todos acordamos que en el futuro estaban destinados para este... este desastre.

Jane exhaló un largo suspiro y hundió la nariz en su ramo de novia. Era capaz de soportar la humillación ante la sociedad, pero detestaba ver tan afligida a su madre porque el cuento de hadas que había planeado no tendría al príncipe elegido al final.

La mayoría de los invitados supusieron, lógicamente, que el desanimado suspiro de la novia indicaba que su fortaleza había llegado a su límite. Su tierno corazón de doncella estaba roto; casi era posible oírlo romperse en su pecho. ¿Quién podría no comprenderla? ¿Cómo fue capaz sir Nigel de infligir esa indignidad a la jovencita que le había servido como su constante acompañante y defensora desde que era niño?

Claro que unas cuantas opiniones maliciosas asomaban sus feas cabezas aquí y allá, principalmente entre las jovencitas debutantes que siempre habían envidiado la posición social de Jane y sus tendencias intelectuales, su negativa a seguir al rebaño. Y ahí...

El corazón roto de Jane pegó un salto y le subió hasta la garganta. Su mirada acababa de conectar con un par de seductores ojos azules que le hicieron bajar un muy inquietante estremecimiento por la espalda. Haciendo un esfuerzo por recuperar el aliento, contempló evaluadora el resto de su irresistible persona, mirando disimuladamente por entre los pétalos con puntas doradas de su ramillete. Vaya, caramba, caramba, caramba. Así que ese era el escandaloso Sedgecroft. Ese magnífico y peligroso espécimen de virilidad sólo podía ser el infame primo del que Nigel solía hablar con tanto desprecio. Ella siempre había tenido el secreto deseo de conocerlo, pero claro, no en una situación como esa.

—Aguanta —le susurró su padre al oído—. Sobreviviremos a esto.

—Los Welsham han soportado cosas mucho peores —añadió su hermano, dándole un torpe golpe en el hombro con el brazo.

—No en este siglo —acotó Caroline, mirándolo enfurruñada.

Jane asintió solemnemente, sin haber oído ni una sola palabra. Era la primera vez que veía en carne y hueso y tan de cerca a su anfitrión, el notorio marqués de Sedgecroft. Y vaya si no era impresionante el corpachón de carne y hueso también, nada menos que de un metro ochenta y pico de altura. ¿Sería verlo lo que le producía ese ligero mareo o sería que el corsé no le dejaba llegar la sangre al cerebro?

—Es Sedgecroft el que está sentado ahí en el primer banco, ¿verdad? —le preguntó a Caroline en un susurro, ocultando la boca tras el ramillete.

La delicada cara de Caroline se ensombreció de preocupación.

—Buen Dios, Jane, hagas lo que hagas, no lo mires a los ojos. Podrías caer bajo la maldición de los Azules Boscastle.

Jane se atrevió a echarle otra mirada.

—¿Qué quieres decir?

—Dicen —susurró Caroline— que cuando una mujer mira esos ojos azules por primera vez se... ah, vamos, pero qué estoy diciendo. Ya te enamoraste de un Boscastle y tu suerte no podría ser peor de lo que es ahora. Estoy sufriendo por ti, Jane. Debo decir que lo soportas admirablemente.

—Es una prueba, Caroline.

—Tiene que serlo. Caramba, hay tres de los hermanos de Sedgecroft aquí y todavía no ha habido ningún duelo. Es un milagro que no se hayan derrumbado las paredes de la capilla. No sé dónde se podría encontrar una colección así de entidades imponentes y alborotadoras fuera del Monte Olimpo.

Jane sonrió; ella y sus hermanas tendían a ponerse muy teatrales en los momentos difíciles. Pero era cierto; por lo visto estaban reunidos allí la mayoría de los Boscastle para presenciar su humillación pública. Los cuatro guapos hermanos destacaban sobresaliendo por cabeza y hombros entre los invitados menos dotados físicamente. Charlando y riendo a intervalos, los tres menores estaban repantigados perezosamente en los bancos, presididos por el marqués en toda su gloria leonina.

Tragó saliva al sentir bajar otro estremecimiento por el espinazo. El semblante y todo el cuerpo de Sedgecroft hablaba claramente de irritación, y no era de extrañar. Había hecho alarde de hospitalidad ofreciendo su mansión y su capilla para la celebración de la boda de su primo, y, a juzgar por la expresión de su cara, habría que pagar un infierno por ponerlo en esa situación. Ella esperaba estar ya lejos y oculta antes que él perdiera la paciencia. Su idea era escapar de ahí tan pronto como fuera posible.

—¿Quieres que te consiga una vinagreta? —le preguntó Miranda, preocupada.

Jane se obligó a desviar la mirada de su amedrentador anfitrión de pelo dorado.

—¿Para qué?

—De repente da la impresión de que podrías desmayarte —dijo Caroline, compasiva.

La culpa de eso la tendría Sedgecroft, pensó Jane, sintiendo una punzada de fastidio. Incluso a esa distancia, separados por casi la mitad de la capilla, percibía que era un hombre al que no le gustaba que lo incomodaran. El cielo la amparara si a él se le ocurría investigar personalmente la desaparición de Nigel, aun cuando eso no parecía probable.

Daba la impresión de que él ya estaba bastante ocupado controlando a su propio clan; por no decir nada de las dos mujeres muy atractivas que a cada momento se le acercaban a hablarle en susurros, de una manera que sugería una fuerte relación personal.

—Reservad la vinagreta para la madre de Nigel —les susurró a sus hermanas, y de repente notó que le ardían las mejillas, al pensar que Sedgecroft y sus amantes eran testigos de su fallida boda—. Creo que se ha desmayado por lo menos cinco veces en la última hora.

—Creo que se toma peor que tú este desastre, Jane —dijo Caroline, pensativa.

—Jane simplemente es mejor a la hora de ocultar sus sentimientos —musitó Miranda.

A eso siguió un momento de silencio. Jane lo aprovechó para echarle otra mirada disimulada a Sedgecroft. Parecía estar tan desasosegado como ella.

—Bueno —dijo Simon entonces—, ¿cuánto tiempo más tenemos que esperar?

Jane bajó una mano para tironearse la falda y sacar la orilla de debajo del pie de su padre. Se sentía como si el peso de todo su traje de novia la estuviera hundiendo. En el aspecto social, claro, ya estaba hundida.

Después de eso era improbable que quisiera casarse con ella algún hombre que valiera la pena. A menos que encontrara un hombre cuya valentía superara con mucho la razón. Sus padres no se atreverían jamás a arreglarle otro matrimonio. Lo más probable era que incluso tuvieran miedo de entrometerse en los asuntos de sus hermanas, con lo que Caroline y Miranda se salvarían de uniones desgraciadas. Las tres tendrían que buscarse maridos solas.

Con dificultad logró reprimir el impulso de lanzar el ramillete al aire y soltar un grito de alegría.

Empezaba a disiparse la nube de desesperación que había ensombrecido esos largos meses de noviazgo. Ya asomaba el sol. Lo había conseguido. Había logrado de verdad evitar el destino que tanto había temido.

—Han pasado tres horas —murmuró su padre, mirando incrédulo su reloj de oro de bolsillo—. Es tiempo suficiente. Simon, ayúdame a llevarla al coche. Pongámonos uno a cada lado por si cayera desplomada por la humillación.

Lady Belshire miró alrededor horrorizada.

—No en público, Howard. Piensa en la multitud de plebeyos que se ha congregado fuera, a la espera de ver a la comitiva de la boda. Lo único que verán será... una novia desplomada.

—Saldré sola —dijo Jane, sintiendo una punzada de culpabilidad por la muerte del sueño de ellos.

Aun cuando eso significaba el renacer de sus esperanzas secretas.

Esa boda nunca había sido el sueño de ella. Ni tampoco el de Nigel.

De hecho, era posible que en ese mismo momento Nigel estuviera haciendo sus promesas nupciales con la mujer a la que había deseado apasionadamente esos últimos cuatro años: la robusta institutriz de los Boscastle, que había consagrado diez años de su juventud a gobernar al desmadrado clan en su propiedad del campo.

Ella les envidiaba el futuro a los dos; aun cuando seguramente el padre de Nigel lo desheredaría, dejándolo sin un céntimo, él pasaría su vida con la mujer que amaba.

Y esa mujer nunca había sido ella. Tampoco ella lo había amado nunca, aunque sí le tenía muchísimo cariño, afecto. Casarse con Nigel habría sido equivalente a casarse con un hermano, una unión que ninguno de los dos deseaba, aun cuando nunca lograron convencer de eso a sus respectivos padres.

—¿Qué podría estar haciendo Nigel mientras nosotros estamos aquí como un grupo de idiotas rematados? —masculló su hermano, cogiéndole el brazo para animarla a escapar hacia el coche.

—Suéltame, Simon —dijo ella en un brusco susurro—. Jamás en mi vida he sido del tipo de mujer que se desmaya.

Una inmensa sombra cayó sobre el altar y repentinamente se apagaron todos los murmullos y un profundo silencio envolvió la capilla. Un terrible escalofrío premonitorio recorrió todo el cimbreño cuerpo de Jane. Las expresiones de espanto que vio en las caras de sus hermanas intensificaron su mal presentimiento.

—Oh, es él —musitó Caroline, con la cara tan blanca como el vestido de bodas—. Cielo santo.

—¿Él? ¿Qué él? —preguntó Jane en un susurro, agrandando sus ojos verdes.

Su hermano se había apartado, soltándole el brazo como si hubiera sido una pistola cargada. Él también estaba mirando la sombra, con una fascinante expresión de miedo combinado con «respeto».

Sin pensarlo, ella se aplastó como un escudo protector el ramillete sobre el escote bordeado por seda con encajes, y se giró a enfrentar su destino. Y entonces se encontró ante la cara más indecentemente hermosa que había visto en su vida.

Él. El muy honorable marqués de Sedgecroft.

Sedgecroft, que proyectaba una sombra que la cubría toda entera, desde el velo de la cabeza hasta las puntas de sus zapatos de boda. Sedgecroft, el de los tormentosos ojos azules y el cuerpo de músculos de acero, el de fama de sinvergüenza y estilo de vida libertino, el bribón más encantador para divertir a la aristocracia amante de escándalos. El hombre en cuya capilla ella había deseado llevar a cabo su plan. Sedgecroft, que se veía avergonzado, capaz y...

¿Qué demonios pretendía hacer ahí en el altar?

Sintió las desbocadas palpitaciones del corazón que hacían vibrar los pétalos de rosas del ramillete que tenía aferrado tan fuerte que le dolía la mano. Por su cabeza pasaron los pensamientos más extraños. Se imaginó que un escultor estaría encantado de esculpir la cara de Sedgecroft, toda esa soberbia estructura ósea de ángulos marcados, ese mentón con hoyuelo...

Por no decir esa boca pecaminosamente modelada y sus hombros varoniles. Trató de calcular cuánta tela necesitaría su sastre para cubrirle la ancha y musculosa espalda. Y ¿sería cierto que él y su última amante hicieron el amor una vez en la Torre?

Su voz profunda la sobresaltó, sacándola de su vergonzosa ensoñación:

—Me siento profundamente avergonzado.

¿Avergonzado? ¿Él estaba avergonzado? Bueno, tal vez tenía cientos de motivos para confesar eso, pero, por desgracia, ninguno en el que hubiera tomado parte ella. Sus hermanas y ella se miraron desconcertadas.

—Perdón, ¿ha dicho que se siente...?

—Avergonzado. Por mi primo. ¿Hay algo que yo pueda hacer?

—¿Hacer?

—Sí, respecto a este... —movió su enorme mano barriendo el aire—, este lamentable asunto.

—Creo que me las puedo arreglar —contestó Jane, y se apresuró a añadir—: pero es muy amable de su parte ofrecer ayuda.

Su agradable voz grave le hacía correr una extraña oleada de calor por las venas. Se había imaginado que un hombre de su reputación se negaría a asumir cualquier responsabilidad en el asunto, y no que se ofreciera a ayudar. Entonces se le ocurrió pensar si emplearía esa encantadora solicitud con su manada de enamoradas amantes y admiradoras. Qué manera más eficaz de derretirle el corazón a una mujer.

Al instante intervino su padre, poniéndose entre ellos.

—Estamos ante un problema táctico, Sedgecroft. Cómo llevarla hasta el coche por en medio de la multitud congregada fuera.

Sedgecroft la miró evaluador, con una mirada de experto que pareció penetrarle hasta la médula de los huesos, y ver todos sus perversos secretos, hasta sus esperanzas y temores más íntimos.

—Eso no es ningún problema. Podría salir por la puerta de la sacristía y usar uno de mis coches. A no ser que por algún motivo prefieras que vaya en tu coche. —Calló un momento, mirándola atentamente otra vez—. Yo podría acompañarla en el coche hasta más allá de las puertas. Podría llevarla en brazos, si fuera necesario. Eso daría un motivo para hablar al populacho.

Caroline ahogó una exclamación y Miranda agrandó los ojos, incrédula y divertida. Jane alargó la mano hacia el brazo de Simon y le apretó la muñeca con tanta fuerza que él se giró a mirarla ceñudo.

—Socorro —le dijo en un susurro apenas audible.

—Creí oírte decir que nunca en tu vida te has desmayado —masculló él.

Ella se cubrió la boca con el ramillete para susurrarle:

—Este podría ser el día en que hiciera una excepción. ¿Lo ha dicho en serio?

Un destello de admiración iluminó los ojos de Simon.

—Con Sedgecroft nunca se sabe. Le he visto ganar una fortuna en el juego con sus faroles.

Ella volvió a mirar disimuladamente esa magnífica cara y vio leves surcos indicadores de un buen humor que tal vez el marqués tenía controlado por respeto a sus sentimientos. Nuevamente se sintió agradablemente sorprendida. Rumores sobre el temerario comportamiento de sus familiares habían circulado durante años por los salones de la alta sociedad.

—No creo que sea necesario llevarme en brazos —dijo, aunque comprendía que en otras circunstancias una mujer sin duda caería en la tentación de aceptar ese ofrecimiento.

—¿No?

La horrorizó el rubor que sintió subir ardiente por el cuello cuando miró sus ojos azules y se encontró cautivada por ese atractivo sensual que emanaba de él casi como si fuera una segunda naturaleza. Podría sentirse totalmente avasallada por ese descarado encanto masculino si no estuviera tan resuelta a poner fin a esa situación.

Llevarla en brazos hasta el coche, desde luego. Hablar de crear un escándalo. Aunque tenía que reconocer que esos soberbios hombros se veían muy capaces de esa tarea... porras, ¿en qué estaba pensando? Ese no era ni el momento ni el lugar para descontrolarse por causa de un desconocido guapo.

—Estoy dispuesta a caminar hasta el coche y hacer frente a la multitud —dijo.

—Sí, claro —dijo él, en tono amable y deferente.

Lord Belshire miró al marqués algo nervioso.

—Supongo que no sabes nada en absoluto acerca del paradero de Nigel —dijo.

En la cara de Grayson apareció una expresión de fría resolución. Su respuesta golpeó como un rayo el centro del corazón de Jane.

—Es mi intención averiguar qué ha ocurrido hoy, créeme —dijo, y entonces la miró a ella, como tratando de traspasar el velo de novia que le cubría la cara—. Sé que este es un momento difícil para usted, pero, por favor, dígame, ¿hubo entre usted y Nigel algún desacuerdo, por una casualidad?

Ella negó lentamente con la cabeza. Se habían despedido siendo los mejores amigos, totalmente de acuerdo de que no eran el uno para el otro como marido y mujer.

—No, ninguna pelea —dijo.

Sedgecroft frunció los labios, como si sospechara que ella había omitido algo importantísimo en su respuesta.

—¿Ninguna riña de enamorados que tal vez usted ha olvidado con todos los preparativos para la boda? ¿Ningún malentendido?

Jane se tomó un momento para contestar.

—Nigel y yo nos entendemos a la perfección —musitó.

—Tiene que haber muerto —dijo lady Belshire, mirando desconsolada hacia todos lados de la capilla—. Jane, creo que sería juicioso aceptar el amable ofrecimiento de Sedgecroft.

Jane la miró horrizada.

—Mamá, no voy a permitir que me lleven por en medio de la multitud como a... como a una pelota.

Lady Belshire se abanicó las mejillas sonrojadas por la vergüenza.

—Me refiero a su ofrecimiento de acompañarte hasta el coche, Jane. Buen Dios, no hay ninguna necesidad de que la plebe ande cotilleando sobre esto.

Lord Belshire dirigió una pesarosa sonrisa a su mujer.

—Prepárate, Athena. Esto va a aparecer como un escándalo con todos sus feos detalles en los diarios de la tarde. No podemos hacer otra cosa que defendernos lo mejor que podamos. ¿Sedgecroft?

El marqués pareció despertar, como si lo hubiera sobresaltado pensar cómo se las había arreglado para involucrarse personalmente en ese drama familiar.

—Uno de mis hermanos acompañará a vuestra hija a casa mientras yo me ocupo de los asuntos aquí —contestó—. Los invitados bien podrían disfrutar del desayuno de bodas que se ha preparado. —Enderezó sus impresionantes hombros, y sus ojos brillaron con un resplandor azul que a Jane le cortó el aliento—. Yo ya arreglaré esto —añadió en voz baja, matizada con toda la arrogancia de su educación aristocrática.

Por un peligroso instante, Jane estuvo a punto de soltar una carcajada. Ahí estaba junto al altar con un infame libertino que no le había dirigido más de dos palabras en toda su vida y prometía vengar una afrenta que en realidad no había ocurrido.

Sin duda esa promesa tenía la intención de tranquilizarla a ella, y la hacía un hombre que probablemente no había aceptado un rechazo jamás en su vida. Pero la promesa producía el efecto contrario. En lugar de sentirse consolada o tranquilizada, afloraron todos los instintos de protección que poseía para advertirla.

Había pensado que al sabotear su propia boda se pondría a salvo. Pero en lugar de eso se encontraba ante un peligro mucho más insidioso que ninguno que pudiera haberse imaginado. En realidad, su plan para ese día bien podría haberla llevado a las mismas puertas del infierno, y el propio demonio estaba ahí esperando para apoderarse de su alma engañosa.

Capítulo 2

Aún no había transcurrido una hora desde la salida de la capilla sin que se hubiera celebrado la boda cuando Weed, el lacayo decano de la residencia de Sedgecroft en Londres, se presentó ante su señor en el inmenso salón de recepción.

Ahí, bajo un cielo raso en forma de cúpula, se había dispuesto el convite de bodas, con todo el esplendor de copas de cristal, porcelana de Sèvres y brillante cubertería de plata sobre mesas cubiertas por manteles de lino blanco almidonado. Pasado un momento de vacilación, los invitados se lanzaron al ataque de la ensalada de langosta y el champán como si todo estuviera perfectamente normal.

Como si las sillas Chippendale de respaldo alto reservadas para los recién casados no estuvieran tristemente desocupadas.

Como si su elevadísimo anfitrión no estuviera presidiendo la celebración como un señor guerrero medieval que ha ordenado a sus vasallos que disfruten mientras él hace planes para su venganza.

—He hecho lo que me pidió —dijo Weed en voz baja, inclinándose a un lado de Grayson, simulando que lo hacía para volver a llenarle la copa de champán—. Nuestro palomo ha volado de la jaula.

La cara de Grayson se tensó en una expresión peligrosa. No toleraba que un hombre careciera de las agallas para cumplir una promesa que había sido tan tonto para hacer, y mucho menos cuando ese hombre era un pariente que utilizó su propia capilla para cometer ese delito social.

—¿Estás seguro?

—Su ropero y su cómoda están vacíos, milord. Los criados aseguran que no tenían la menor idea de sus planes. Su ayuda de cámara ha informado que vio la cama sin ninguna señal de que hubiera sido ocupada cuando subió el agua caliente para afeitarlo a primera hora esta mañana. Al ver el coche de sir Nigel en el recinto, todos supusieron que había salido a hacer una caminata para calmar los nervios.

—Y no volvió —dijo Grayson, despectivo.

La opinión que tenía de su primo iba bajando minuto a minuto. Tal vez sería mejor para todos que a Nigel lo hubiera atropellado un coche de alquiler o que hubiera alguna otra explicación tan ridícula como esa para que hubiera dejado plantada a esa jovencita ante el altar.

—Supongo que todavía cabe la posibilidad de que le haya ocurrido algo malo —dijo Weed, dudoso.

Apareció Heath, el hermano de Grayson, por el otro lado de la silla.

—¿Qué ha ocurrido? —preguntó, sonriendo a las invitadas que lo estaban observando.

Eran señoras que lo consideraban un objetivo deseable para sus hijas solteras, suponiendo que fuera posible cautivar su esquivo corazón. Claro que el marqués estaría en el primer lugar de sus listas, pero a este tampoco le había atraído su atención ninguna jovencita, aun cuando muchas de ellas habían llegado a extremos ridículos por conseguir ese fin.

La doma del clan Boscastle y la consiguiente captura para nupcias era un desafío para muchísimas madres de la alta sociedad obsesionadas por casar a sus hijas. Toda esa riqueza, esa belleza excesiva, su generosidad hacia las pocas personas que consideraban queridas...

—Nigel ha desaparecido —dijo Grayson, rodeando con sus largos y ahusados dedos el pie tallado en forma de espiral de su alta copa.

Heath rió, escéptico.

—¿Desaparecido? ¿En medio de Londres el día de su boda? No lo creo.

—Yo tampoco —repuso Grayson, arqueando una ceja—. El asunto es que no se le encuentra. Queda la pregunta, ¿por qué?

Heath se cruzó de brazos.

—Vamos a necesitar a un agente de Bow Street.

—No —dijo Grayson en voz baja.

Estaba abrumado por sentimientos encontrados: por un lado la lealtad a su familia y por otro esa extraña sensación de responsabilidad que lo impulsaba a actuar para remediar ese desgraciado asunto. Si la hija de Belshire hubiera armado un berrinche o hubiera llorado lastimeramente, tal vez no lo habría conmovido tanto su abandono. Pero su serena resignación lo impulsaba a defenderla. ¿Por qué? No lo sabía. Tal vez debido a que no veía a ninguna otra persona dispuesta a asumir ese papel.

—Si el pícaro se nos ha fugado —añadió—, y no está muerto en alguna cuneta, es y seguirá siendo un asunto de la familia.

—Sí —musitó Heath—, y por lo tanto lo tapamos. Bueno, lo tapamos todo lo que sea posible, tomando en cuenta que la mitad de Londres ya sabe lo que ha hecho.

Grayson entrecerró los ojos. Nunca había soportado el criterio estrecho de la sociedad. Este le producía el intenso deseo de actuar siguiendo sus impulsos más chocantes y escandalosos simplemente para demostrar que no le importaba. El problema era que ya no era el hijo pródigo que se puede portar como se le antoja.

—La mejor manera de hacer frente a los cotilleos es no hacerles caso —dijo—. Sus padres están absolutamente destrozados, por no decir nada de la novia. Supongo que a mí me corresponde arreglar las cosas con la familia.

—¿Tú, Gray, un pacificador? Bueno, eso es como un rayo caído del cielo. Creo que me gusta.

Ninguno de los seis hermanos Boscastle que quedaban se había acostumbrado aún al drástico cambio en la jerarquía familiar ocurrido el año anterior. Su padre parecía gozar de excelente salud hasta dos meses antes de su muerte. Todos imaginaban que el viejo tirano continuaría viviendo unas cuántas décadas más. Y cuando mataron a su hermano menor, Brandon, mientras trabajaba en proteger los intereses británicos en Nepal, a todos les resultó imposible pensar que un joven tan sano y vigoroso no fuera a volver jamás.

Nadie en la familia se había recuperado de la conmoción. Las riendas de la responsabilidad recayeron en las manos de Grayson antes que él se diera cuenta de lo que había ocurrido. De hecho, él iba de camino a China cuando le llegó la noticia de la prematura muerte de su padre.

Casi de la noche a la mañana se vio obligado a abandonar sus pasatiempos para poner su abundante energía en la administración de sus vastas propiedades. Tuvo que dejar para después sus aficiones como el boxeo, la bebida, las carreras de caballos con obstáculos y los viajes a países exóticos, para dedicarse exclusivamente al trabajo. Y su tiempo quedó totalmente ocupado por las finanzas, los asuntos familiares, la pensión para sus tías achacosas y las incontables obras de beneficencia con las que habían colaborado sus padres.

Por no decir nada del clan Boscastle: tres hermanos desmadrados y alborotadores; una hermana a la que le encantaría seguir esos mismos pasos; otra hermana en Escocia que prácticamente se había desligado de la familia, y numerosos primos, entre ellos el desaparecido Nigel, la mayoría de los cuales parecían no tener ni un solo hueso sensato en su cuerpo colectivo. Ser un Boscastle equivalía a desentenderse de los límites.

Claro que si un año antes alguien le hubiera dicho que estaría contemplando el mundo con los ojos de su padre y no con los de su habitual hedonismo momento a momento, se habría desternillado de risa.

Si su familia debía sobrevivir, estaba claro que eso dependía de él. Y hacía unas pocas semanas, le llegó, salida de turbias honduras emocionales que no le apetecía explorar, la comprensión de que su maldita familia le importaba muchísimo. La doble pérdida, de su hermano y de su padre, lo había hecho comprender esa sorprendente verdad. De todos modos, la responsabilidad producía una conmoción horrible en su organismo de libertino.

—¿Qué hacemos, entonces? —le preguntó Heath, sonriéndole a una jovencita que estaba sentada al otro lado de la mesa.

Grayson se echó hacia atrás, divertido.

—¿No puedes desentenderte de las mujeres el tiempo suficiente para ser útil?

—¿Yo? Y ¿eso me lo dice el hombre que tenía a dos ex amantes esperando para saltarle encima desde sus bancos? —Heath se puso serio y sus ojos azul oscuro brillaron de resolución—. Pero sí. Te ayudaré.

Grayson asintió. Contadas personas sabían del trabajo de Heath en el Servicio de Inteligencia Británico durante la guerra. Él ignoraba los detalles y tampoco quería presionarlo para que le revelara lo que había hecho. Lo importante era que bajo el callado encanto y el atractivo de Heath había un intelecto agudo y una casi temible indiferencia ante el peligro. Secretamente él deseaba ser más parecido a su hermano menor y calcular sus pasos en lugar de actuar precipitadamente y luego lamentarlo.

—Encuéntrame a Nigel.

Heath terminó de beber su copa de ponche.

—Considéralo hecho. Y ¿qué ocurrirá después?

—Arrastramos al desertor arrepentido hasta el altar para que concluya el asunto. Lleva contigo a Devon, si quieres. Eso le impedirá meterse en dificultades. —Paseó la mirada por la mesa; acababa de ver que los dos asientos reservados para sus hermanos menores estaban desocupados. Drake aún no había vuelto de acompañar a la novia plantada a su casa—. ¿Dónde está Devon?

Heath se estiró los puños de la camisa.

—Se marchó con unos amigos que conoció la semana pasada en Covent Garden. Lo convencieron de ir a buscar un tesoro de piratas en Penzance. Una gitana lo vio en su bola de cristal.

—Dios nos asista —exclamó Grayson—. Esta familia se va a ir al infierno en una cesta.

—Y tú eres nuestro jefe supremo —dijo lady Chloe Boscastle, de pelo negro azabache, que todo ese tiempo había estado bebiendo champán sentada muy cerca—. Sólo seguimos tu ejemplo, querido hermano.

Grayson exhaló un suspiro. La familia estaba perdida si seguían su ejemplo. Aunque no podía negar que su influencia era un hecho. ¿Qué debía hacer? ¿Arrepentirse? ¿Pecar en secreto? ¿Cuánto tiempo puede un hombre fingir que sus actos no afectan a los demás?

Vaya, por Dios, ¿es que estaba en grave peligro de convertirse en un ser moral?

Por encima del hombro miró al lacayo que estaba apoyado en la pared. De pronto le parecía más fácil pensar en los pecados de otros que considerar los suyos. La distracción le serviría para desviar la atención de su turbio carácter.

—¿Ha vuelto mi coche, Weed?

—Hace unos minutos, milord.

—¿Cómo estaba nuestra novia abandonada?

—Impaciente por estar en casa, me han dicho, y suplicando que la dejaran sola.

—Ha aguantado extraordinariamente bien —comentó Heath—. Eso sí lo admiro.

Grayson intentó imaginarse al mediocre Nigel con la encantadora joven cuya confianza acababa de traicionar. Le resultó difícil imaginárselos juntos, y extrañamente perturbador, en realidad.

Chloe movió la cabeza de lado a lado, compasiva.

—Es probable que nunca vuelva a aventurarse a salir de su habitación. Si yo estuviera en su lugar, me consolaría recorriendo el Continente y echándome amantes guapos para sanar mi corazón.

Grayson miró a su bella hermana de ojos azules con expresión reprobadora.

—Esperemos que la damita no lleve su venganza a un extremo tan ridículo.

—Lo digo en serio, Gray —dijo ella, vehemente—. Lo que le ocurrió hoy es tan horrible que no se puede soportar ni la mitad. Una amiga mía del colegio se arrojó al Támesis por un hombre que la dejó plantada ante el altar. Una mujer no se recupera de una traición tan horrenda. Eso tiene que dejar una herida muy dolorosa.

En su imaginación, Grayson vio una agraciada espalda, unas manos delicadas ocultas por guantes con botones de perla y una cara misteriosamente medio revelada por los pliegues de un velo de bodas. Una cara serena de rasgos clásicos, una elegante nariz y una boca de labios llenos y tentadores. Unos ojos verdes afortunadamente no llenos de dramáticas lágrimas que lo miraban con una resignación que casi lo retaba a expiar un agravio que él no había cometido.

Frunció el ceño casi juntando sus tupidas cejas.

—La dama no me pareció el tipo de mujer que haría algo tan desesperado como quitarse la vida —dijo. Y mucho menos por un imbécil como Nigel, añadió para sus adentros.

—Pero esto significa su muerte en la sociedad educada —insistió Chloe, levantando levemente sus hombros desnudos—. Tienes que hacer algo para arreglar esto, ya que eres el cabeza de familia. Si no lo haces, Jane nunca podrá volver a mostrar su cara en público.

Grayson se imaginó a la seductora doncella de pelo color miel sentada sola y soportando estoicamente su desgracia el resto de su vida. Qué deplorable desperdicio de feminidad.

—Es mi intención hacer algo —dijo.

Pero qué haría, no sabía decirlo. No permitiera Dios que su intervención empeorara las cosas. No era precisamente famoso por su capacidad de hacer buenas obras. Sin embargo, siempre había sentido un curioso impulso por defender a los oprimidos o pisoteados, tal vez porque se sentía culpable de su inmerecida buena suerte.

Levantó la vista.

—¿Heath?

—Me pondré en marcha dentro de una hora.

—Dale una paliza hasta que no le quede ni un ápice del soltero que lleva dentro, pero no le dejes ninguna marca visible.

—¿Por qué no?

Grayson sonrió lúgubremente.

—No quiero que se vea horroroso cuando lo llevemos a rastras hasta el altar.

Capítulo 3

Tres cuartos de hora después, Grayson entraba cabalgando por las ornamentadas puertas de la mansión del conde de Belshire en Grosvenor Square. Cuando el mozo ya se llevaba su caballo al establo, observó que las cortinas de las ventanas saledizas de la planta baja estaban cerradas. Un lacayo de aspecto taciturno lo hizo pasar a una de las cinco salas formales de recibo. En su visita a la casa de ciudad de Nigel no había encontrado ninguna pista útil respecto a su desaparición.

Tuvo que esperar varios minutos allí, durante los cuales observó a los criados pasar ante la puerta de puntillas, como si no quisieran romper el triste y profundo silencio. En realidad, la mansión parecía estar envuelta en un paño mortuorio, como si hubiera fallecido inesperadamente un familiar.

¿Cómo recibirían los padres la impulsiva idea que lo había llevado allí?, pensó. ¿Qué le parecería a la novia plantada su ofrecimiento de actuar como su protector temporal, una especie de sustituto de su estúpido primo ante la sociedad? Si había suerte, Nigel aparecería antes que él pudiera poner en marcha su plan. No tenía idea de cómo lo llevaría a cabo, lógicamente, pero alguien tenía que protegerlos a ella y a su familia del inevitable escándalo.

Siendo el miembro de rango más elevado de su familia, recaía en él ese dudoso honor. Al fin y al cabo, tenía el poder y la popularidad para dar esa protección, y le ofrecía algo novedoso ser el caballero blanco para variar.

La verdadera sorpresa del día era que no hubiera sido él el causante del escándalo.

Sus motivos no eran del todo generosos; había en ellos un cierto egoísmo. En primer lugar, con eso esperaba evitar que el apellido de su familia se viera envuelto en un pleito. En segundo lugar, pretendía poner fin al comportamiento autodestructivo por el que sentían una atracción natural tanto él como sus hermanos.

No pudo dejar de notar que su aparición en el salón principal desconcertó bastante a lord y a lady Belshire. De hecho, lady Belshire ya se había bebido la mitad de una botella de jerez. El conde, por su parte, tenía su pelo negro canoso muy revuelto, con mechones en punta aquí y allá, y llevaba la corbata ladeada, pero aparte de eso, se las arregló para presentar su habitual aire distinguido ante el visitante inesperado.

—Sedgecroft. Sírvete una copa. ¿Has encontrado a ese canalla?

—Todavía no.

Mirando por encima del hombro, Grayson vio a las dos gentiles damitas que estaban sentadas en el sofá simulando estar absortas en sus bordados. Las escalofriantes miradas ceñudas que le dirigían entre puntada y puntada podrían haberle petrificado absolutamente todo el cuerpo. Como si por parentesco él fuera el responsable del abandono de su hermana.

—Heath se va a encargar de la búsqueda, y será discreto —añadió—. Si Nigel está vivo, lo traerá para que cumpla su deber.

Lady Belshire se cubrió la boca con una mano para ocultar un hipo y luego dijo:

—Confieso que preferiría que lo encontraran muerto. Eso por lo menos sería una excusa aceptable de lo que le ha hecho a mi hija hoy.

—Libertino —masculló una de las hijas.

—Calavera —añadió la otra en voz baja y dura.

Grayson las observó atentamente por el rabillo del ojo. Tenía la clara impresión de que no se referían exclusivamente a Nigel, aunque, por el amor de Dios, se podía acusar a su primo de muchos defectos, siendo la estupidez el principal, pero de lo que no se le podía acusar era de mujeriego. Jamás había destacado en esa habilidad.

Y eso hacía aún más preocupante que ese idiota hubiera dejado plantada en el altar a una beldad como lady Jane. Pero claro, era posible que la elegante dignidad de la dama le hubiera asustado. Igual, por lo poco que sabía de él, hasta se había fugado con un hombre. Cosas más raras estaban ocurriendo. Sin ir más lejos, su propia actuación tratando de reparar un agravio en el que nada tenía que ver.

Ceñudo, volvió a mirar al conde, que se había desplomado en un sillón y tenía a un gordo spaniel sobre las rodillas.

—Querría hablar con tu hija, Belshire. En privado, por favor. Alguien tiene que hacer enmiendas en nombre de los Boscastle.

No tenía la menor intención de pedirle permiso a Belshire para hacer lo que fuera que tenía pensado mientras no hubiera presentado su plan a la novia plantada. Si Jane ponía objeciones, bueno, al menos podría decir que lo había intentado. No tenía ningún sentido explicarle el plan a sus padres. Ni Athena ni Howard parecían capaces de tomar decisiones en ese momento, destrozados como estaban por el desastre sin precedentes de ese día.

Las dos damitas se levantaron del sofá como movidas por un resorte de preocupación fraterna. Él las observó. Una tenía el pelo color caoba dorado; la otra era una atractiva morena. Al parecer la belleza era una característica en las mujeres de esa familia.

Y otra, sin duda, una desconcertante seguridad en sí mismas.

—¿Para qué quiere ver a Jane? —le preguntó la de pelo moreno.

—No está de humor para una visita social, considerando lo que le hizo su primo hoy —añadió la otra.

—Eso lo comprendo —contestó él tranquilamente.

—Dudo que quiera verle —dijo la morena.

Grayson se encogió de hombros; tenía la impresión de que ella estaba equivocada.

—No hay ningún mal en intentarlo —dijo.

—Tu aparición aquí es inoportuna, Sedgecroft —dijo lord Belshire, irritado—. Tal vez podrías presentarle tus disculpas otro día.

—Cuando uno se cae de un caballo —dijo Grayson, cauteloso—, el mejor consejo es que vuelva a montar inmediatamente.

Lady Belshire dejó bruscamente su copa en la mesita lateral y lo miró con los ojos brillantes de interés.

—¿Qué sentido le damos a eso de volver a montar, Sedgecroft?

Grayson titubeó un momento, y tuvo que elegir con sumo cuidado las palabras, no fueran a interpretarlo mal.

—Lo peor que puede hacer vuestra hija es retirarse de la sociedad. En el caso de que no encontremos a Nigel o no logremos convencerlo, le convendrá atraerse otro marido.

De preferencia, pensó, uno que tenga por lo menos medio cerebro, para apreciar lo que su primo desechó tan misteriosamente.

—¿Es que se ofrece a casarse con mi hermana? —le preguntó la más alta de las dos hermanas, en un tono a medio camino entre la esperanza y el espanto.

—Noo —se apresuró a decir él, horrorizado por esa idea—. No. Mi intención es ayudarla a reincorporarse en la sociedad lo más pronto que sea posible. Cuanto más tiempo espere, más difícil se le hará volver.

—Tiene un punto de razón, Howard —musitó lady Belshire—. Si Jane se retira indefinidamente, va a pasar a ser solterona y finalmente dejará de existir. Y Sedgecroft está bien considerado en la alta sociedad.

El conde volvió a ponerse en la frente el paño con vinagre que se había quitado.

—Vamos, qué diantre, Sedgecroft. Haz lo que puedas para ayudarla. Jane no me ha dirigido una palabra educada desde hace meses. Muchas veces me expresó sus dudas respecto a casarse con Nigel, pero ¿le hice caso? Yo creía que se adoraban secretamente. Los jóvenes de hoy en día son totalmente... ah, porras. ¿Qué sé yo del amor?

—¿Qué sabe nadie? —dijo Grayson.

Al volverse descubrió que las dos hermanas lo estaban mirando como si de repente le hubieran brotado cuernos y una cola bífida.

—¿Cuánto tiempo crees que le llevaría este... relanzamiento? —preguntó lady Belshire.

Grayson levantó sus anchos hombros.

—No mucho. Mi intención es acompañar a Jane en salidas por la ciudad solamente hasta que comience a atraer el interés serio de unos cuantos pretendientes aceptables. Espero que con el tiempo se recupere lo suficiente para reanudar su vida.

—El hecho de que un marqués la encuentre deseable sin duda va a despertar el interés de la alta sociedad —dijo Athena, pensativa—. Veo posibilidades en esto, Sedgecroft. Es amable por tu parte considerar su futuro. Sin ayuda, es probable que Jane pase a ser una causa perdida.

—Es mi intención dar un ejemplo al resto de mi familia —contestó él. —Aunque Dios sabía que esa abnegación no se le daba naturalmente, como tampoco las complicaciones de un galanteo, aunque este fuera superficial—. Puede que nunca le haya pedido a una mujer que me acompañe al altar, pero tampoco he dejado plantada a ninguna. No carezco totalmente de moralidad, como parecen creer algunas personas.

Lord Belshire abrió un ojo.

—Dar un ejemplo está muy bien, amigo mío, pero yo tengo ciertas dudas. Tienes fama de ser un poco libertino.

—¿Un poco? —exclamaron las dos hermanas al unísono.

—Lo cual podría hacerlo un pretendiente tanto más atractivo para Jane —terció lady Belshire, pensativa—. Sólo una mujer de considerable encanto puede atraer la atención de un hombre como Sedgecroft. Tal vez no le haga ningún daño a vuestra hermana que la consideren de esa manera. Es posible incluso que eso eleve su valor social, que hoy ha caído horrorosamente bajo.

Lord Belshire frunció los labios.

—Y ¿cómo mejorará la reputación de Jane ser acompañada a todas partes por un libertino?, perdóname otra vez, Sedgecroft.

Su mujer negó con la cabeza, resignada.

—No creo que se pueda reparar jamás su reputación. Nuestra única esperanza es que pasado un tiempo ella conozca a un joven al que no le importe este escándalo.

—Exactamente —dijo Grayson, sonriéndole—. No podemos deshacer lo que está hecho.

Athena le sonrió también.

—Pero sí podemos quitarle valor.

—¿Qué importa mi opinión? —gruñó lord Belshire—. Pregúntaselo a ella, Sedgecroft. Está languideciendo en la galería roja con todas esas odiosas estatuas romanas. Pero no te sorprendas si rechaza tu ofrecimiento. Es una picaruela de carácter fuerte.

Grayson se dirigió a la puerta sonriendo para sus adentros por la advertencia. Claro que se sorprendería si ella rehusara. Jamás ninguna mujer había rechazado a un Boscastle si él estaba decidido a conseguirla. Al fin y al cabo, la proposición que le iba a hacer los beneficiaría a los dos. ¿Qué mal podía haber en eso?

Capítulo 4

La galería ocupaba todo el espacio de la primera planta. Era una enorme sala iluminada por el sol y decorada con cortinas y colgaduras de seda roja y una colección de valiosas estatuas italianas. Toda una pared lateral estaba ocupada por una inmensa chimenea tallada en mármol, cuyo hogar podría albergar a una familia de cuatro personas. No estaba encendido el fuego, pero sobre la parrilla se veían trozos de cartas rotas, al parecer listos para ser quemados.

En un rincón estaba Jane, recostada en un sofá tapizado en terciopelo carmesí damasquinado, y con un melocotón de invernadero a medio comer en la mano. Sobre el regazo tenía una carpeta abierta con cartas.

Cartas de amor, pensó Grayson, detenido en la puerta, momentáneamente distraído de su misión por la lánguida sensualidad de su postura. Seguro que había estado leyendo los sosos poemas que le habría enviado Nigel a lo largo de todos aquellos años. Tenía la cabeza apoyada en su blanco brazo doblado, postura que le levantaba los exuberantes pechos formando una seductora silueta. Sus pies descalzos colgaban del otro brazo del sofá. La beldad del corazón roto no se había cambiado de vestido; todavía llevaba el de bodas.

Se tomó su tiempo para observarla en ese momento de distraído descuido. Tenía los ojos cerrados; sus sedosas pestañas negras proyectaban sombras en sus bien formadas mejillas; estiraba y flexionaba los finos dedos de los pies, como si intentara relajarse. Los ondulados y lustrosos cabellos color miel le pasaban por los hombros y caían hasta el suelo. Se imaginó hundiendo la cara en ese pelo y siguiendo las curvas de su cuerpo con las manos. Esa inesperada fantasía le calentó la sangre.

Y pensar que en ese momento Nigel podría estar gozando de todas esas posibilidades sensuales en su cama. Qué imbécil más rematado. Pero claro, pensó, él no la conocía en absoluto. Tal vez tenía algún defecto oculto. Bueno, el defecto tendría que estar muy oculto, la verdad; con sólo estar ahí mirándola sentía los peligrosos revoloteos del deseo.

—¿Me permite una breve interrupción?

Esa voz grave sobresaltó a Jane, sacándola de su trance. Se sentó tan repentinamente que las cartas salieron volando y cayeron al suelo. El sol de la tarde y los nervios de la mañana la habían adormilado. Estaba soñando despierta, pensando en la manera de poner por obra la siguiente fase de su plan.

Estaba contemplando la deliciosa libertad que le había dado Nigel.

La libertad de elegir a su pareja; la libertad de coquetear a gusto de su corazón. De enamorarse perdidamente tal como se enamoró Nigel de su institutriz. O de no enamorarse ni casarse si no aparecía el hombre perfecto.

Estaba imaginándose cómo sería experimentar una verdadera pasión, ese tipo de pasión espantosa, vehemente, impulsiva, violenta, que produce hormigueos de la cabeza a los pies, cuando esa voz ronca, grave, la interrumpió.

Se le aceleró el corazón y comenzó a retumbarle, por una muy explicable expectación. Acababa de ver una sombra vagamente conocida en el rincón donde estaba reclinada, envuelta en una niebla de satisfacción, felicitándose.

Era una sombra que recordaba haber visto en la capilla y que le produjo un estremecimiento premonitorio. ¡No! No podía ser, de ninguna manera. No podía ser, ahí en su casa, en su refugio...

—Lord Sedgecroft, esto es un... un placer inesperado.

«Placer inesperado» ni siquiera empezaba a describir las inquietantes sensaciones que le causaba su aparición. La luz del sol formaba claros y sombras en los bien cincelados planos de su rostro y creaba reflejos dorados como trigo maduro en su pelo, como el pincel de un pintor.

Y su cuerpo... bueno, ese torso de hombros anchos y esbelto talle tan soberbiamente marcado por la chaqueta gris marengo y los pantalones negros ceñidos superaba con mucho en belleza a las estatuas de dioses romanos que los rodeaban.

Se levantó y, tardíamente, cayó en la cuenta de que su aspecto no era en absoluto el que correspondería a una diosa. Tenía una muy visible mancha de jugo de melocotón en la falda; había metido las medias debajo de un cojín. Y ¿qué podía estar haciendo él ahí, por cierto? Sintió reseca la garganta. No era posible que ese diablo ya hubiera descubierto lo de la boda secreta de Nigel, ¿verdad?

—¿En qué le puedo servir, milord? —preguntó tranquilamente, metiendo todas sus preocupaciones detrás de una fachada recatada.

Él le cogió el codo y la hizo retroceder un paso.

—Soy yo el que he venido a servirla.

Jane se sentó de golpe en el sofá, tan asombrada que fue incapaz de disimularlo. Él se sentó a su lado, con un movimiento mucho más elegante que el sorprendido y ruidoso desplome suyo. Su sola presencia la avasallaba totalmente, además del duro muslo que le presionaba la rodilla; no logró imaginarse que su padre lo hubiera enviado ahí a... ¿a qué?

—Creo que no entiendo.

—Todo este asunto tiene que ser terriblemente penoso para usted.

—Mucho.

Aunque no tan penoso como habría sido casarse con Nigel, se dijo silenciosamente.

—Tengo que reconocer que admiré su serenidad en la capilla.

Si él tuviera una mínima idea de por qué estaba tan serena; dudaba que estuviera teniendo lugar esa conversación, pensó ella.

—Gracias —dijo.

—Tiene que haber sido difícil.

Interesante. Parecía ser bastante simpático, en realidad. ¿Qué podría querer decirle?

—No se puede hacer una idea.

—Tener a toda esa gente con la atención fija en usted —continuó él, moviendo la cabeza, compasivo.

—Ni me fijé.

—Todo el mundo susurrando mientras usted estaba ahí absolutamente humillada.

—No fue agradable, pero sigo viva.

—Tss, tss. Ser el objeto de deshonra universal. De burlas, de lástima.

Jane frunció el ceño y lo miró reprobadora.

—¿Con eso pretende hacerme sentir mejor?

—Hay que enfrentar la realidad.

¿Por qué?, deseó preguntar ella, pero estaba tan inmersa en ese drama que no tenía la energía para manifestar su desacuerdo. Era difícil tratar con él si no tenía idea de sus intenciones.

—Sí, hay que enfrentarla.

—Hay que pagar un precio por humillar a una jovencita.

—Sí, hay que... ¿a qué tipo de precio nos referimos? —preguntó, ya bastante impaciente.

—Eso déjemelo a mí. Sólo sepa que Nigel responderá por lo que le ha hecho.

—Tal vez tenga una disculpa.

—No se atreva a defender ante mí a ese maricón de mierda.

Jane emitió una tosesita.

—Su lenguaje, milord.

—Perdone. A veces me dejo llevar por mis pasiones.

—Claro —musitó ella.

Había oído hablar más de una vez acerca de sus pasiones, pero jamás se había imaginado que ella fuera a ser la receptora.

Él se quitó los guantes de piel gris de montar.

—¿Sabe, supongo, que los diarios van a especificar todos los vergonzosos detalles del acontecimiento del día?

Jane tardó en contestar, distraída mirándole las fuertes y elegantes manos. Pero la distracción quedó en nada comparada con la conmoción que sintió cuando una de esas fuertes manos envolvió la suya.

—Los diarios... ¿qué...?, ay, por favor, ¿qué hace?

Él le había dado un apretón en la mano que pretendía ser tranquilizador, pero cuyo efecto fue una fuerte oleada de placer que le recorrió todo el cuerpo en ardientes espirales.

—Los diarios dirán que otro libertino Boscastle le ha roto el corazón a una dama —dijo él, pensativo—. Y darán muchísima importancia al hecho de que yo estuviera flanqueado por dos de mis ex amantes en la capilla.

Jane arqueó una ceja para expresar un delicado reproche, como para decir «Bueno, no es de extrañar», pero pensándolo bien, dado que ella había frustrado su propia boda y él le estaba friccionando el dorso de la mano con el pulgar, y de una manera tan placenteramente desconcertante, decidió quedarse callada.

Él exhaló un suspiro.

—En estos momentos uno de mis hermanos está reposando para recuperarse de una pelea en la que se enzarzó durante el convite de bodas por una joven de dudosa reputación.

—Vaya por Dios.

Cada vez que sus ojos azules se clavaban en los de ella, sentía un extrañísimo revoloteo en la boca del estómago. Le parecía estar elevándose hacia algo indescriptible, como si llevara unas alas mágicas en las muñecas y los tobillos, que la hacían flotar dentro de una agradable niebla oscura.

—Mi hermana Chloe ha dicho que se irá a hacer de cortesana en el Continente —añadió él.

Jane recordó a la hermosa jovencita de pelo negro azabache consagrada a colaborar en numerosas obras benéficas.

—¿Sí? No, no puede ser.

No, pensó él. Probablemente no. Pero tenía que dejar claro un punto, y embellecer un poco la verdad no haría ningún daño, puesto que él tenía seguro el mayor bien de Jane en su corazón. Y pensar que Nigel podría estar haciéndole el amor a esa interesante beldad en ese mismo momento. Nunca había conocido a ninguna mujer como ella. Tenía unas manos suavísimas, y el vestido de bodas, con todos los encajes arrugados, tendría que darle un aspecto recatado, pero en él producía el efecto contrario. Al demonio que había en él le encantaría saber qué ocultaban esos encajes.

—Devon, otro de mis hermanos —continuó, lúgubremente—, se ha ido con unos amigos inútiles en busca de un tesoro escondido.

—¿Un tesoro escondido? —repitió ella, sin poder reprimir una sonrisa ante esa idea encantadora aunque frívola.

Él vio su sonrisa y sonrió también.

—Supongo que nos hemos ganado nuestra reputación —continuó—, aunque en su mayor parte nuestros pecados no han sido irredimibles. Es decir, hasta hoy, con lo que ha hecho Nigel. Nunca hemos humillado a una damita a posta.

Jane ya iba flotando muy alto en esa estratosfera indescriptible, totalmente hechizada por ese hombre endemoniadamente atractivo. ¿A qué querría llegar con esa conversación? Los bribones sinvergüenzas como Sedgecroft andaban al acecho fuera del círculo social de las jóvenes decentes como ella, aun cuando entre estas despertaban cierta curiosidad.

Nigel solía aconsejarle todo el tiempo que evitara a los otros chicos Boscastle, y Nigel era su mejor amigo. Naturalmente ella nunca había puesto en tela de juicio ese consejo. En realidad, se creía lo bastante inteligente para resistirse a la seducción. Pero claro, jamás había intentado seducirla un hombre verdaderamente atractivo. ¿Sería eso...? Le pasó por la mente una idea espantosamente halagadora.

—¿Es su intención seducirme? —le preguntó, muy seria.

—No, claro que no.

—Ah, no, claro que no.

A él le brillaron chispitas de pícara diversión en los ojos azules.

—No se ofenda. En realidad mi intención era felicitarla. Enterarse por experiencia propia de lo cruel que puede ser el mundo es una lección que no es fácil para nadie, pero usted ha recibido toda una lección hoy. Querida mía, si esto fuera seducción, no estaríamos aquí sentados cogidos de las manos.

¿Qué estarían haciendo si estuviera ocurriendo una típica seducción Boscastle?, pensó ella. La búsqueda de respuestas a esa interesante pregunta la tendría despierta hasta la madrugada, seguro. Tenía una imaginación muy fértil, y Sedgecroft era capaz de mantenérsela estimulada durante varios meses.

—Lord Sedgecroft, si esto no es seducción —dijo, en el tono más educado posible—, ¿qué es exactamente? ¿Otra disculpa personal de su familia?

—Eso y mucho más. —Le levantó las manos hasta el mentón de él y sonrió, con una sonrisa cálida y un poco traviesa—. Es una proposición.

—Una proposición.

—Noo, no es lo que cree. Comprendo cómo se siente después de la humillación que ha sufrido hoy. Jamás en mi vida me había sentido tan avergonzado por mi familia. —La verdad era que nunca había prestado mucha atención a los pecados que cometían sus familiares; estaba demasiado ocupado pecando él—. Permíteme que sea franco, Jane.

—Me parece que no se lo puedo impedir.

—Una mujer en tu lamentable posición está en peligro de convertirse en paria, en una proscrita. Haría falta ser un hombre de carácter para casarse contigo ahora. Un hombre lo bastante fuerte para desentenderse de las opiniones de los demás. No quiero decir que ese hombre no exista, pero son pocos, muy, muy escasos.

Jane sintió arder las mejillas de fastidio. Él acababa de describir al hombre de sus sueños, al hombre que tal vez no encontraría nunca en las aguas superficiales de la alta sociedad. ¿Existiría ese hombre o se moriría de soledad esperando que apareciera?

—Bueno, no fue culpa mía.

—Exactamente. Y por eso no eres tú quien debe ser castigada, y por eso es mi intención cortejarte, es decir, visiblemente, ostensiblemente, para demostrar que sigues siendo una mujer deseable, una buena elección.

Jane se quedó sin habla. Qué lío. Qué consecuencia más cruel e inesperada. Lógicamente, ella había previsto un tiempo de aislamiento social; había supuesto que habría burlas, lástima, que sería ignorada durante un tiempo.

Pero ¿que un conocido sinvergüenza como Sedgecroft abrazara su causa? ¿Que ese hombre indecentemente guapo patrocinara su regreso al mercado del matrimio del que ella había pretendido escapar? Eso era lo último que se habría imaginado. Lo encontraba horrorosamente engreído y al mismo tiempo encantador por sugerir una cosa así. Se ofrecía a protegerla de las consecuencias de sus propias maquinaciones. ¿Cómo debía reaccionar?

—Veo que esto ha sido una conmoción —dijo él, sonriendo, escudriñándola con sus ojos azules—. ¿Me encuentras muy poco atractivo para que te corteje?

Vamos, él no tenía idea; lo encontraba tan aniquiladoramente atractivo que casi no lograba pensar a derechas. Lo cual, en su opinión, presentaba un problema.

—Bueno, es usted bastante... bueno...

—Más experimentado que tú.

—Entre otras cosas.

Él se le acercó más y le apretó las manos, alentador.

—Mi experiencia sólo será una ventaja para ti.

—¿Por qué será que dudo de eso?

—Conozco todos los juegos de amor que se juegan en nuestro mundo, Jane —dijo él, mirándola a los ojos.

—No me cabe duda.

—Si Nigel no vuelve para enmendar esta situación casándose contigo, te ayudaré a encontrar a otro joven que sí esté bien dispuesto. Lo investigaré personalmente antes de darle mi aprobación. —Le hizo un guiño y adoptó un tono amistoso—. El sello personal Boscastle, ¿mmm?

Eso era lo último, lo último que deseaba ella: otro casamentero para fastidiarle la vida por completo. Se aclaró la garganta, buscando las palabras para frustrar esa desastrosa conspiración.

—Es muy amable de su parte, pero...

Esa boca bellamente modelada se curvó en otra seductora sonrisa:

—Hay un cierto egoísmo en mis motivos; no son del todo generosos. Quiero hacer esto para sentar un ejemplo para mi familia. Dios sabe que ya es hora de que por lo menos un Boscastle se comporte con madurez. —Hizo una pausa y sus ojos brillaron de travesura—. Claro que nunca me imaginé que sería yo.

Ella comenzó a sentirse atolondrada; le giraba la cabeza. ¿En qué se había metido? Cortejada por... Sedgecroft. Bueno, para él sólo sería un juego, un plan para inculcar una apariencia de orden a sus revoltosos hermanos, pero para ella... No sabía si sus emociones podrían con... ese hombre tan hombre. Igual se moría de palpitaciones después de una velada en su presencia, y los problemas que podrían surgir más valía no intentar predecirlos.

Por un peligroso instante consideró la posibilidad de confesárselo todo. Pero eso significaría faltar al juramento que le hiciera a Nigel sobre la Biblia. Probablemente le destrozaría la vida a Nigel; sus padres intentarían obligarlo a declarar nulo su matrimonio; su flamante esposa quedaría deshonrada, y también el hijo que estaba esperando. A ella sus padres la desheredarían por deshonrarlos. Y a ella, que había ideado ese plan con la mejor de las intenciones, la harían sentirse muy malvada y su pecado sería expuesto a un mundo cruel. ¿Quién comprendería su deseo de forjarse su propio destino?

—Lord Sedgecroft...

—Ah, vamos, Jane. No me mires tan ceñuda como una institutriz. Esto será divertido. Lo sepas o no, eres una mujer muy hermosa.

—¿Sí?

—Ah, sí.

Ella suspiró. Ese hombre respiraba y rezumaba seducción, sin siquiera saberlo. Seguro que coqueteaba dormido, y lo hacía muy bien, además. Sólo estar sentada a su lado la hacía estremecerse, le debilitaba las piernas. Y le debilitaba el cerebro también. ¿Por qué no se le ocurría ninguna disculpa para rechazar su proposición? Nadie creería que ella había atraído la atención de un hombre como ese marqués.

—Creo..., la verdad es que soy tan tímida que no seré capaz de llevar esto de manera convincente.

Él la miró a los ojos.

—Yo seré convincente por los dos.

Ella retuvo el aliento cuando él le puso las manos en los hombros y se los presionó con firmeza, aunque muy suave. Si Nigel se hubiera atrevido a hacerle eso, ella se habría desternillado de risa. Pero ante esa presión de las manos de Grayson, actuó su instinto natural y cerró los ojos, se sometió y... lo disfrutó.

Se estremeció cuando él le rozó un pómulo con el dorso de la mano. La hacía sentirse atractiva, lo cual, supuso, era parte del atractivo de él.

—¿Qué hace? —preguntó, más curiosa que desconcertada.

—Convencerte —contestó él, con la voz grave, ronca.

Entonces ella no supo qué pensar cuando él le enmarcó la cara entre las manos. Pero si su mente estaba suspendida en una especie de paralizada curiosidad, su ser físico estaba muy activo, derritiéndose en una mezcla de intensas necesidades y ardientes arreboles. Estaba prácticamente ardiendo cuando él le rozó el labio inferior con la boca, con intencionada sensualidad. Los latidos de su corazón se convirtieron en retumbos que resonaban por todo su cuerpo hasta convertirse en angustiosas vibraciones.

—Convencerme —dijo, y su voz le sonó rara, lejana, como un eco, algo parecido al trino de un canario al que han sacado de su jaula—. ¿De qué?

—Mmm.

Grayson estaba desconcertado por su propia reacción al beso. Estuvo varios minutos sin saber qué decir, lo cual era una novedad en su amplio dominio de sí mismo. La situación había tomado un desvío vigorizador, estimulante. Ella parecía muy ingeniosa para ser una mujer de su posición social. No lograba decidir si eso sería una ventaja para ella o no. A él no le importaba ni en uno ni en otro sentido. Tal vez los demás percibirían eso de una manera totalmente diferente.

—Escúchame, Jane. No era mi intención hacer valer mis razones de esta manera, pero no se puede esperar que un tigre cambie de piel en un abrir y cerrar de ojos. Hay un algo en tu naturaleza que tienta al hombre primitivo que hay en mí. Lo que quiero decir —continuó en voz baja—, es que si tu experiencia de hoy ha dañado tu fe en que eres deseable, conozco varias maneras mutuamente satisfactorias para restaurártela.

—Esto...

—Aun cuando sólo sea un juego.

—¿Un juego? —repitió ella, temblorosa.

—Un juego no excluye un poco de placer, ¿verdad? —dijo él dulcemente—. Tu futuro no ha llegado a su fin por haber sido abandonada ante el altar.

Además, su exuberante cuerpo estaba hecho para hacerle el amor, para hacerle trizas el juicio a un hombre, pensó, sintiendo acelerado el pulso por un deseo que ya rayaba en lo peligroso.

Ella cambió de postura y él sintió endurecido todo el cuerpo. El sensual roce de su pelo en su mano, la turgente suavidad de sus labios, le desencadenaban un deseo que le obnubilaba la razón. Sin siquiera intentarlo, lo excitaba. Una ráfaga de expectación erótica le bajó como un rayo de energía por toda la columna. Todas las terminaciones nerviosas de su cuerpo reaccionaron, cebadas para la relación sexual.

—Ooh —musitó ella, asombrada, y levantó una mano para apartarlo empujándole el hombro, pero detuvo el movimiento y la dejó caer fláccida sobre la falda.

Él le pasó la lengua por todo el carnoso labio inferior. A ella se le entrecortó la respiración, excitándolo más aún.

—No te atrevas a moverte —la advirtió, amablemente—. Aun no he terminado.

La atrajo más hacia él, y se le escapó un gemido al sentir en el pecho la presión de sus pechos redondos y llenos. Le deslizó suavemente la mano libre por la espalda, siguiendo con los dedos la forma de sus costillas. Eso no le bastaba, de ninguna manera. Todos sus fieros instintos masculinos lo impulsaban a bajarle el cuerpo para hundirla en el sofá.

—Lord Sedgecroft...

—Chss. No es educado interrumpirme cuando te estoy besando.

Ella emitió una risita nerviosa.

—Se atreve a hablar de educación cuando...

—Vuelves a interrumpirme.

—Uno de los dos tiene que demostrar autodominio.

—Ah, sí —dijo él, sonriéndole—. Los invitados a la boda hacían comentarios sobre el extraordinario autodominio de que hiciste gala hoy.

—Sospecho que también hicieron comentarios acerca de usted. Y probablemente no dijeron nada relativo al autodominio.

Él se echó a reír, encantado por su franqueza. Así que la damita no era todo lo que parecía. Eso sí era una agradable sorpresa, que hacía todo eso mucho más placentero. Lo librara Dios de tener que acompañar por las fiestas de la ciudad a una señorita tímida. Volvió a rozarle los labios con los suyos, consiguiendo una suave exclamación. Le introdujo la punta de la lengua por entre los labios, y sintió arder la llama del deseo en los más profundos recovecos del vientre. Ella no se mostraba lo que se dice complaciente, pero tampoco se le resistía. Le gustó su sabor, al suave néctar de melocotón. También le gustaban los contornos de su cuerpo; la cálida presión de sus pechos en su hombro: turgentes, incitantes. Tuvo que apretar la mano en un puño para impedirse acariciárselos.

—No has terminado aún, ¿verdad? —dijo ella, con voz débil, aunque tuteándolo.

—No del todo.

—Muy bien. Continúa.

Diciendo eso se reclinó en el respaldo. Mirándola con sus ardientes ojos azules, él siguió su movimiento y la dejó clavada entre los cojines con su peso todo músculos duros. Fría como la niebla, pensó, aunque no se le escapó el pulso acelerado de ella en el hueco de la garganta.

Saboreó la forma y la textura de sus labios húmedos y dóciles; absorbió los suspiros que se le escapaban; le devoró la boca con implacable habilidad hasta que sintió sus involuntarios estremecimientos de excitación.

Ella lo excitaba también, más de lo que se habría imaginado que lo excitaría esa fatalista jovencita en su vestido de bodas arrugado y los pies descalzos. Le gustaba que no estuviera llorando desconsolada o clamando venganza. Exhalando un suspiro, reunió lo que le quedaba de autodominio; bajó la mano por su brazo y al llegar a la curva del codo la pasó a su cintura y la cerró firmemente ahí.

—Bueno —dijo ella, cuando comenzó a respirar otra vez—. Bueno.

—Hay momentos en la vida en que uno debe olvidar un plan en favor de un impulso —dijo él tranquilamente, tratando de aplacar el deseo que se había apoderado de él.

Jane lo miró reprobadora.

—Lo cual no significa que haya que actuar agresivamente siguiendo cualquier impulso que surja.

—Si eso fuera así no estaríamos aquí hablando del asunto.

—¿Qué estar...? No, nada. No debo preguntar.

—A mí no me importa —dijo él sonriendo.

—No, seguro que no —suspiró ella. Vio que sus ojos se habían oscurecido a un azul medianoche, y en sus profundidades se veía el deseo, desnudo. La esencia misma de diabólica seducción—. No me vas a pedir disculpas tampoco, ¿verdad?

—¿De qué? —preguntó él, divertido.

—Si tengo que explicarlo, supongo que no tiene ningún sentido continuar con el tema.

¿Qué tema?, pensó Grayson, y casi se lo preguntó. No sabía si la había ofendido o no. Su reacción a los acontecimientos del día no eran exactamente la que habría esperado. Se dijo que su resignación era un alivio: no lo obligaba a enfrentar emociones incómodas. Tal vez la había azorado, abrumado. Sí, eso tenía que ser. La familia Boscastle tendía a intimidar a las almas más débiles.

—Esto es exactamente lo que hace a un hombre como tú un perfecto libertino —musitó ella, pensativa.

—¿Perdón?

—Tu desvergonzada búsqueda del placer.

—Ah, eso. —Le miró la boca mojada e hinchada por el beso. Era difícil saber cómo estaba; no parecía particularmente abrumada por lo que acababa de ocurrir—. ¿He ofendido tus sensibilidades?

—¿Ofendido? No, milord. Arrasado, sí. Supongo que voy a necesitar varios días para recuperarme. ¿Por qué me besaste, por cierto?

Él se golpeó la rodilla con el guante, algo desconcertado por la agudeza mental que revelaba esa pregunta.

—Por varios motivos, en realidad. El primero, que no soporto ver a una mujer hermosa afligida por un bobo como mi primo.

—Sí, pero...

—El segundo, es que quería demostrarte todo lo atractiva que eres. —Le recorrió todo el cuerpo con la mirada—. El tercero, sentí deseos de besarte y obedecí al impulso.

Ella se levantó, con el cuerpo algo inestable.

—Creo que me voy a retirar a mi habitación para desmayarme en la debida forma.

Él se reclinó apoyándose en el respaldo, y se pasó el pulgar por su delgado labio superior, donde quedaba el sabor de ella atormentándole los sentidos. A cada instante que pasaba, le parecía un alma menos y menos débil.

—Muy justo. Vendré a visitarte cuando te hayas recuperado.

—Todo esto es muy avasallador, Sedgecroft.

Él la miró atentamente con los párpados entornados. Avasallar a una mujer era algo que entendía. Sintió un vago alivio; eso lo podía manejar.

—Al parecer mi primo no tiene la menor idea de lo estupenda que es la mujer que ha perdido, pero cuando yo haya terminado, se va a dar de cabezazos, seguro.

Ella se volvió hacia la ventana, para ocultar su consternación, y él se levantó y se puso a su lado.

—No sé qué ha pasado —musitó ella—. Portarnos como si... bueno, este beso no puedo compararlo con nada que haya experimentado.

—¿No? —bromeó él, curiosamente contento al saber que no había perdido su capacidad de avasallar.

—La experiencia más parecida que logro recordar es aquella vez que le desobedecí a mi padre y a escondidas monté su semental no domado. El dolor del golpe cuando me caí me dejó sin aliento. Tu beso me ha dejado en un estado similar.

Grayson frunció el entrecejo. Había una gran diferencia entre avasallar a una mujer e imaginársela sin aliento por el dolor en el suelo.

—No sé si debo sentirme halagado o no.

Ella se volvió a medias y se desconcertó al ver que él estaba más cerca, y no donde lo había dejado.

—Te agradezco tu intención de ayudarme. Son tus métodos los que pongo en tela de juicio.

Él se encogió de hombros.

—Como he dicho, ofrezco esta ayuda tanto por el bien de mi familia como de la tuya.

—¿Qué dirías si me negara a aceptarla?

—Pues, tendría que hacer otros intentos de persuadirte. Pero creo que ya has aceptado, ¿verdad?

—Eso es una suposición arrogante por tu parte.

—Es un hecho histórico, Jane —dijo él, sin el menor asomo de querer pedir disculpas en su tono—. Desde la época feudal, ninguna mujer ha sido capaz de negarse a un hombre Boscastle una vez que él ha puesto su marca en ella.

Ella arqueó las cejas.

—¿Su marca? Ah, fantástico. Una marca en el proverbial trasero de la vaca.

Él pasó por su lado para recoger los guantes del sofá, ocultando una sonrisa. ¿Alma más débil la había creído? Bueno, tal vez estaba conmocionada. Tal vez no era ella misma.

—Vendré mañana.

—¿Tan pronto? —dijo ella alarmada, medio consciente de que esa pregunta equivalía a cerrar un trato entre ellos.

—No tiene ningún sentido que te acabes convirtiendo en una solterona —dijo él, implacable—. Además, ya te has revolcado bastante en la autocompasión. Fuera el luto de la boda, por favor.

—¿Cómo has dicho? —balbuceó Jane, desconcertada por su brusca franqueza.

—Luto, como la ropa de duelo —dijo él, en tono más suave—. Las esperanzas del día han muerto; vivan los locos caprichos del mañana. Quema sus cartas, encanto. Mañana vístete para mí con algo atrevido.

Ella lo miró desdeñosa.

—No tengo nada atrevido en mi guardarropa, Sedgecroft.

—Eso habrá que cambiarlo —dijo él, mirándola fijamente a los ojos.

Ella se plantó las manos en las caderas.

—Y ¿si yo no quiero cambiarlo?

—Toda mujer desea ser deseable —dijo él, encogiendo otra vez sus anchos hombros.

—Tal vez las mujeres con quienes te relacionas. Vi el harén en la capilla.

—Sólo fue buena educación invitarlas.

—¿Fue la buena educación lo que las llevó a tu cama? —preguntó ella, sin poder evitarlo.

Él sonrió, enseñando sus blancos dientes.

—Mis buenos modales me impiden contestar esa pregunta.

—Me lo imagino —dijo ella, mientras por su mente pasaba un desfile de imágenes de él en sus momentos de más libertinaje, retozando con sus amantes. Movida por una repentina curiosidad, preguntó—: ¿No les va a molestar a tus amantes que me sirvas de acompañante por todas partes?

—Afortunadamente para ti, Jane, por el momento estoy libre de líos románticos.

—Afortunadamente para mí —masculló ella.

Al otro lado de la puerta crujió un tablón del suelo. Jane se ruborizó al pensar que alguien pudiera haber estado oyendo esa conversación.

—No te pareces en nada a Nigel —dijo en voz baja.

Él emitió una risa ronca y se giró hacia la puerta.

—Espero que eso resulte en tu beneficio.

Capítulo 5

En un primer instante, Grayson consideró la posibilidad de actuar como si no hubiera visto a las dos jovencitas arrodilladas fuera de la puerta. Pero cuando ellas se incorporaron para echar a correr, no pudo desentenderse. Tenía que enfrentarse a ese par si iba a ser visitante frecuente en esa casa.

—Perdón —dijo, aclarándose la garganta para fingir un tono severo—. ¿Siempre escucháis a escondidas las conversaciones de vuestra hermana o soy yo el foco de vuestro morboso interés?

—Estábamos... —contestó Caroline, agachándose a recoger un libro que se le había caído al suelo—, esto... estábamos persiguiendo una araña...

—Una enorme araña marrón que vimos subir por la escalera —se apresuró a añadir Miranda.

Caroline movió el libro debajo de las narices de él, para dar énfasis.

—Parecía que iba directa a la galería. Queríamos cogerla... Jane le tiene un miedo de muerte a las arañas.

—Y ¿qué pensabais hacer cuando cogierais a ese bicho? —preguntó él deteniendo con la mano el movimiento del libro, no fuera a golpearle el mentón—. ¿Leerle una historia para que se durmiera?

—Simplemente queríamos proteger los intereses de Jane —dijo Caroline, dejando caer la máscara.

Grayson se inclinó a mirarla a los ojos.

—¿Hay algún motivo en particular que te haga pensar que yo soy un obstáculo en el camino de tus nobles intenciones?

—Bueno, es un Boscastle —dijo Miranda en voz baja.

Caroline asintió.

—Un Boscastle le rompió el corazón.

—Justamente por eso —dijo él—, es un Boscastle el que debe levantarle el ánimo.

—¿Cómo piensa hacer eso? —preguntó Caroline.

—Creo que eso no es asunto vuestro. Cuento con la aprobación de vuestros padres.

—Nuestros padres no tienen la menor idea de lo que es mejor para nosotras —dijo Miranda con mucho sentimiento—. Deberían haberle hecho caso a Jane cuando ella expresó sus dudas respecto a casarse con Nigel.

Grayson titubeó, pensando si habría algún alma débil en esa casa.

—Da la impresión de que era Nigel el que tenía sus dudas respecto al matrimonio.

—Tal vez eso también es una característica Boscastle —dijo Caroline antes de darse cuenta de lo que decía—. Los hombres de su familia son notorios solteros.

A él se le curvaron los labios en una sonrisa amedrentadora.

—Tal vez vosotras, hermosas jovencitas, podríais dedicar vuestros encantos a remediarme ese desconcertante problema. En lugar de escuchar detrás de las puertas.

Miranda se ruborizó, y se puso a considerar la sugerencia, hasta que Caroline le dio un codazo en el costado.

—El problema —dijo Caroline, secamente—, es que Jane está muy, muy vulnerable, y usted es...

—¿Sí? —preguntó él, pestañeando, con cara de absoluta inocencia.

—Bueno —continuó Caroline, cogiendo el hilo—, un poco arrollador para una mujer en ese estado tan vulnerable.

Qué preciosas eran las dos jovencitas, pensó él, entretenido. Un par de gatitas justicieras que no se habían aventurado jamás en el mundo cruel. Podría tener que darles un buen susto, por el bien de ellas.

—No sé qué quieres decir.

Caroline se puso el libro sobre el pecho.

—¿Cómo se puede expresar esto de un modo delicado? Verá, en usted hay una fuerza peligrosa que atrae a las jóvenes.

—¿Una fuerza peligrosa? —exclamó él, fingiendo modestia—. Jamás lo habría soñado posible.

—Y nuestra hermana, en su estado vulnerable —añadió Miranda, moviéndose incómoda—, podría no ser capaz de resistirse a esa fuerza suya.

Grayson simuló reflexionar sobre ese ridículo problema. ¿Fuerza peligrosa? Por lo menos eso era original.

—Entiendo algo de la naturaleza emotiva de una mujer.

—Eso hemos oído —dijo Caroline, con claro sarcasmo.

Él consiguió hacer una expresión de horror.

—¿No creeréis, supongo, que yo seduciría a vuestra hermana después de la humillación que ha sufrido hoy?

—¡No, claro que no! —exclamó Miranda.

—¡Santo cielo, no! —dijo Caroline, aunque eso era exactamente lo que había pensado—. No hemos querido dar a entender eso.

Él apoyó un hombro en la puerta y entrecerró los ojos, pensativo.

—¿Qué queríais decir entonces?

Caroline frunció los labios.

—Bueno, para empezar, podría tratar de ser ligeramente menos... menos atractivo para los sentidos femeninos cuando esté en su compañía.

Él arqueó bruscamente sus tupidas cejas.

—Y ¿cómo debo hacer eso?

—Iría bien —terció Miranda, tímidamente—, si lograra no parecer tan masculino cuando se presenta.

Él simuló preocupación.

—No tenía idea de que fuera tan sumamente ofensivo para el sexo opuesto —dijo en voz muy baja—. Es alarmante esto.

—Lo ha entendido mal —dijo Caroline, después de mirar a su hermana.

—¿Sí?

—Sí. Si bien sus cualidades masculinas son arrolladoras, no son necesariamente ofensivas.

—Ah, bueno —dijo él, exhalando un suspiro de alivio.

—En realidad —añadió Miranda—, sus cualidades son exactamente lo contrario de ofensivas.

Caroline asintió enérgicamente.

—Y ahí está el problema —dijo.

—Comprendo —dijo él, reprimiendo el loco deseo de soltar una carcajada—. Parece que tendré que buscar un remedio para mi... para mi... mi espantosa «masculinidad».

—Yo creo que el problema no es su «masculinidad» —dijo una voz por la rendija de la puerta—. Creo que es su forma de usar ese atributo la que le deshonra.

Grayson apartó el hombro de la puerta para que Jane pudiera abrirla y salir al corredor. Caroline y Miranda se quedaron inmóviles por el sentimiento de culpa cuando ella las enfrentó. Caroline se apresuró a decir:

—Estábamos...

—Ya he oído lo que estabais diciendo —dijo Jane—, pero ¿no ha habido ya bastantes problemas por un día?

—Para toda una vida, diría yo —añadió Grayson, asintiendo.

Jane lo miró molesta. Por desgracia, sus hermanas tenían su punto de razón. La virilidad de ese hombre aniquilaba a una mujer normal. Por suerte, ella controlaba muy bien sus impulsos. Al menos hasta hace unos minutos.

—Si ya habéis acabado de solucionar los problemas de su señoría, creo que me retiraré a mi habitación a echar una agradable siesta —dijo.

—¿Necesitas ayuda? —preguntó Grayson, con la voz suavísima.

Jane lo miró mal. Ya estaba otra vez. No podía evitarlo. El mismo aire que respiraba emanaba seducción.

—Sólo me han plantado, milord. No me han herido mortalmente.

—Ay, Jane —dijo Miranda, con los ojos empañados de lágrimas—. Cuánto debe de dolerte esto. Eres muy valiente.

Valiente y misteriosa, se dijo en silencio Grayson, con el cuerpo excitado al recordar el beso y la reacción desconcertantemente enigmática de ella. No tendría por qué ser difícil ayudarla a olvidar al canalla de Nigel si este no regresaba. Cuanto antes mejor. La aflicción por un amor no correspondido sólo la haría menos atractiva para otro posible marido.

—Jane —dijo, solemnemente, inclinando la cabeza—. Te dejo, entonces, para que te recuperes de la terrible experiencia de hoy.

Ella exhaló un suspiro. El desastre de la boda no la había aniquilado ni la mitad de lo que la había aniquilado él.

—Gracias —musitó—. Eres excesivamente amable.

Y excesivamente encantador. Y excesivamente seductor. Y excesivamente guapo. Y...

—Descansa —dijo él, en tono dictatorial—. Los resultados de nuestro plan valdrán la pena, pero voy a ser un acompañante exigente.

Imaginar qué podría exigirle le aceleró el pulso.

—Aún no he aceptado esto, milord —dijo, bastante sublevada, cuando él le dio la espalda para marcharse.

Él miró atrás, guiñando los ojos; un hombre tan seguro de sí mismo que era una hazaña ofenderlo.

—Das la impresión de ser una mujer inteligente. Aceptarás.

—Podría sorprenderte —masculló ella.

—Siempre estoy dispuesto a aceptar un desafío —contestó él.

Ella agrandó los ojos.

—Creo que no entiendo qué quieres decir.

Él emitió una risita endemoniada.

—Contribuir a restablecer la reputación de una mujer será una experiencia totalmente nueva para un hombre Boscastle.

Y tan pronto hizo esa sorprendente confesión, echó a andar, dejando a Jane y a sus hermanas pensando qué tipo de desafío esperaba él de ese galanteo. Las dejó mirándolo con horrorizada admiración, y el poder de su presencia quedó flotando en el silencio.

Ya era bien pasada la medianoche cuando Jane mojó la pluma en el tintero para escribir una furtiva carta en su escritorio a la luz de una sola vela.

> *Mi querido N:*
>
> *Supongo que ya es el momento apropiado para felicitaros a ti y a tu flamante esposa. Nuestra «boda» fue, o no fue, tal como lo esperábamos... aparte de que se presentó un pequeño obstáculo en nuestro plan.*
>
> *Se llama Sedgecroft.*
>
> *¿Necesito decir más?*
>
> *No te preocupes por mí. Sabré arreglármelas con él.*

—Al menos eso espero —masculló, dejando caer la pluma, agitada.

Se levantó y comenzó a pasearse por la alfombra Axminster, con sus ojos verdes ensombrecidos por la preocupación. El sonido de la orilla de su bata al rozar la alfombra era lo único que perturbaba el silencio de la habitación iluminada por una sola vela.

No era una quejica. Había participado en ese plan con el ánimo bien dispuesto, pero encontraba un poco injusto haber sido la que se quedaba ahí a enfrentar las consecuencias de la frustrada boda mientras Nigel estaba lejos disfrutando de la dicha conyugal con su mujer.

Las consecuencias, en la forma de un pasmoso ejemplar de belleza masculina, el marqués, le parecían un destino más terrible que el que había deseado evitar.

¿Qué se podía hacer para frustrar a Sedgecroft adelantándose a él?

Al parecer, eso era imposible. Al menos sin pagar un precio. Sólo la sonrisa de ese hombre tenía el efecto de un disparo en las sensibilidades de una mujer. Debajo de su fachada cortés latía el corazón de un conquistador consumado. De todas las damiselas afligidas que podría haber elegido para defender, ¿por qué la eligió a ella? Si quería expiar sus maldades, ¿por qué no se dedicaba a rescatar huérfanos o construía un hospital? Por culpa de Nigel, lógicamente.

—¿Jane? —susurró una voz detrás de ella.

Se giró en medio de la alfombra y vio a Caroline en la puerta. Casi se imaginó que Sedgecroft se había materializado, salido de sus pensamientos.

—Qué susto me has dado —susurró.

Caroline cerró silenciosamente la puerta.

—Sabía que no podrías dormir esta noche. Estaba preocupada por ti.

Jane se acordó de cambiar su expresión para poner la máscara de abatimiento, herida de amor, que había llevado todo el día.

—Tengo muchas cosas en la cabeza. Con Nigel compartíamos muchos recuerdos.

—Entre otras cosas.

Jane se enderezó alarmada al ver que Caroline se acercaba al escritorio.

—¿Qué quieres decir?

—Teníais secretos, ¿verdad?

—Bueno, unos pocos, pero... —Corrió a rescatar la reveladora misiva de las manos de su hermana—. Iba a quemar esa.

Caroline levantó lentamente la cabeza y la miró, sus ojos brillantes de comprensión.

—Es una carta para Nigel, ¿verdad?

—Sí, pero no debes inquietarte por mí —contestó, arrojando la carta sobre las brasas del hogar. ¿Es que ya no había intimidad en esa casa?—. Mi corazón sanará a su debido tiempo.

—Yo diría que tiene una extraordinaria capacidad de recuperación —dijo Caroline, sarcástica.

Jane levantó la vista de la carta que ya ardía consumida por las llamas.

—Me conoces. Nunca he sido buena en demostrar mi aflicción.

—Lloraste un mes entero cuando se murió tu spaniel.

—Bueno, era un perro. Esto es por... Nigel. Una dama no exhibe sus sentimientos en público.

Los ojos castaño dorados de Caroline la perforaron.

—Yo no soy público. Soy yo, Jane.

—Prefiero guardarme la pena para mí si no te importa.

Caroline le dio unos golpecitos en el brazo con las yemas de los dedos.

—Vomita la sopa.

—¿Sopa? ¿Qué...?

—Vi la carta. Mencionabas a Sedgecroft, al que has conocido hoy. Por lo tanto, era una carta actual.

—Que no pensaba enviar —dijo Jane, con la voz aguda y nada convincente.

—Mentirosa.

Caroline miró alrededor, desconfiada. Sobre la cómoda cama de cuatro postes de Jane había un plato con frutas, además de una pila de revistas para mujeres y unas cuantas novelas.

—¿Cuánto tiempo piensas representar a la heroína trágica? —le preguntó en tono socarrón.

Jane pestañeó, horrorizada, aunque en realidad bastante aliviada también por tener a alguien en quien confiar. Nunca en su vida había sido capaz de ocultarles un secreto a sus hermanas. Ellas la acosaban con su incesante curiosidad e intromisión, siempre fisgoneando donde no debían. Era un milagro que hubiera logrado ocultarles la verdad todo ese tiempo.

—Lo hice por nosotras —dijo a borbotones—. Lo hice para que ninguna de nosotras tuviera que aceptar otro matrimonio arreglado.

—Tú... —Caroline agrandó los ojos admirada—. ¡Fue un complot! Cielos, caramba. Lo sabía. Sabía que tú y Nigel planeabais algo durante esas conversaciones tan secretas. Miranda creía que estabais... bueno, qué importa lo que creyera. Es evidente que estaba equivocada.

Jane se sentó en la cama, agotada emocionalmente.

—Fue un complot, de acuerdo, y todo podría haber resultado a las mil maravillas si ese sinvergüenza de Sedgecroft no hubiera sufrido un cambio oceánico en su moralidad y decidido sentar un ejemplo para su familia.

Caroline la miró preocupada, al parecer muy bien dispuesta a participar en la conspiración.

—¿Qué vas a hacer?

—¿Qué puedo hacer? No puedo decirle la verdad. Se enfurecería. Yo no podría volver a mostrarme en público nunca más.

—Supongo que lo único que se puede hacer es seguirle el juego hasta que él se convenza de que ha conseguido lo que quiere. No puede durar eternamente. Se dice, que una cierta francesa llamada Helene Renard será su próxima conquista.

—Es probable que tenga una colección de conquistas —dijo Jane, moviendo la cabeza disgustada—. No voy a sobrevivir.

—Vamos, Jane, no es tan malo.

—No. Es muy bueno. Como sinvergüenza, quiero decir.

—Tienes una voluntad tremendamente fuerte, más fuerte que cualquier mujer que conozco, bueno, tal vez después de mí —dijo Caroline, con la frente arrugada por un entrecejo—. Nunca he sabido que hayas caído en la tentación, desde esa vez que montaste el semental de nuestro padre.

—La tentación nunca... bueno, nunca me ha tentado antes.

Caroline pestañeó, y finalmente pareció horrorizada por esa revelación.

—¿Sedgecroft te tienta?

—Noo, claro que no —se apresuró a contestar, pero tan rápido que no convenció a ninguna de las dos—. Pero no importaría si me tentara. He sacrificado mi reputación para conseguir mi libertad. No voy a arrojarla al viento por los besos de un pícaro.

Aun cuando sus besos eran indeciblemente eróticos y la atormentarían el resto de su vida.

—¿Te besó?

—Pues claro que me besó. No puede evitarlo.

—Y ¿tú?

—Yo no pude evitarlo tampoco —contestó Jane tristemente, cubriéndose la cara con las dos manos como si así pudiera borrar el recuerdo.

—Ay, Dios. Supongo que no te gustó.

—Pues sí, me gustó —dijo Jane, bajando las manos y suspirando.

—Bueno —dijo Caroline, pasado un largo silencio—. Supongo que tienes razón. Sedgecroft no parece ser el tipo de hombre que siga interesado en una mujer eternamente. Quiero decir, en una mujer que no...

—Sí, creo que sé lo que quieres decir. No soy el tipo de mujer que le mantenga el interés.

—Eso no significa que no puedas convertirte en una mujer de esas —dijo Caroline, esforzándose por ser útil.

—Convertirme en una mujer de esas no es lo que me proponía cuando urdí este enredo —dijo Jane, volviendo a suspirar.

—¿Qué pensaría Nigel de todo esto? —preguntó Caroline, pensando en voz alta—. Sedgecroft es su primo.

—Dudo que Nigel esté pensando mucho en este mismo momento —dijo Jane, secamente—. Está feliz disfrutando de su luna de miel.

—¿Su luna de miel? —exclamó Caroline pasmosamente asombrada.

—Con Esther Chasteberry.

—¿Su institutriz? —exclamó Caroline elevando la voz—. ¿La robusta, casta y castigadora señorita Chasteberry? ¿La antipática con la varilla?

—Robusta sigue siendo, según Nigel. Casta parece que ya no.

—Bueno —exclamó Caroline desplomándose en la cama al lado de Jane—. ¿Quién se lo habría imaginado?

—Se aman —dijo Jane sonriendo—. Es bastante conmovedor, en realidad, oírlo hablar de ella.

—Bueno, todo eso está muy bien para Nigel, pero ¿y tú? —preguntó Caroline, muy leal, con los ojos preocupados—. ¿Cómo te las vas a arreglar en la sociedad?

—No te preocupes de la sociedad —dijo Jane, vehemente—. ¿Cómo me las voy a arreglar con Sedgecroft? ¿Oíste lo que dijo? Prometió ser un acompañante exigente. ¿Tienes una idea de lo que significa eso?

Caroline cerró los ojos, fascinada.

—Por mi cabeza pasan todo tipo de ideas indecentes. ¿Qué vas a hacer con él?

Jane se tendió de espaldas en la cama, con la cara preocupada.

—Aun no he urdido esa parte —susurró.

Capítulo 6

A la mañana siguiente, dado que Sedgecroft no fue a visitarla, Jane se atrevió a albergar la esperanza de que él hubiera reconsiderado su ofrecimiento. Tal vez ya se había olvidado de ella, arrastrado por sus asuntos. Al fin y al cabo, él mismo había reconocido que en su comportamiento se dejaba llevar por sus impulsos. Una buena noche de sueño podría haberle devuelto la sensatez a su arrogante cabeza.

Y una buena noche de sueño podría haberle hecho muchísimo bien a ella también, si no la hubiera despertado un sueño muy nítido. En ese sueño ella estaba descansando en el sofá de la galería cuando una de las estatuas cobró vida y se inclinó sobre ella, totalmente desnuda de la cabeza a los pies.

Era Sedgecroft.

«Vístete para mí con algo atrevido», le susurró, con sus firmes labios apenas a unos dedos de los suyos.

Ella trató de sentarse, con el rostro encendido de indignación y curiosidad.

«Tú podrías ponerte algo encima. ¡Estás desnudo!»

«¿Sí? Me alegra que lo hayas notado...»

No supo qué más dijo, porque ella ya le había echado los brazos al cuello y atraído su cuerpo desnudo sobre el suyo, absorbiendo su calor y peso con todas las fibras de su ser.

Lógicamente, después de despertar de ese sueño no consiguió pegar ojo. Cada vez que cerraba los ojos veía al sinvergüenza desnudo inclinado sobre ella, sus seductores ojos azules, su pecho y su vientre todo ondulantes músculos. Un pícaro imaginario que atormentaba sus sueños.

Agitando la cabeza para quitarse esa perturbadora imagen, se levantó y no se molestó en llamar a su doncella. Después de asearse tomándose todo el tiempo del mundo, fue al ropero a mirar sus vestidos. Finalmente se decidió por uno muy recatado de seda gris con botones de ónix en las mangas y el corpiño cubierto por volantes fruncidos. Tenía que parecer abatida unas cuantas semanas por lo menos. De pronto le captó la atención un coquetón y vaporoso vestido de tul rosa con delgadas cintas bajo la cintura. Lo sacó y al instante se quedó inmóvil, sintiendo subir el rubor a las mejillas.

Por su mente pasó un rostro delgado de cinceladas facciones y unos seductores ojos azules. No, por favor, otra vez no, pensó aterrada. Los blancos dientes le relampagueaban tras su sonrisa lobuna. Miró dentro del ropero, casi esperando que se le apareciera Su Desnudez.

«Vístete para mí con algo atrevido.»

Se sacudió para quitarse esa idea de la cabeza y cogió el soso vestido gris. De pronto cayó en la cuenta de que la casa estaba tan silenciosa como una tumba. No, eso no estaba bien, no era lo normal.

Una vez vestida salió y bajó la escalera sonriendo alegremente a los criados que estaban en el vestíbulo de baldosas de mármol, hasta que sus tristes suspiros y lastimeras expresiones le recordaron que una novia plantada no va saltando por la casa como si fuera un petardo.

Aminoró el paso, bajó la cabeza y pensó en el perro que se le había muerto, con el fin de parecer afligida.

—¿Dónde están todos, Bates? —preguntó al alto y adusto mayordomo que estaba supervisando la limpieza de los adornos de bronce del vestíbulo.

—Sus hermanas están en sus clases en el pabellón de verano —contestó él gravemente—. Su señoría tenía una reunión en Saint James Street. Lady Belshire está trabajando en el jardín como le gusta hacer.

—Gracias, Bates —dijo ella, girando sobre los talones.

—En nombre del personal, lady Jane —dijo él a su espalda, en tono solemne, como si estuviera recitando una elegía—, quiero expresar mi más profunda compasión por su pérdida.

Ella se detuvo, tratando de no hacer caso del estremecimiento de culpabilidad que le bajó por la espalda.

—Gracias, Bates, muy amable.

Innecesario, pero amable de todos modos.

—Lo mismo digo yo, lady Jane —añadió la diminuta mujer canosa que estaba en el otro extremo del vestíbulo.

Jane se giró, tensa, y le sonrió a la bajita ama de llaves, que se estaba limpiando las lágrimas con la cinta del delantal. Ay, Dios, esa era una vergüenza que no había previsto.

—Anímese, señora Bee. Somos los Belshire.

—Sí, efectivamente, milady —dijo la señora Bee, sorbiendo por la nariz.

Con su buen humor bastante menguado, se dio media vuelta y continuó su camino hasta salir al exuberante jardín todo verde por el exceso de malas hierbas y se encontró con su madre, que con su papalina de paja y un vestido de diario de vivo color verde mar estaba cortando las malas hierbas crecidas en medio de un muro de altramuces con unas tijeras de costura. Encontraba bastante consuelo en esa conocida escena doméstica. La vida en el jardín tendía a continuar a pesar de las complicaciones del mundo exterior.

—Hola, mi pobrecilla —la saludó lady Belshire, escrutándole la cara en busca de alguna señal de que tenía el corazón roto—. ¿Pudiste dormir algo? Les advertí a todos que guardaran el mayor silencio posible.

—Dormí...

Se interrumpió, al recordar el sueño que la despertó. Consternada comprobó que la imagen llena de vida del marqués desnudo ya comenzaba a hacerse borrosa. Seguro que nunca volvería a ser capaz de admirar una estatua romana, pero si no lograba recordar a Sedgecroft desvestido tampoco podría excitarse de tanto en tanto.

—Cariño, ¿te sientes mal?

Jane pestañeó, observando que su madre estaba agitando un tallo de altramuz delante de sus ojos.

—Estoy muy bien. Esto... ¿Sedgecroft ha enviado algún recado por casualidad? Es decir, no es que yo quiera que...

Lady Belshire exhaló un suspiro.

—No pudo venir esta mañana, Jane. Espero que eso no sea otra decepción para ti, aunque después de lo ocurrido ayer me imagino que no hay muchas cosas que puedan hacerle más daño a tu sufriente corazón. A Sedgecroft lo retuvo un asunto familiar. Envió mensaje diciendo que...

—No pasa nada, mamá. En realidad no esperaba que cumpliera su palabra. Es probable que ya esté arrepentido de haber hecho su ofrecimiento, y de ninguna manera quiero que lo cumpla.

Corriendo dio la vuelta al banco de piedra, mareada de alivio. Un respiro. Una oportunidad de recuperar el equilibrio. Claro que Sedgecroft no vendría. ¿Qué podría querer él con la sosa lady Jane plantada? Aunque durante unos minutos la había hecho sentirse más deseable de lo que jamás hubiera soñado posible. Bueno, eso demostraba que tenía razón respecto a él.

—¿Mis hermanas siguen en clase con madame Dumas? —preguntó, alejándose.

—Sí, pero... —Lady Belshire miró consternada a su hija que se alejaba corriendo—. Buen Dios, Jane, ni siquiera terminé de decirte el mensaje.

Jane frenó a tiempo para no entrar corriendo en el pabellón de verano a darle la buena noticia a Caroline. Caroline y Miranda estaban leyendo en voz alta el *Tartuffe* de Molière, con su horrorosa pronunciación francesa, mientras madame Dumas escuchaba, pellizcándose la nariz con sus flacos dedos, como si estuviera sufriendo horrorosamente.

—¿Puedo interrumpir? —preguntó Jane, divertida.

Madame Dumas se estremeció y cerró el libro.

—Sí, por supuesto, por favor. Sus hermanas están asesinando mi lengua materna.

Miranda se levantó y fue a abrazar tiernamente a Jane.

—Caroline me lo ha contado todo —le dijo en voz baja—. Estoy a reventar de admiración —añadió pasado un instante—. Uy, Jane, ¿qué has hecho?

—Hasta ahí llegó lo de guardar un secreto —comentó Jane, llevando a sus dos hermanas a la corta escalinata para salir a la luz del sol—. Os prohíbo decirlo absolutamente a nadie más.

—Ni a una sola alma —prometieron las dos, muy serias.

—Y espero que no habléis de mí delante de madame Dumas. Ya me considera causa perdida porque preferí estudiar italiano en lugar de francés, en protesta por todos los amigos que murieron en la guerra.

Caroline ahuyentó a una mariposa que se había posado sobre sus abundantes cabellos caoba dorado.

—Oí a Dumas decirle a la señora Bee que podrías tener que casarte con un francés, puesto que es improbable que algún aristócrata inglés quiera casarse contigo.

Antes que Jane pudiera contestar a ese comentario, llegó hasta ellas lady Belshire, sin aliento por la prisa en recorrer el jardín.

—¡Ha llegado! —exclamó, y, con una brusquedad muy atípica en ella, cogió a Jane del brazo y la alejó de sus hermanas—. Y ni siquiera estás bien vestida.

—¿Bien... para qué? —preguntó Jane, desconcertada, mirando alrededor.

Aparte de los dos jardineros que estaban podando los álamos, no había nadie a la vista, ni ningún motivo para que su madre estuviera tan agitada. Y eso le produjo otra de esas terribles sensaciones premonitorias.

—¿Quién ha llegado, mamá?

—Sedgecroft, ¿quién, si no? —Al ver la espantada expresión de su hija, lady Belshire se llevó la mano al corazón—. Ay, cariño, creíste que me refería a Nigel, ¿verdad? Qué descuidada soy. Qué absolutamente estúpida. Es evidente que sigues con la esperanza de que ese bribón se presente con alguna explicación comprensible de su abominable crueldad.

Jane miró a su madre, dominando el infantil deseo de arrancarle la papalina de paja adornada con cintas, tirarla al suelo y saltarle encima pisoteándola.

—Sabes qué reputación tiene Sedgecroft, mamá. ¿No temes, aunque sea un poco, que me manche?

—No seas tonta —repuso lady Belshire, agachándose a arrancar una mala hierba que crecía entre las losas—. Todas mis hijas están por encima de la tentación. Tu hermano, en cambio, es otra historia. Hace un momento intenté decirte que Sedgecroft no pudo venir esta mañana porque estaba retenido por un asunto familiar. Dijo que vendría más tarde.

—¿Esta tarde?

—Ahora, Jane —exclamó su madre, exasperada—. Era su coche el que pasó por la calle.

—¿Qué coche?

—Ya no tiene importancia —susurró su madre a toda prisa y, cogiéndola por los hombros, la giró hacia la casa—. Ya está aquí y, uy, mira qué vestido te has puesto.

Jane miró hacia la enorme figura que venía avanzando por el césped, con los duros planos de su cara iluminados por el sol. La chaqueta azul marina de mañana y las calzas beis, de cara confección, realzaban su elegante masculinidad. Y no era que necesitara ningún realce en ese aspecto. Podía estar totalmente desnudo y de todos modos... ay, no, por favor, esa imagen otra vez. Y justo cuando tenía que mirarlo a la cara.

Él aminoró el paso y le dirigió una sonrisa sensual que le hizo pasar vibraciones de terror por todo el organismo. Toda esa virilidad, a plena luz del día; cautivaba a una mujer como envolviéndola en un huracán. Cuando comenzaba a recuperarse, su primer impulso fue esconderse cobardemente detrás del seto de boj. Pero como estaba bien educada, se mantuvo bravamente firme donde estaba, y él reanudó la marcha.

—Ah, estás aquí —dijo él, cogiéndole las dos manos sin la menor vacilación—. Temí que te hubieras escondido. No podemos permitir eso.

Y eso era exactamente lo que había deseado hacer ella.

Comenzó a sentir hormigueo en los dedos con la presión de las manos de él. Hizo varios intentos sutiles de liberarse de la presión. Él ni lo notó. Azorada, miró hacia su madre y sus hermanas, que, de modo nada convincente, simulaban que no estaban observando cada movimiento de él.

—Escúchame, Sedgecroft —dijo en voz baja, resuelta a hacer entrar en razón a ese cabezota.

—Te escucho.

Ay, esos ojos, tan intensos, tan vivos, tan... invitadores. ¿Qué más daba que fuera el hombre más arrogante del mundo? Su alegría era contagiosa.

—He pensado en tu generoso ofrecimiento a que te utilice como tique, por así decirlo, para recuperar la aceptación social.

Él sonrió de oreja a oreja, dándole la impresión de que debería sentirse halagada por esa oferta de él.

—Estupendo —dijo, haciendo una elegante venia, como si con eso quedara todo dicho.

—Y he decidido...

Se le enredaron los pensamientos y olvidó lo que iba a decir porque él le pasó su enorme mano por la cintura y empezó a llevarla hacia la puerta de madera oculta en la pared de ladrillos. Sintió en la espalda el delicioso apoyo de su cuerpo duro como la piedra.

—Creo que por aquí podemos salir a la calle, ¿verdad? —dijo él, y continuó sin darle la posibilidad de contestar—: Mi coche está aparcado ahí mismo. Había tal enredo en el tráfico que me costó llegar aquí, entre vacas y vendedores ambulantes.

—Creo que tendré que declinar —dijo ella, casi gritando, ya presa del terror.

Él continuó llevándola por entre los álamos, y repentinamente miró hacia arriba, a los dos jardineros que acababan de dejar inmóviles las podaderas. Su ceño ligeramente fruncido los hizo reanudar el trabajo al instante. Era un hombre al que los demás obedecían instintivamente.

—Podemos hablar de eso en el camino —dijo—. En privado.

A su pesar, ella lo miró con respeto y temor por partes iguales, pensando cómo puede un ser humano andar por el mundo con esa inagotable arrogancia.

—Sedgecroft, no estoy preparada para exponerme al público.

—Tonterías. —Se detuvo a examinarla con todo detalle—. Estás bastante bien para llevarte a una salida por la tarde, aunque he de reconocer...

Se interrumpió.

—¿Reconocer qué?

—No tiene importancia. —Miró hacia atrás, pensativo, a las tres mujeres que los seguían a una discreta distancia—. Supongo que no importa —musitó, encogiéndose de hombros—. Ya es tarde para hacer otra cosa.

Ella hundió los tacones de sus zapatos de seda. Le había picado la vanidad femenina con su insinuación de que algo no estaba bien en su apariencia. Debería decirle cómo se veía él en su sueño de esa pasada noche.

—Importa —dijo con voz firme—. Al menos sé que me importaría si tuvieras la amabilidad de explicarme qué te desagrada en mi apariencia.

Él se golpeó con los dedos un lado de su mentón con hoyuelo, pensativo. La miró a los ojos un momento.

—Es sólo que..., no, no quiero ofenderte, no, después de lo ocurrido ayer.

Ella arqueó las cejas y entrecerró sus ojos verdes.

—Ofenderme.

—Bueno, ¿es esta tu idea de un vestido atrevido? —le preguntó en voz baja, y como si se avergonzara por ella.

Aaahh.

—¿Qué tiene de malo mi vestido? —preguntó, deseando ser indiferente a lo que pensara él.

—No enseña nada. Nada aparte de volantes fruncidos y... y gris. Todos esos fruncidos en la pechera... —Hizo un mal gesto y sacó pecho, remedándola, y horrorizándola—. Trae a la mente la imagen de una paloma. Una paloma atractiva —se apresuró a añadir al ver la mirada de ella.

Ella apretó los dientes.

—Está hecho para no enseñar nada, Sedgecroft.

—Y eso ¿por qué? —preguntó el demonio.

Ella se cruzó de brazos, cubriéndose los pechos con volantes fruncidos.

—No soy una de tus mujeres de dudosa reputación.

Él carraspeó; era evidente que disfrutaba a lo grande.

—Ciertamente no lo eres.

¿Por qué ese comentario le sonaba como un insulto?, pensó ella. Una jovencita decente se sentiría orgullosa de su apariencia de... de paloma.

—Ocurre que este es mi vestido favorito.

—Mi abuela tenía un par de cortinas exactamente de ese color en su sala de estar.

—¿También ella te recordaba a una paloma?

—No exactamente, pero no voy a disfrutar de nuestra tarde si cada vez que te miro me acuerdo de mi abuela.

—Este es un vestido recatado, Sedgecroft. A la moda.

—Tal vez, si fueras ochentona. Mmm. —Se giró a mirar a las damas que los seguían—. Lady Belshire, ¿cuál es tu sincera opinión sobre este vestido?

Jane puso los ojos en blanco. El maldito, pedirle a su madre su sincera opinión. Igual podía pedirle a una reformadora que diera un discurso ante el Parlamento.

—No pasa nada, mamá —dijo, con voz glacial—. No tenemos por qué molestarte.

Pero su madre parecía halagada, deseosa de intervenir.

—Cariño, no me molesta.

—Vuelve a tus flores, mamá —murmuró Jane en voz baja—. El jardín te necesita.

—El vestido, Athena —dijo Grayson, invitándola a acercarse con un perezoso gesto doblando los dedos—. ¿Qué te parece? Ofrécenos el beneficio de tu sabiduría.

Su señoría avanzó unos pasos y observó atentamente a su hija en silencio.

—Para ser totalmente sincera, nunca me ha gustado el gris para las chicas, a no ser que la situación exija gravedad, por supuesto. El gris, a no ser en los tonos muy claros, deberían usarlo las institutrices y las amas de llaves. Ahora bien, el plateado...

—¿Es esto una conspiración? —terció Jane, situándose entre ellos.

—Noo —dijo Grayson. Guardó silencio un momento y no pudo evitar sonreír de oreja a oreja al ver la indignada expresión de Jane—. Pero parece que hay consenso en la opinión. Creo que deberías cambiarte, si tomamos en cuenta que se celebrará un baile en la fiesta a la que vamos a asistir.

Jane agitó la cabeza, incrédula. Tenía la clara impresión de que había caído en una trampa puesta por un cazador muy listo y muy apuesto. Al parecer, si no quería provocar otra escena desagradable, era muy poco lo que podía hacer, estando su madre alentando al demonio. Qué hombre más irritante, francamente. Qué lío.

—¿Baile? —Frunció los labios—. ¿Al día siguiente de haber sido...? Muy bien, Sedgecroft, iré a cambiarme. ¿Quieres elegir el tamaño de los botones? ¿Examinar la costura interior de mis guantes? ¿Prefieres algún determinado color, aparte de prohibir los colores paloma?

A él le chispearon de travesura los ojos, seductores, irresistibles.

—Prefiero el rosa, pero, lógicamente, la decisión es tuya.

—No, no lo es —gruñó ella, girando sobre sus talones y echando a andar hacia la casa—, porque la pura verdad es que prefiero el gris.

* * *

Grayson casi lamentó su sugerencia de que se cambiara de vestido cuando ella reapareció media hora después. El diáfano vestido de tul rosa cubría un cuerpo curvilíneo que tentaba a todos sus demonios dormidos. Sabía muy bien que ella lo había hecho esperar a posta, aunque de ninguna manera él se quejaría por eso.

No podía quejarse, cuando el resultado final le encendía los sentidos; cuando lo único que podía hacer era simplemente respirar y decirse que debería sentirse culpable por desearla. Sabía muy bien que ella era vulnerable a la seducción después de haber sido tan cruelmente abandonada por su primo. No se iba a aprovechar de ella, ¿verdad?

Se le oscurecieron los ojos con franca aprobación masculina cuando, cediendo a sus instintos, se permitió echarle una larga y ávida mirada de arriba abajo. La espera había valido la pena. Sus curvas le hacían la boca agua: sus pechos llenos y elevados, esas caderas redondeadas, y sus ágiles piernas largas y delgadas. Apoyado despreocupadamente en la pared de ladrillo, se le oprimió la garganta cuando, al estar ella más cerca, pasó la mirada a su cara. Seductora, dulce, pero no empalagosa. Ella debería haber hecho picadillo a Nigel, no él a ella.

Ya reconocía secretamente que al menos una parte de su plan para ayudarla estaba inspirado en algo más que nobles intenciones. Aunque, lógicamente, no iba a actuar según esas viles motivaciones Boscastle. Pero tampoco tenía ningún sentido engañarse. Encontraba atractiva a Jane, la encontraba fascinante de una manera que ni siquiera lograba comprender. Eso le haría más fácil ayudarla; incluso añadía un elemento de peligro a la relación entre ellos.

—Eso está muchísimo mejor —dijo amablemente.

En su voz no se detectó ni por asomo que en su imaginación acababa de desvestirla y acostarse con ella; que por un momento ella lo tenía hechizado con una inevitable atracción, y que no sabía qué hacer con eso.

—¿Sí? —preguntó ella.

El ceño con que ella manifestaba su molestia no destruyó en absoluto las imágenes sexuales que desfilaban por su mente, la visión de sus cuerpos unidos en el placer. Su reacción lo asustó un poco; era un golpe emocional que casi lo hacía tambalearse. Por suerte, hacía tiempo que había aprendido a ocultar sus sentimientos, si no, el susto habría sido de muerte.

—Nunca miento, Jane —dijo, ofreciéndole el brazo.

Ella lo miró fijamente un momento y luego pasó la mano por la curva de su codo.

—Puede que no mientas, pero eres dominante.

—Eso también es cierto —musitó él, atrayéndola hacia él para abrir la puerta oculta en la pared.

Cuando se tocaron sus cuerpos ella consiguió a duras penas reprimir un suspiro de placer. Pero al inspirar aspiró los olores que emanaban de él, a lana y a jabón de Castilla, el masculino aroma de su piel, esa virilidad que la hacía sentirse tan protegida y vulnerable al mismo tiempo. Una parte de ella deseó acercársele más para saciar sus sentidos. La otra parte deseó apartarse, protegerse de ese asalto a su juicio. El hecho de que hubiera cometido un enorme pecado no significaba que estuviera destinada a caer en el vicio del hedonismo y la perdición, ¿verdad? Tenía que pensar, sopesar las cosas.

En el fondo de su ser se sentía como una vela de cera suspendida sobre una llama, derritiéndose al calor que emanaba de él. Levantó la vista y los ojos de él atraparon los suyos, seductores, sin ocultar su sensualidad. Entonces, con la mayor despreocupación, él levantó el pestillo, abrió la puerta y la guió por el estrecho sendero de adoquines que llevaba a la calle. Ella expulsó el aliento en un resoplido. Sólo Dios sabía qué estaba pensando él y por qué ella le seguía el juego aceptando su plan, fuera el que fuera.

Se detuvo bruscamente, al caer en la cuenta de que había estado tan embelesada por él que no había prestado atención al camino que llevaban.

—¿Qué pasa con la puerta principal? Creí que convenía que nos vieran.

—Y conviene —dijo él, arreglándose la corbata blanca y mirándola con una expresión de complicidad—. Pero ocurre que en la puerta está un reportero particularmente detestable al que probablemente voy a acabar matando algún día. Y tú, querida mía, no vas a servirle de corderito a hombres de su calaña.

A ella ni se le había ocurrido leer los diarios.

—Ah. —Titubeó un momento—. ¿Es muy horrible lo que dicen los diarios?

—Brutal —dijo él, con sus duros rasgos ligeramente suavizados.

—Entonces me niego a hacer esto.

Él le sujetó firmemente el brazo con una mano, para impedirle regresar, y con la otra hizo un gesto hacia el lacayo con librea que esperaba en la acera.

—Vuelve a montar, Jane.

—¿Que vuelva a qué? —preguntó ella, exasperada—. Suéltame, Sedgecroft, si no, te voy a… golpear.

—Esto lo hago por tu bien —dijo él, obligándola a pasar cerca de un creciente grupo de mirones que se iban aglomerando ahí para ver a la novia plantada y a su infame acompañante.

Ella le golpeó el hombro, susurrando:

—Todos nos están mirando.

—Entonces deja de resistirte —susurró él, sonriendo perezosamente.

—Entonces suéltame.

—Pero, mi deshonrado angelito, y ¿si te caes?

—¿Caerme?

—En la calzada, en medio de todos esos feos montones de estiércol de vaca y desperdicios.

—Supongo que ese es un riesgo que debo correr.

—No en mi presencia. Jamás permitiría que una mujer que va conmigo sufriera algún daño.

—Y ¿le permitirías a ella hacerte daño a ti?

Él guiñó los ojos, encantado.

—Depende. ¿Qué tenías pensado?

—Creo que no lo que estás pensando.

Él soltó una risa ronca y la acercó más a él para susurrarle:

—Sonríe ante nuestro público, Jane. Recuerda que yo he reemplazado a Nigel en tu corazón. No quedará bien que nos pongamos a pelear en la calle el primer día que nos ven juntos.

Aun cuando ella no había aceptado nada de eso, no pudo evitar reaccionar ante esa seguridad de él. Hablaba como si hiciera ese tipo de cosas todos los días. Hacía que pareciera una maravillosa aventura.

—No puedo creer que mi madre haya permitido que salga contigo sin carabina —farfulló.

—Pues, tenemos carabina —contestó él, llevándola hacia el elegante coche negro que se había detenido detrás de ellos, con expresión complacida porque ella le obedecía—. Tu hermano nos está esperando ahí.

—¿Simon... va a...?

Entonces él se le acercó más e inclinó la cabeza, y la juguetona expresión de sus ojos se oscureció con seductoras promesas. Ella le miró la cara, como atontada; sintió subir un ardiente rubor por la nuca y se le ablandó el cuerpo, de pecaminosa expectación.

—¿Qué vas a hacer? —musitó.

—No mires ahora, cariño, pero ese reportero acaba de aparecer en la esquina.

—¿Puedo desmayarme?

—Después que subas al coche —dijo él, acercando más la cabeza a la suya y hablándole en un tono tranquilizador que a ella le recordó que él no era ajeno al escándalo—. Ah, estupendo, tomó la dirección contraria. Esperemos un momento.

Ella sintió su aliento en el borde de la mandíbula, cálido, un tormento para sus sentidos. Sus anchos hombros le bloqueaban la vista. En una fracción de segundo, estaba ardiendo, confusa, consumida por la embriagadora presencia de él. Él levantó el brazo, como para protegerla y le rozó la piel con la boca. El contacto fue breve, un roce fortuito de sus labios en la sensible curva de su pómulo. Cualquiera que estuviera mirando podría haber supuesto que él simplemente le susurró algo al oído. Pero ella sintió su poder sensual en todos los irregulares latidos de su corazón.

Le subió la temperatura corporal, haciéndola hormiguear de placer, de expectación. Medio esperaba que él la volviera a besar, ahí mismo, en la calle.

—Eh..., Jane —dijo él y su voz ronca la sobresaltó.

Pestañeó dos veces.

—¿Qué pasa?

—Sube al coche —le ordenó él, riendo—. Creo que estás llamando la atención.

—¿Que yo estoy llamando la atención?

Él la miró a los ojos, sonriendo.

—Sí. Creo que conviene que subas al coche.

Ella sacudió la cabeza, para romper el hechizo.

—El coche.

Él pareció divertido.

—¿Pasa algo?

—Bueno, es que por un momento pensé... creí...

Él simuló estar horrorizado.

—No me digas que creíste que te iba a besar aquí, aquí, ¿delante de tu casa?

Ella hizo una brusca inspiración, humillada por su perspicacia.

—Nunca he...

—Eres una dama, Jane —interrumpió él, rozándole el mentón con un dedo enguantado—, y quiero restablecer tu buen nombre. Pero si de verdad quieres que te bese, estaré encantado de complacerte dentro del coche.

El que él se estuviera burlando no le disminuyó en nada el estremecimiento de placer que le produjo su contacto.

—Creo que no será necesario.

—Una lástima —musitó él, apenado.

—Vamos, tú eres la lástima —replicó ella, recuperada por fin su serenidad—. ¿Por qué me miran así esas personas de la acera de enfrente?

Él hizo un gesto al lacayo, doblando el dedo.

—No lo sé. Tal vez desean poder besarte también.

Ahogó una exclamación de sorpresa cuando sintió su enorme e impertinente mano empujándole el trasero para que pusiera un pie en el peldaño. Azorada, no pudo reaccionar y miró a los lacayos que la flanqueaban como dos estatuas de piedra, al parecer acostumbrados a las maldades de su amo.

—Nadie me ha besado en público nunca —susurró por encima del hombro, resuelta a dejar las cosas claras—. Y no deseaba que lo hicieras.

—Bueno, si cambias de opinión...

Ella tuvo que aplastar el espantoso deseo de reírse.

—Si Simon oye esta conversación, te va a reprender.

El brillo diabólico que vio destellar en sus ojos azules debería haberla advertido. Cuando estuvo dentro del espacioso coche, vio consternada el cuerpo inerte tumbado en el asiento de enfrente. Menudo vigilante. Su hermano estaba durmiendo los excesos de la noche pasada, absolutamente ignorante de su problema; parecía estar muerto para el mundo, aparte de uno que otro ronquido que salían de él como de un jabalí.

—Esto no es una carabina —exclamó—, esto es... un cadáver.

Grayson le dio un suave empujón para que se sentara, y sonrió levemente.

—Va bien para nuestro propósito.

Grayson la observó divertido mientras ella intentaba sentarse a un lado del cuerpo despatarrado de su hermano. Pasado un momento, al comprender que eso era imposible, ella renunció, sentándose al lado de él, resignada a regañadientes. Él comenzaba a sentirse desequilibrado y no lograba discernir por qué.

Había disfrutado de su justa cuota de mujeres bonitas y nunca se había sentido tan desasosegado en compañía de ellas. Tal vez estaba desequilibrado porque le era desconocido el papel de caballero blanco. O tal vez se debía a que era la primera vez en su vida que tenía que meditar cada paso que daba. Y eso lo llevaba de vuelta al asunto de Jane. ¿Qué debía hacer, sabiendo que ella lo encontraba atractivo? ¿Simular que eso no lo halagaba? ¿Aplastar todos sus conocidos instintos masculinos?

Sí, tendría que vigilar sus pasos. No sólo para no alertar a la opinión pública. Dios sabía que muchas veces había sido tema de cotilleos. Haría muy bien si engañaba a los traficantes de chismes y escándalos. Las habladurías mal intencionadas habían hecho daño a su familia más de una vez. Que lo colgaran si permitía que Jane sufriera más indignidades de las que ya había sufrido.

Jane lo rozó al moverse y la sensación lo llevó de inmediato al terreno de lo físico. Por muy decidido que estuviera en su conspiración para ayudarla, seguía sospechando que su aspiración a la caballerosidad no le iba a durar eternamente.

Seguir el soleado camino de la respetabilidad no se le daba naturalmente. Bailar en la oscuridad era otra historia muy diferente.

Jane tenía razón. Había deseado besarla en la calle, pero dudaba que ella pudiera ni llegar a imaginarse lo mucho más allá de un beso que deseaba llegar.

Capítulo 7

Un momento después, cuando el coche ya iba traqueteando por la calle, Jane dijo:

—He decidido una cosa.

—¿Qué, Jane? —preguntó él, amablemente.

—Voy a simular que la conversación en la calle no ha ocurrido nunca. —Se aclaró la garganta—. Ni tampoco ese incidente entre nosotros en la galería roja ayer.

Él cogió el diario que había quedado metido entre ellos, sacándolo a posta de debajo del trasero de ella.

—Como quieras. —Por su cara pasó un asomo de sonrisa—. Si puedes.

Ella juntó recatadamente las manos en la falda.

—Ya está olvidado.

Él dejó el diario a un lado, claramente no contento de dejar en paz el asunto.

—¿Quieres que te refresque la memoria?

—Tal vez primero deberías refrescar tus modales.

Acababa de decidir cómo tratarlo. Enfrentar asuntos difíciles no erizaba las plumas de un cisne Welsham mucho tiempo. A esta hija de un conde se le daba tan naturalmente el autodominio como el coqueteo a Sedgecroft. Esa situación exigía simplemente que ella combatiera su masculinidad con etiqueta.

—Así pues, milord. Se te ve bien descansado esta mañana. ¿Supongo que pasaste una noche apacible?

Guardó silencio. De repente se le ocurrió que él podría aprovechar su pregunta para explicarle sus actividades nocturnas con todos sus seductores detalles. Se preparó para oír una recitación de pícaras aventuras.

Él la miró, y el brillo que vio en sus ojos la hizo retener el aliento.

—Déjame pensar. Unas horas después de salir de tu casa sorprendí a Chloe saliendo furtivamente con las damas de su sociedad de reforma social. Prácticamente me atacaron cuando me negué a darle permiso para salir a la desaconsejable misión que tenía pensada. Tuve que encerrarla con llave en su habitación.

—Mmm, esa me parece una actividad muy peligrosa para la noche —convino Jane.

—Eso sólo fue el comienzo. Después tuve que recorrer Vauxhall Gardens de cabo a rabo en busca de mi hermano.

—¿Qué hermano sería ese? —preguntó ella, visualizando el grupo de pícaros guapos de ojos azules que había visto el día anterior en la capilla.

—Buscaba a Drake, que resultó que andaba buscando un par de botas que ponerse para un duelo que tenía esta mañana.

—¿Se ha batido en duelo hoy? —preguntó ella, alarmada.

—Por suerte no —repuso él, sonriendo tristemente—. Su adversario presentó una disculpa pública unos minutos antes de que tuviera lugar el duelo.

—Cielo santo, Sedgecroft.

Él echó atrás la cabeza y su pelo rubio le rozó el cuello de la camisa.

—No tuvo nada de noche descansada. La responsabilidad conlleva un precio.

También el engaño, pensó ella, sintiendo una punzada de inquietud, mientras él se acomodaba en el asiento, dejando la rodilla presionando la de ella. Su potente cuerpo le intensificó la conciencia de lo precaria que era la relación entre ellos. Pensó en lo diferente que era de su primo Nigel, y por qué no pudo haberlo conocido a él primero. Aunque claro, él ni se habría fijado en ella teniendo a una amante en cada brazo; ni ella habría hecho ningún intento por atraer su atención.

Miró por la ventanilla, pensando en los extraños caprichos del destino.

El coche se detuvo, atascado en el enredado tráfico de primera hora de la tarde: carretas tiradas por bueyes, diligencias, transeúntes cruzando de una acera a otra, barrenderos quitando el estiércol de los animales de la calzada. Se le quedó atrapado el aire en la garganta cuando Sedgecroft se levantó, le cogió el brazo y la puso de pie.

Ella miró desesperada a su hermano dormido.

—Simon, despierta inmediatamente, birria de carabina.

Simon emitió un bufido parecido al de un cerdo y se volvió hacia el otro lado.

—¿Adónde me vas a llevar, Sedgecroft? Hay personas fuera, mirando tu coche.

—Lo sé —dijo él, con la mayor tranquilidad—. Esos que están en la esquina son uno de mis banqueros y su mujer. Ocurre que la mujer es una cotilla de miedo.

—¿Qué debo hacer?

Él la ayudó a bajar a la acera.

—Disfrutar —dijo, y añadió en voz baja—: Déjame que te mime. Para empezar, deja de fruncir el ceño como un búho. Finge que estás encantada.

—¿Encantada? ¿De qué?

—Por nuestro floreciente romance, cariño.

Llamó con un gesto a un par de floristas que estaban en la esquina y les echó un puñado de monedas en sus cestos. Las dos mujeres mayores, con sus caras enmarcadas por papalinas de paja, se ruborizaron y le dieron las gracias, llamándolo por su nombre. Antes que Jane pudiera preguntarle nada, se encontró ahogada por un montón de ramilletes de flores, regalo al que la niña que había en ella no pudo dejar de reaccionar.

Se mordió el labio y repentinamente sintió mojadas las manos dentro de los guantes. La mujer del banquero la reconoció, claro. Notó cómo la mirada de la mujer se posaba en ella, escandalizada al reconocerla. Uy, qué vergüenza; como si no hubiera bastado lo ocurrido el día anterior. Aunque era agradable ser mimada en público.

—¿Qué van a pensar todos? —susurró.

—Probablemente que estoy enamorado de ti —contestó él, imperturbable.

—¿Por qué? —preguntó ella, sin querer curiosa ante esa idea.

—Bueno, eres hermosa y dulce.

—Pues no. Soy bastante corriente y antipática.

Él se rió.

—Bueno, entonces, eres modesta.

—Y ¿todo Londres se va a creer que me compras flores para honrar mi extraordinaria modestia?

La perezosa y seductora sonrisa que él le dirigió le produjo estremecimientos.

—Todos van a pensar que hay algo más entre nosotros.

—Algo...

—Un cortejo en serio —dijo él, encogiendo un hombro.

—Ah, vamos, Sedgecroft. Nadie creería que tú... que yo... bueno.

—¿Por qué no? —le preguntó él, tan serio que ella casi se derritió.

Él le puso la mano bajo el mentón y a ella se le aceleró el corazón de expectación. Bien podía no tener toda la experiencia práctica que tenía él, pero no le resultaba difícil imaginarse a una mujer deseando secretamente que la cortejara ese hombre. Y todo el placer y congojas que entrañaría eso.

—Sedgecroft, tonto, me tienes cogida la cara.

—Estoy esperando que me des las gracias.

—Ah... gracias.

—Eso no es muy convincente.

—¿No?

Él negó con la cabeza.

—Procura hacerlo con algo más de entusiasmo. Da la casualidad de que soy un pretendiente generoso. Estas flores sólo son un preludio de las perlas que te irán a dejar esta noche. Conviene que la aristocracia comente eso.

Perlas, y ¿qué vendría después?, pensó ella. Se sorprendió a sí misma poniéndose de puntillas y dándole un rápido beso en la mejilla.

—Gracias —susurró.

Se ruborizó hasta la raíz del pelo con el contacto de su cálida y tersa piel. ¿Qué demonios acababa de hacer? Besarlo después del alboroto que había armado sólo unos minutos antes.

A él le chispearon los ojos, mirándola.

—Eso ha sido muy agradable, Jane, pero, no sé, le faltó entusiasmo.

Ella le sonrió artificiosamente y apretó los ramilletes contra el pecho.

—¡Ooh! ¡Oh, Sedgecroft! —exclamó, con voz teatral—. ¡Qué sorpresa! ¡Perlas! Y ¡flores! ¿Para mí?

Él hizo una mueca y tosió, azorado, y luego le cogió el brazo y la llevó de vuelta al coche.

—Necesitas más práctica. He visto actuar mejor a los patos de mi laguna.

Ella hundió la cara en el montón de ramilletes para ahogar la risa.

—Primero una paloma, luego un búho. Ahora soy un pato. ¿Qué ave te voy a recordar después?

—A una oca, creo.

Se instalaron en el asiento. Simon estaba tumbado de espaldas, con los brazos doblados sobre el pecho y las manos cogidas. Los ojos azules de Grayson la recorrieron entera, perezosos, apreciativos, subiéndole nuevamente el rubor a las mejillas.

—¿Qué te recuerdo yo?

Ella esparció los ramilletes sobre el asiento, y la fragancia de los alhelíes inundó el coche.

—Un león, creo. Una bestia señorial.

—¿Una bestia? —repitió él, arqueando una ceja—. Eres valiente para llamarme así a la cara. Siéntate más cerca de mí.

—¿Más cerca? —preguntó ella, casi riendo—. Estamos en Brook Street, Sedgecroft, no en un burdel.

—Me gusta la sensación de tenerte junto a mí —dijo él, tranquilamente—. Además, no tengo fama de santo, Jane.

—¿Significa eso que eres un demonio?

Él sacó una margarita de un ramillete y la puso entre las manos de Simon.

—Eso tendrás que descubrirlo tú. —Levantó lentamente la cabeza y la miró a los ojos—. Y si lo soy, seré tu demonio, Jane. Al menos durante todo el tiempo que lleve corregir esta situación. Bueno o malo, combatiré a tu lado.

El coche viró a la derecha, entrando en Davies Street, y al llegar a Berkeley Square aminoró la marcha delante de una mansión georgiana con hileras e hileras de brillantes ventanas con marco en saledizo. Hasta ellos llegaban los sones de una alegre melodía, procedentes de los jardines en pendiente cobijados por un bosquecillo de frondosos plátanos orientales. Más allá se elevaban campos de fresones, donde los grupos de frutos rojos brillaban al sol. Entonces el cochero dirigió el coche hacia las puertas de hierro forjado de la cochera.

Un grupo de jóvenes petrimetres que estaban pasando ociosamente el rato en la escalinata de entrada interrumpieron la conversación cuando vieron acercarse al elegante coche negro tirado por unos caballos blancos.

—Es Sedgecroft —gritó uno.

—Va una mujer con él —observó otro, estirando el cuello para ver mejor.

—Sería raro que no —exclamó su amigo, cogiendo su monóculo.

—¿Quién es ella?

—Va vestida de rosa, eso es lo único que logro distinguir.

—Mi hermano vio al secretario de Sedgecroft eligiendo perlas en Ludgate Hill esta mañana.

—Ah, entonces es algo serio. ¿Estarán en negociaciones?

—¿No has leído los diarios? Todo va de la novia Belshire plantada ayer en el altar por Nigel Boscastle.

—¿Quién diablos es Nigel Boscastle?

—El aburrido primo de Sedgecroft. ¿Crees que...?

Todos bajaron juntos la escalinata para examinar más de cerca a la misteriosa mujer que se veía por la ventanilla del coche. El marqués de Sedgecroft había establecido ciertas pautas que tendían a emular muchos aspirantes a libertinos. Se consideraba un éxito ser visto en una fiesta conversando con alguna de sus ex amantes.

En general, las mujeres de ese selecto círculo continuaban extraordinaria y ostensiblemente leales a su noble ex amante, y no soltaban prenda respecto a sus pasadas relaciones con él. Los porqués de esa lealtad ofrecían un constante tema de deliciosas elucubraciones.

¿Es que Sedgecroft les pagaba su silencio? ¿Es que era un amante tan experto que las enamoradas amantes esperaban reanudar su arreglo con él? ¿O ya lo había reanudado secretamente? ¿Es que el hombre hacía malabarismos con tres o cuatro apasionadas beldades al mismo tiempo en su cama?

Sus proezas sexuales, ya fueran realidad o fantasía, despertaban la admiración de los más jóvenes.

—¿Por qué creéis que le gusta tanto el color rosa? —preguntó un indiscreto caballero—. ¿Porque se parece al color de la piel desnuda de la mujer?

—No, idiota, porque le recuerda los claveles —respondió su hermano, riendo groseramente.

Jane sintió subir un ardiente rubor a las mejillas, y eso que sólo había oído unas pocas palabras de esa conversación.

—¿Te das cuenta de que esos jóvenes están hablando de mí y en términos nada halagüeños? —le comentó a él en tono resignado.

Aunque, en realidad, después del plan llevado a cabo por ella y Nigel el día anterior, ya suponía que sería mejor que se acostumbrara a los cotilleos. Pero, buen Dios, jamás se le había ocurrido pensar que ella podría ser de interés para la gente del bello mundo. El pobre Nigel había aburrido de muerte a la alta sociedad con su amor por los perros y por la literatura francesa antigua.

Grayson miró por la ventanilla observando con los ojos entrecerrados al grupo de mirones.

—Déjame esto a mí, Jane. No tardaré en enderezarlos.

Ella tragó saliva para pasar el nudo de nerviosismo que se le había formado en la garganta.

—Acabo de decidir que no me voy a bajar de este coche.

Él le sonrió, con esa sonrisa tranquila de un hombre que nunca en su vida ha tenido que levantar un dedo para atraer a una mujer; la sonrisa de un hombre al que no le importa un rábano el número de escándalos que ha provocado.

—Entonces, ¿te traigo el desayuno al coche? ¿Con un cuarteto de cuerda para que nos entretenga mientras comemos?

Ella respondió esbozando una sonrisa; la picardía que vio en sus ojos oscurecidos le hizo pasar oleadas de calor por toda ella. La expectación le hizo hormiguear la espalda cuando él le cogió la mano enguantada y le frotó la palma.

—Nunca en mi vida he atraído a una multitud —gruñó.

—¿Estás preparada para atraer a una ahora? —le preguntó él, como desafiándola.

¿Preparada? ¿Preparada para enfrentar el escándalo y las sonrisas de afectada compasión? Se giró, dando la espalda a la ventanilla y exhaló un suspiro.

—Si es necesario. Tú eres el tirano, ¿no?

—Venga, Jane. Divirtámonos un poco con ellos. Los volveremos medio locos pensando qué somos el uno para el otro.

—Yo he estado pensando en eso.

Él le deslizó la mano hasta el codo, atrayéndola hacia él hasta casi tenerla en su regazo. Se le aceleró más el corazón y lo sorprendió la intensidad de su reacción. ¿En qué se había metido? Tal vez no le convenía saberlo. Ya era demasiado tarde para retirar su ofrecimiento, aun cuando el camino al infierno estaba pavimentado de buenas intenciones.

—Espera —le ordenó, sin saber por qué.

Tal vez para ganar tiempo, o simplemente porque era un placer para él hablar con ella.

—Pero es que nos están mirando. Van a pensar que... que nos estamos besando, o tal vez algo peor aún.

Él golpeó levemente con el índice el botón de madreperla del codo de ella.

—Eso iría muy bien, ahora que lo sugieres. Por desgracia, no puedo complacer sus salaces intereses. Ni los tuyos.

—Yo no lo he sugerido..., demonio irresistible.

—Demonio irresistible —repitió él, con aire complacido, agrandando los ojos para burlarse de ella—. Eso ha sonado casi como un cumplido.

Ella sonrió a su pesar.

—Supongo que a tu manera sólo quieres ayudarme.

—Exactamente. —Por increíble que lo encontrara él mismo—. Ahora haz lo que te pida. Les dejaré muy claro a esos pícaros tu categoría y dignidad.

—Un libertino con conciencia —dijo ella, en tono meditabundo—. Un libertino con una vena de bondad en su podrido corazón.

Él se rió. No se sentía cómodo en ese papel.

—Bueno, no corras la voz, no sea que llegue a conocimiento público. Tengo una bien ganada reputación de corrupción, que voy a reanudar una vez que haya devuelto la normalidad a tu vida.

Ella se cruzó de brazos y se apartó para examinarlo.

—Hablando en serio, Sedgecroft, ¿nunca has considerado la posibilidad de casarte?

Él frunció exageradamente el ceño.

—Hablando en serio, Jane, no.

—¿Por qué no?

—¿Para qué habría de casarme? —preguntó él mansamente.

—No se puede ser un libertino eternamente. Teniendo tus obligaciones.

—Pero sin duda puedo intentarlo —replicó él, aun cuando esa maldita idea lo había atormentado últimamente—. En los viejos tiempos, mis antepasados tenían la sensatez de no someterse al matrimonio hasta que quedaban lisiados y habían estado a un pelo de morir en el campo de batalla, y no servían para nada más.

—Sus esposas debieron de haber estado fuera de sí de gratitud —dijo ella, sarcástica—. Qué inmenso honor cuidar de un Boscastle discapacitado.

La sonrisa de él fue endemoniada. Guardó silencio un instante, desconcertado al caer en la cuenta de que ya le había revelado más de sí mismo a Jane de lo que había revelado jamás a ninguna de sus amantes ni viejos amigos.

—La finalidad, mi insolente damita, era engendrar otra generación de Boscastle de mala conducta cuando ya estaban agotadas todas las demás opciones de aventura. Mis antepasados demostraron ser muy capaces de cumplir ese placentero deber hasta su último aliento en el lecho de muerte.

—¿Sí? —preguntó ella, con una vocecita débil.

—Sí, Jane —dijo él, encantado por su reacción—. Y sus mujeres nunca se quejaron. Cumplían.

—¿Cumplían?

—Sus deberes conyugales. Los cuales...

—No hace falta más explicación.

Él guardó silencio, pensando hasta dónde podría atreverse a llegar y por qué le gustaba tanto provocarla.

—Perdona. Pensé que podrías tener curiosidad.

Ella sintió subir un revelador rubor a las mejillas. La idea de engendrar un heredero Boscastle le hacía pasar indecibles imágenes terrenales por la mente. ¿Cómo demonios llegó a eso la conversación?

—Es probable que mi hermano nos esté oyendo —susurró, en tono de advertencia.

—Con toda su atención de cadáver.

Ella se agachó a dar una buena sacudida a Simon. Grayson la observó sonriendo mientras ella intentaba despertar a su hermano prácticamente a golpes. Bajo toda esa reserva había dentelladas deliciosamente penetrantes.

—Despierta, tarambana —dijo ella, severa—. Hazte útil al mundo.

Simon se movió, abrió los ojos inyectados en sangre y miró alrededor, incrédulo.

—Sedgecroft, Jane, y... y todas esas flores. —Se incorporó un poco, apoyado en el codo—. ¿Ha muerto alguien? ¿Ha sido...? Dios santo, ¿han encontrado a Nigel? No me digas que vamos de camino a su funeral.

Disgustada, Jane le observó la ropa arrugada, mientras él pestañeaba, deslumbrado por la cegadora luz del sol.

—No ha muerto nadie, Simon —dijo, con la voz más clara posible—. Estás aquí para hacerme de carabina, aun cuando estás incapacitado para hacerlo.

Él se pasó la mano por su revuelto pelo castaño.

—Yo no hablaría de apariencias. Ese vestido es bastante revelador para... —Se interrumpió ante la mirada de advertencia que le dirigió Grayson—. ¿Alguien ha sabido algo de Nigel?

—Ni una sílaba —contestó Grayson, con la mandíbula tensa por el recordatorio—. Sigo haciendo averiguaciones, por supuesto, pero parece que se marchó de Londres sin dejar rastro.

Simon exhaló un suspiro.

—Y ¿adónde vamos, por cierto?

—Al desayuno que da el duque de Wenderfield —repuso Grayson.

Jane se inclinó a sacarle una media de seda blanca del bolsillo del chaleco.

—Buen Dios, Simon, ¿dónde estuviste anoche?

Él se encogió de hombros, indeciso.

—No me acuerdo. Ni siquiera sé cómo llegué aquí.

—Asististe a un baile de máscaras de medianoche —dijo Grayson irónico alargando la mano para ayudar a Jane a levantarse—. Tu cochero te encontró medio inconsciente entre una monja y la criada de Cleopatra.

—¿Estábamos...?

Grayson lo interrumpió aclarándose la garganta. El brillo travieso de sus ojos decía muchísimo.

—Creo que podemos terminar esta conversación en privado, Simon.

Jane tiró la media al suelo, asqueada.

—Y creo que la respuesta a esa pregunta es lamentablemente obvia.

Grayson no se molestó en responder a los saludos de los jóvenes petimetres que estaban reunidos en la escalinata. La ávida curiosidad que vio en sus ojos cuando miraron a Jane lo enfureció. Uno de ellos la había reconocido.

—Sedgecroft —dijo ella, con la voz serena, pero que delataba turbación.

—Tranquila, Jane —dijo él en tono acerado—. Sonríe pero no pares. No tardarán en captar la indirecta.

Ellos le gritaban, adoptando posturas afectadas, como monos con vestidos elegantes, peleándose por una migaja de su atención. Malditos, pensó él, sin revelar nada en su mirada. Maldito su descaro, al atreverse a mirarla como si de pronto se hubiera convertido en una mujer de dudosa reputación. Se le tensaron los músculos desde los hombros a los dedos, por el feroz deseo de borrarles a puñetazos sus expresiones maliciosas.

—Te lo dije —dijo ella, mirando al frente.

Él la miró de reojo. A pesar de su voz trémula, se veía totalmente serena. Él estaba tan acostumbrado a desentenderse de la opinión pública que no le habría importado la notoriedad si hubiera estado con cualquier otra mujer. La señora Parks habría reaccionado alegremente a todo ese alboroto haciéndoles un grosero gesto con un dedo.

—Podría hacerte muchísimo bien, Jane —susurró—, si dejaras deslizar tu reserva sólo una vez.

—No creo que el mundo esté preparado para el tipo de desliz de que soy capaz —respondió ella, enigmática.

Uno de los petimetres levantó su monóculo para examinarla, y lo bajó al instante al ver la mirada letal que le dirigió Grayson.

Consideró brevemente la posibilidad de actuar, de arrastrar al insolente cachorro escalinata abajo y dar un buen ejemplo con él. Pero otro escándalo no le haría ningún bien a Jane, por lo que, por primera vez desde que tenía memoria, se obligó a tragarse la rabia y considerar las consecuencias de su conducta.

Le costaría, pensó, guiarla por en medio de esos estrechos criterios de la aristocracia hasta ponerla a salvo. Tendría que estar en guardia para protegerla de los insultos y las insinuaciones y proposiciones importunas. Eso ya lo sabía cuando se ofreció a ayudarla.

Lo que no había sabido era con qué facilidad podría atraerla él al mal camino.

—¿Qué estás pensando, Jane? —le preguntó en voz baja.

—No te lo diré, Sedgecroft. Te escandalizarías.

—Yo no, cariño. —Eso era ridículo, con la vida que llevaba él. Como si una damita decente como Jane pudiera tener algo en su pasado—. Nada que hicieras podría escandalizarme.

Capítulo 8

Los dueños de la casa los acompañaron por los jardines presentándoles a los distinguidos invitados extranjeros que honraban la fiesta con su presencia. Simon encontró una copa de champán y se perdió en medio de la multitud acompañado por lady Damaris Hill, cuyo susurrado comentario sobre una media perdida explicó el misterio de la identidad de la monja en el baile de máscaras.

La orquesta estaba tocando sobre la hierba al lado de un pabellón clásico erigido al final del parque de césped en pendiente. Habían construido una plataforma que servía de pista de baile; varios jóvenes se habían dispersado por la parte este del parque. Los vestidos de colores pastel de las damas se mecían como alas de mariposa mientras paseaban de un lado a otro con su elegante andar.

—¿Tienes hambre? —le preguntó Grayson a Jane, con la mano posada sobre su hombro, de modo suave pero posesivo.

—Un hambre canina —repuso ella, y al cabo de un momento añadió—: Aunque hay que tener nervios de acero para comer cuando todo el mundo nos está mirando.

—Yo los he olvidado.

—¿Cómo puedes?

—Tal vez porque no me importa —dijo él, muy convincente.

—Muy bien, entonces a mí tampoco me importará.

Él se detuvo a mirarla con una sonrisa levemente maliciosa.

—Sí que te importa. A todas las mujeres les importa.

—Sólo a aquellas que andan buscando marido —suspiró ella.

—Lo que podríamos estar haciendo.

—No, estamos... —Se mordió la lengua al recordar cómo debía parecer—. No estoy preparada para volver al mercado del matrimonio.

No lo estoy ahora y tal vez no lo estaré nunca, deseó añadir.

—Vuelve a montar, Jane —dijo él, sonriendo sin piedad—. Una caída del caballo no hace una solterona.

Ella lo habría pellizcado por reducir a esa simple frase las complicaciones de su vida.

—Me gustaría que dejaras de comparar mi situación con la actividad ecuestre.

Él la miró como pidiendo disculpas.

—Se me olvida lo sensible que estás sobre ese tema.

—¡Sedgecroft! —exclamó una voz femenina.

Esa exclamación, que indicaba que la mujer estaba encantada de verlo, impidió a Jane contestar, aun cuando no sabía qué contestar a ese comentario sin mentir descaradamente.

Los dos se giraron al mismo tiempo y se encontraron ante una mujer menuda con un vestido de seda marrón, sosteniendo graciosamente una copa de champán en la mano.

Jane la contempló sorprendida, sin poder creer que pudiera ser la señora Audrey Watson, la popular cortesana y ex actriz cuyas cenas intelectuales en que ofrecía bufé la habían convertido en una celebridad entre la gente mundana y los aristócratas. Según los rumores, el duque de Wenderfield deseaba hacerla su amante.

—Audrey —la saludó Grayson, afectuoso.

Tal vez demasiado afectuoso, pensó Jane mientras ellas dos se daban un breve abrazo.

—Sedgecroft, hace siglos que no... —Audrey se interrumpió y miró a Jane con una sonrisa tan verdaderamente amistosa que esta no pudo dejar de ablandarse—. La hermosa hija de Belshire, la mayor, ¿verdad? ¿Qué hace ella con un hombre como tú, Sedgecroft? —preguntó, perpleja.

Grayson miró a Jane con una mirada tan ardiente que la hizo ruborizarse hasta las puntas de sus cabellos. Si no supiera la verdad, se habría creído que él estaba enamorado de ella. Ah, era excelente en eso, el muy demonio. Se sintió como si debiera aplaudir su actuación.

Entonces él la hizo avanzar un paso.

—¿Has tenido el honor de que te la presentaran, Audrey?

—No —contestó Audrey, mirándola preocupada, sin el menor disimulo, sin esforzarse por impresionar. Su carácter espontáneo y franco, sin remilgos, le había conquistado partidarios leales, desde políticos a poetas poco reconocidos; su franqueza solía ofender—. Pero, mi querida señora, sí que tiene que ser muy valiente para salir tan pronto, después de lo de ayer. Y tú, Sedgecroft, no perdiste ni un segundo en lanzarte al ataque, ¿eh?

¿Lanzarse al ataque?, pensó Jane, divertida e indignada a la vez. Qué manera de expresarlo, reducir su relación con Sedgecroft a la de predador y presa.

—En realidad —dijo, cuando se hizo evidente que el susodicho sinvergüenza no iba a corregir a Audrey—, lord Sedgecroft sólo est...

—Es un hombre hechizado —dijo él en voz baja, tan cortés y seguro de sí mismo como cualquier consumado predador.

Oooh. Qué talento el del maldito, hacerla hormiguear toda entera con esa escandalosa actuación, cuando sabía muy bien que no debía creerle.

Le pinchó la espalda.

—Para ser sincera, nuestra relación no tiene por qué invitar a pensar nada. Nigel y Grayson son...

—Rivales —interrumpió él, cogiéndole la mano y apretándosela con tanta fuerza que le hizo crujir los nudillos, hasta que ella lo miró indignada—. La pérdida de un hombre es la ganancia de otro, ¿no? Digamos simplemente que he admirado en silencio a Jane desde lejos. No iba a permitir que otro se me adelantara.

Audrey bebió un largo trago de su champán, mirando desde la jovencita de belleza clásica al sinvergüenza pecaminosamente guapo que, observó, le tenía apretada fuertemente la mano en su posesivo puño.

—Di lo que quieras, Sedgecroft, pero... —se le iluminó la cara—, esto significa que os puedo invitar juntos a una cena.

—Ah, eso sería muy agradable, seguro —contestó él.

Mientras tanto Jane estaba pensando qué opinarían sus padres de esa novedad. Sin duda su madre de criterio amplio desaprobaría que su hija alternara con mujeres mundanas. O tal vez no. El plan había dado un giro muy imprevisible. Ya empezaba a pensar que había dado el proverbial salto de las llamas a las brasas.

Y Sedgecroft decididamente atizaba las rojas llamas del fuego del infierno en su alma.

—Creo que veo a una amiga mía en esa mesa —dijo, tratando de soltarse la mano—. ¿Me disculparíais un momento?

Grayson le levantó la mano enguantada y le besó las yemas de los dedos, musitando con voz de enamorado:

—¿Sólo un ratito muy corto?

Era una representación. Eso lo sabía ella con el intelecto, pero todos sus sentidos femeninos reaccionaron al seductor timbre de su voz.

—Sí —dijo, aturullada al comprender que él era muy consciente del desconcertante efecto que producía en ella—. Pero sólo voy a ir a las mesas.

Él la atrajo hacia sí tironeándole las puntas de los dedos, hasta que quedaron tocándose las rodillas. Ella sintió un pecaminoso revuelo en lo profundo del vientre. ¿Qué se proponía?

—Vuelve pronto —dijo él, mirándola a los ojos.

Y entonces le soltó la mano. Expulsando el aire retenido, ella se apresuró a girar sobre sus talones, y echó a andar por en medio de la muchedumbre.

Grayson la observó alejarse pensativo, sólo medio consciente de que era observado por la mujer que estaba a su lado. Hacer el papel de pretendiente enamorado le resultaba más fácil de lo que había esperado. Sólo estar en presencia de ella

129

lo hacía ansiar una relación sexual desenfrenada y le recordaba que no tenía una amante desde hacía más tiempo del que quería reconocer.

Tal vez era su inaccesibilidad lo que lo desafiaba, aunque sospechaba que había algo más. Ella era inteligente, práctica, su igual en la conversación. Lo divertía con su remilgada dignidad, y estaba seguro de que en ella había profundidades que jamás se había atrevido a revelar a nadie. Podría disfrutar explorando esas profundidades si no fuera su tarea reinsertarla suavemente en la alta sociedad.

Su ardiente mirada siguió los movimientos de su cuerpo al alejarse por la cuidada hierba en su terca prisa por escapar. Su manera de caminar como un soldado no restaba de ninguna manera atractivo al meneo de su redondeado trasero debajo de su vestido de tul rosa. Rosa, pensó, sintiendo una oleada de excitación que le endureció y abrasó el cuerpo. Sería rosa y blanco toda entera. Rosas con nata. Tan dulce como para disfrutarla en un bocado. Pero no la devoraría toda entera de una vez. La saborearía con lentos y tiernos mordiscos...

Santo cielo. Jane le alborotaba los pensamientos haciéndolos correr uno tras otro en círculos. Su intención era restablecerle la respetabilidad, no deshonrarla.

—¿Es posible, Sedgecroft? —le preguntó Audrey en voz baja—. ¿Estás tú detrás de ese escándalo en la boda de ayer?

Él sonrió travieso, pensando qué podía contestar. Ese era un momento crucial, una prueba a su capacidad para disimular. Audrey lo conocía desde hacía mucho tiempo. No quería mentirle, pero sabía que cualquier cosa que le dijera en ese momento ya correría por todo Londres esa noche.

—Sabes que no debes preguntarme eso. ¿Lo reconocería yo si estuviera detrás?

—Este es un comportamiento muy insólito. Creo que estoy preocupada. ¿Sabes que ya la llaman lady Jane Plantón?

Él sintió una oleada de rabia.

—No en mi cara.

—Es la primera vez que te veo con una mujer decente —continuó ella en voz baja caminando a su lado ya que él volvía a meterse entre la muchedumbre—. Ten cuidado, Sedgecroft.

—¿Cuidado de qué? —preguntó él, encogiéndose de hombros despreocupadamente, desviando la mirada de ella para volverla hacia Jane—. Soy un hombre de honor. ¿Has conocido a alguna mujer que lamente una relación conmigo?

Ella le puso la mano en la muñeca.

—Eres tú el que me preocupa. Puede que ese corazón tuyo no sea fácil de cautivar, pero cuando esté cautivado, sospecho que la pérdida podría ser fatal. Pese a lo que ocurrió ayer, ella es una mujer hecha para el matrimonio.

—Esa maldita palabra otra vez. Sí, sé que está hecha para el matrimonio.

Frunció el ceño al ver que unos cuantos conocidos suyos se habían agrupado alrededor de la mesa de desayuno para presentarse a Jane. Unos críos, pensó, despectivo. Prácticamente se estaban chupando los dedos. Y ¿ella iba a comer mientras todos estaban babeando a su alrededor?

—Oye, tendremos que dejar para más tarde esta agradable conversación. Los lobos se están reuniendo y ella no está en condiciones de defenderse.

Audrey se giró a mirar a qué se refería él.

—Ese lado posesivo tuyo es fascinante. Creo que nunca lo había visto antes. Eso no quiere decir que...

Él pasó por su lado, fastidiado. ¿No había prometido protegerla?

—No es lo que piensas —dijo y se alejó.

Audrey se quedó mirando su alta figura de hombros anchos y lo vio pasar por entre la hilera de amigos con su habitual arrogancia Boscastle. El corazón le dio un inquietante vuelco, aun cuando ya hacía tiempo que se había resignado a una relación platónica con el interesante marqués.

—Podría no ser tampoco lo que tú piensas, cariño —dijo, tristemente.

Las mesas estaban dispuestas sobre el césped en la parte suroeste del parque, cubiertas por manteles de brocado y sobre ellas jarras de limonada y café, té y chocolate sobre calientaplatos. Uno de los amigos de Sedgecroft le había llevado a Jane un plato con fresones y almendras azucaradas.

Ella acababa de llevarse un fresón a la boca cuando lo vio abriéndose paso como una espada por en medio de los invitados. Enroscó la lengua sobre la ácida fruta. Observó que las mujeres que la rodeaban interrumpían sus conversaciones para mirarlo. Y no era de extrañar. Su masculina vitalidad arrojaba un hechizo tan potente que era imposible no sentirlo. ¿Quién no se dejaría arrastrar por el remolino de su pasmoso atractivo? Era una ráfaga de aire fresco que desafiaba las rancias censuras de la alta sociedad.

Sus amigos le dieron palmaditas en la espalda, mirando significativamente de él a ella, como si esperaran una presentación formal. Y él se negó a presentarlos por motivos que ella no logró discernir. Ya conocía a varios de los jóvenes, a través de su hermano. Y Sedgecroft los miraba enfadado. Y a ella. Qué excelente actor. Qué molestia.

—Ah, estás ahí —le dijo él desde el otro lado de la mesa, en voz alta y posesiva, que no hizo otra cosa que atraer la atención—. Te he buscado por todas partes. No vuelvas a dejarme solo.

Jane sintió las miradas de la gente, notó el silencio al interrumpirse todas las conversaciones. No logró sacar la voz; se le había quedado atrapada en la garganta al tragarse entero el fresón. Sintió subir el color a las mejillas. No era tan experta en eso como él. Su primer impulso fue esconderse debajo de la mesa.

—Bueno, estaba aquí. —Lo que él ya sabía—. Con tus amigos.

—¿Amigos? ¿Mis amigos?

Miró impasible a los cuatro hombres que estaban detrás de ella. El cuarteto se alejó al instante, advertidos por el tono de Grayson de que se habían metido en territorio privado.

—Bueno, ¿quién se lo habría imaginado? —murmuró uno de ellos—. ¿La plantada por Nigel acompañada por Sedgecroft?

—Tal vez no fue un plantón, después de todo. Tal vez a Nigel no se le dio ninguna opción en el asunto.

Los cuatro se detuvieron y se giraron hacia la mesa, con la misma codiciosa idea. ¿Es que la bella hija de Belshire estaba a punto de convertirse en una querida? ¿Quién podría haber supuesto que estaría disponible para ese delicioso arreglo? ¿O la situación entrañaba algo más serio? ¿Es que su ídolo estaba a punto de encadenarse?

Cuando el pícaro llegó a su lado, Jane frunció los labios.

—Eso ha sido una actuación dramática bastante innecesaria a esta hora del día.

—Ha quedado convincente, ¿eh? —dijo él, sonriendo tímidamente—. Perdóname, pero tuve la corazonada de que necesitabas que te salvara.

—¿De comer algo para desayunar?

Él le cogió el codo y con la otra mano le cogió el plato.

—No se aceptan las atenciones de un caballero sin endeudarse —dijo, con fingida severidad—. Desayuno hoy, cama mañana.

—Vamos, Sedgecroft, francamente. Sólo una mente como la tuya podría hacer esa asociación. Desayuno y... deporte de la cama.

—Son compatibles, créeme.

—En tu mundo, tal vez.

—¿Tan diferentes somos tú y yo? —bromeó él.

—Por supuesto.

—Bueno, no permita Dios que yo te corrompa.

—No creo que seas tan corrupto.

De pronto él levantó la vista y entrecerró los ojos. Algo que había detrás de ella le había captado la atención.

—¿No? —preguntó distraído—. ¿Eso significa que hay esperanzas para mí?

Ella miró hacia atrás. No logró ver qué o a quién había mirado él con tanta atención. ¿A otra mujer?

—Yo no contaría con eso —dijo.

—Sé cómo piensan los hombres —dijo él en voz baja, en tono engreído—, en especial esos hombres.

—Esos hombres —susurró ella, tratando de coger otro fresón antes que él devolviera el plato a la mesa— son de tu clase y tienen un historial similar. Te admiran, te emulan.

Él la alejó de la mesa hacia el sendero principal, y pasado un momento comenzó a bajar por una suave pendiente toda cubierta de manzanilla.

—Justamente por eso sé cómo piensan —dijo, retomando el hilo de la conversación—. Y por eso me preocupé por ti.

—Eso no habla muy bien de tu carácter.

—No, ¿verdad? —Repentinamente se echó a reír; encontraba muy agradable, aunque también bastante difícil, discutir con ella—. Tal vez debería haber dejado que vinieras con el vestido gris.

—Intenté advertírtelo.

Continuaron caminando en silencio un rato. Jane no supo cómo se las arregló él para deslizarle la mano por la espalda y dejarla a la altura de la cintura, donde la sentía sugerente y posesiva; la presión de sus dedos le hacía bajar estremecimientos por toda la columna. Tampoco sabía hacia dónde iban. Lo único que sabía era que él se veía preocupado y que ella estaba disfrutando más de lo que debería.

—Creía que deseabas llevarme de vuelta al circo social lo más pronto posible.

—Sí, pero no al foso de los gladiadores. Y no sola. ¿Te hicieron alguna pregunta personal?

Ella se detuvo a mirarlo. Ya empezaba a hablar muy parecido a sus padres.

—En realidad, sí.

—¿Qué, por ejemplo?

—Por ejemplo, si prefería café o chocolate.

A él le bailaron los ojos de risa.

—Y ¿qué contestaste?

—Que ni lo uno ni lo otro.

—Una mujer misteriosa —dijo él fingiendo un suspiro de decepción—. Esos pícaros interpretarán eso como una invitación a la intimidad.

—Les dije que me gustaba el té —replicó ella ásperamente—. No veo cómo se podría interpretar eso como una invitación a nada, y mucho menos a un acto íntimo.

—A un hombre en busca de presa, la sola insinuación de una sonrisa en los labios de una mujer basta para alentarlo —dijo él, en tono autoritario—. Créeme. Esa realidad está tan firmemente establecida como cualquier principio científico.

—Mis labios estaban ocupados en comer, Sedgecroft, hasta que tú me confiscaste el plato en mis mismas narices. Da la casualidad de que tengo hambre.

Él se rió y volvió a cogerle el brazo para que continuaran avanzando por la pendiente.

—¿Alguien te ha dicho que tu franqueza te meterá en dificultades algún día?

A ella le rugió el estómago, y giró la cabeza para mirar nostálgica las mesas de desayuno.

—Sólo mi madre, por lo menos diez veces a la semana durante toda mi vida. ¿Adónde vamos? La gente va a hablar de nosotros.

—Estoy seguro de que causaste una impresión favorable, Jane.

—Yo no. Te dije que era demasiado pronto para hacer acto de presencia. Con Nigel nunca provocamos este tipo de escena en público.

—No, hasta ayer. —Se detuvo a mirarla, cayendo en la cuenta de lo que acababa de decir; hacerle bromas era una cosa, ser cruel, otra muy distinta—. No quise decir lo que pareció.

—Bueno, pero es cierto —dijo ella, sintiendo una punzada de culpabilidad. La desconcertaba que la tratara como a una frágil figura de porcelana; ojalá se lo mereciera—. Tengo cierta fortaleza interior, Sedgecroft.

—Lo único que quería decir es que la alta sociedad se ha fijado en nosotros —dijo él, con más cautela—. Ese era nuestro primer objetivo. Dame el brazo otra vez.

¿Por qué no se negó?, pensó ella, disgustada. Si él fuera un capitán pirata que le ordenara caminar por el tablón y arrojarse al agua, casi seguro que le obedecería. La verdad era que se sentía feliz de aferrarse a su musculoso antebrazo, fuera cual fuera el desastre que se cerniera más allá. Tal vez por eso sus padres le habían aconsejado que se casara con Nigel. Para protegerla de sí misma.

—Sedgecroft, no daré ni un solo paso más. Este pabellón es famoso por la cantidad de mujeres seducidas aquí.

Él continuó haciéndola avanzar, como un hombre abocado a una misión si es que ella había visto uno.

—Eso lo sé muy bien.

Ella pestañeó.

—Entonces sabes que no voy a entrar.

Él giró la cabeza y le clavó la mirada, con un imperioso ceño.

—Deja de perder el tiempo, Jane. Te necesito. Ven aquí inmediatamente.

—Perdón, ¿qué has dicho?

—Si no me han engañado mis ojos, mi hermana Chloe acaba de desaparecer en el pabellón con un joven oficial de caballería que es demasiado atrevido para su propio bien. Quizá te necesite para que me impidas cometer un acto de violencia.

—¿Estás seguro de que era Chloe?

—No.

No, porque estaba tan ocupado tratando de poner a Jane a salvo de los hambrientos lobos que no pudo prestar mucha atención a otra cosa. No, porque Chloe no tenía por qué estar ahí ese día, y si había entrado en el pabellón, había desobedecido descaradamente sus órdenes.

—No estoy seguro de que fuera ella —dijo, notando el deje de terror en su voz—. Pero no quiero correr ningún riesgo.

Jane contempló el pabellón de ladrillos rojos con sus cuatro esbeltos torreones blancos que se elevaban al cielo en homenaje a un castillo de cuentos de hadas de antaño.

—Cuentan que los pasillos secretos de este pabellón le ofrecen al duque lugares perfectos para citarse con sus invitadas más amorosas.

—Sí, Jane —contestó él, en un tono levemente altivo, paternalista—. Dudo que Chloe haya entrado a admirar los bancos tallados en piedra.

—Espera un momento —dijo ella, mirándolo con clara desconfianza—. Creí oírte decir que la habías dejado encerrada con llave en su habitación.

—Una habitación con llave no es ningún obstáculo para un Boscastle —dijo él, pesaroso, en el instante en que acababa la fragante hierba y comenzaba un ancho camino embaldosado—. Es un desafío, un escalón hacia la aventura imprudente.

—Siempre me ha parecido una chica muy sensata —dijo ella, agitando la cabeza—. Me gustó mucho aquella vez que nos encontramos en la inclusa.

—¿Sensata? —bufó él—. Uno nunca sabe lo que se esconde bajo la superficie.

Jane se mordió el interior de la mejilla. No se atrevió a mirar esos perspicaces ojos azules, después del secreto que ella le ocultaba.

—Mmm, no. Supongo que no.

—Ese es uno de los motivos de que me gustes, Jane. Eres una mujer muy franca y sensata.

Ay, Dios. Si él supiera lo sinuosa, lo insensata que había demostrado ser en esos dos últimos días.

—Ojalá pudieras ejercer cierta influencia en Chloe —añadió él.

—Estoy segura de que es sensata en su corazón —musitó ella, mordiéndose el labio inferior.

—Eso lo dices porque tú eres sensata.

—Deja de hacerme parecer un dechado de virtudes. —Chillaría si él continuaba acumulándole elogios sobre la cabeza—. Me avergüenza.

—Eso es justamente lo que quiero decir —dijo él, asintiendo realmente aprobador—. No recuerdo haber visto jamás esa sinceridad en una mujer, y ocurre que valoro muchísimo la sinceridad —continuó, como si todavía no le hubiera taladrado el corazón; su mentiroso y pérfido corazón.

—No sabía que la sinceridad fuera una cualidad que un hombre como tú admirara en el sexo opuesto —dijo, con una vocecita débil.

—Bueno, entre otras cosas —dijo él, y los dos supieron qué otras cosas valoraba por la sonrisa pícara que pasó fugazmente por su cara—. Tal vez podrías ser un ejemplo para mi hermana.

—No creo que eso sea conveniente.

—No tiene a ninguna mujer que emular, ¿sabes? Desde que nuestra Emma se marchó a Escocia, no tiene a nadie. Me temo que yo no le he dado muy buen ejemplo en lo que a moralidad se refiere.

—Mmm. —No había nada que discutir a eso.

—Sencillamente no puedo dejar que la dinastía familiar se eche a perder —continuó él, consciente de que volvía a confiar en ella—. El problema es que creía que me quedaban unos cuantos años más de libertad antes de establecerme.

—Qué crueldad que debas poner fin a tu vida de pecado.

Él se rió y ella sintió deslizarse deliciosamente por su piel el ronco sonido de su risa.

—Sí, ¿verdad?

Hasta ellos llegaba débilmente la música que estaba tocando la orquesta en la parte alta del parque. Una hilera de sauces daba sombra al camino y ocultaba esa parte de la vista. Un par de marsopas de mármol flanqueba la entrada del pabellón, arrojando chorros de agua que al caer en arco se difuminaban convirtiéndose en finísima llovizna.

Grayson miró alrededor. Ya no los veía ninguno de los invitados a la fiesta. Además, el duque mantenía a una multitud de criados yendo y viniendo por fuera para darle una apariencia de decoro al lugar.

—Me han dicho que lo llaman Pabellón del Placer —musitó Jane—. Siempre me he preguntado cómo sería.

—Bueno, ya puedes dejar de preguntártelo —repuso él, y sin ninguna ceremonia la hizo entrar en el interior en sombras—. Ya está. Creo que no nos ha visto nadie.

—Sedgecroft, creo que no...

—Vigila dónde pones los pies —dijo él, y su voz pareció propagarse por la desorientadora penumbra—. El suelo está mojado y el interior oscuro como el mundo de ultratumba.

El mundo de ultratumba, pensó ella, estremeciéndose ligeramente, sintiéndose más o menos como Perséfone cuando siguió a su oscuro señor a los infiernos. ¿Cómo había ocurrido todo eso? Sólo el día anterior estaba contemplando su libertad arduamente ganada y ahora, ¿quién podía saber los giros que contenía el futuro? ¿De qué manera podría frustrar ese plan de él sin delatarse?

—Observo que has estado aquí antes —comentó, sarcástica.

—Sólo cuando acababan de terminar el pabellón y el duque nos hizo un recorrido.

—¿Nos?

—A mi padre y a mí. —Se giró hacia ella y su hermosa cara ocupó todo su campo de visión—. Buen Dios, Jane, yo tenía poco más de tres años.

—¿De veras?

Él tosió.

—Bueno, tal vez trece.

—Eso me imaginé. ¿Qué podría haberse apoderado de tu hermana para venir aquí hoy?

—A ver qué se te ocurre a ti.

—Tal vez tenía dolor de cabeza y necesitaba un momento de paz.

Él contestó a la sugerencia con un bufido bastante insultante.

—Sólo un idiota creería eso. Ahora, silencio, Jane. Viene alguien.

Dicho eso inclinó distraídamente la cabeza para saludar al caballero y la dama que acababan de salir de un estrecho pasillo. Los dos parecieron sorprendidos y con aspecto de sentirse culpables al haber sido descubiertos.

—¡Simon! —exclamó Jane, horrorizada, deteniéndose bruscamente.

—Jane —tartamudeó él, agrandando los ojos al reconocerla—. ¿Qué haces aquí?

—Esto...

—Tiene dolor de cabeza y necesita un momento de paz —contestó Grayson, muy serio.

—Ah, bueno —dijo Simon, sin ver la expresión indignada de su hermana—. Este pabellón siempre me calma los dolores de cabeza. Prueba a mojarte los pies en el Estanque de las Pléyades. Yo os esperaré fuera, ¿eh?

—Fabulosa idea —dijo Grayson, mirando a Jane de reojo—. Espéranos al final del sendero.

—Bueno, hasta aquí llegamos con mi carabina —comentó Jane, guasona, después que Simon le dio una amistosa palmadita a Grayson en el brazo y se alejó con la risueña lady Damaris Hill en la otra dirección.

—Por lo menos parecerá que estábamos todos juntos aquí —dijo Grayson, agitando la cabeza. Hizo un gesto hacia el oscuro pasillo que se abría al lado derecho—. Ah, ese parece ser un lugar idóneo para unos momentos de pasión, ¿verdad?

—Pues, no sabría decirlo.

—¿No? —bromeó él.

Acto seguido echó a caminar por otro estrecho pasillo y ella siguió su alta figura, ceñuda. Inesperadamente el pasillo dio paso a un espacio en que había una serie de burbujeantes estanques en forma de venera.

Él se volvió hacia ella y le miró atentamente la cara un buen rato.

—¿Qué estás pensando, Jane? —le preguntó con voz grave, irresistible.

Ella suspiró. La humedad de ese encierro debió subírsele a la cabeza porque antes de darse cuenta, dijo:

—Ningún joven me ha traído jamás a un lugar como este. Jamás.

Él esbozó su sonrisa perezosa y la miró a los ojos.

—No te creo. Uno o dos tienen que haberlo intentado.

Ella sintió arder la cara. Tenía el vestido húmedo y pegado al cuerpo por el vapor del agua. El calor del rubor se le fue extendiendo por toda la piel.

—No, de verdad, nadie lo intentó nunca.

—Entonces permíteme que lo haga yo —dijo él, tendiéndole la mano, todo su potente cuerpo envuelto por hilillos de vapor que iban subiendo—. Ven aquí.

Esa imperiosa orden le aceleró el corazón. Se sorprendió a sí misma acercándose a él, obedeciendo a su aterciopelada voz.

—¿Qué quieres? —susurró, con el aliento retenido.

—Complementar tu educación. —Inclinó la cabeza hacia la de ella y su pelo rubio le rozó la mejilla—. Dado que hay deficiencias evidentes, me tomaré un momento para que vivas la experiencia que te ha faltado.

—Qué caballeroso.

—No es necesario que me lo agradezcas —dijo él, mirándola con los ojos brillantes como llamas.

Ella sintió arder hasta los huesos con el calor de su mirada.

—Esto no es... prudente.

Él le deslizó el índice por el contorno de la mandíbula, produciéndole vibraciones en la piel.

—Hay un tiempo para ser prudentes y un tiempo para ser imprudentes. ¿Cuál crees que es ahora?

Sus ojos azules de párpados entornados la debilitaban, le aceleraban el corazón.

—Creo que... que...

En los ojos de él ardió una llama de deseo y ella no pudo, no pudo, desviar la mirada. Su sedosa voz la adormecía.

—Sé un poquito imprudente, Jane, sólo por una vez. Sólo por un momento.

La cogió en sus brazos, toda temblorosa, y bajó la cara hacia la suya. Antes que su firme boca la tocara siquiera, se sintió totalmente desorientada, como si estuviera girando como una peonza. Él bajó más la cabeza y ella sintió la caricia de su aliento en el hueco de la garganta. El fuego del infierno, pensó vagamente, arqueando la espalda. Son las llamas del tentador y yo voy entrando bien dispuesta en su centro de calor blanco.

Él le recorrió los labios con la lengua, con una delicadeza tan sensual que se le enroscaron los dedos de los pies dentro de los zapatos de seda. Entonces él le cogió suavemente el labio inferior con los dientes y casi se le doblaron las piernas. Sintió un estremecimiento de deseo en el fondo de ella. Él introdujo la lengua en su boca y a ella se le escapó un gemido de placer. A través de la camisa de lino sentía los fuertes latidos de su corazón, muy semejantes a los suyos. El calor de su duro cuerpo le encendió una llama en el vientre, que se fue extendiendo en ardientes círculos por todo su cuerpo.

Así que eso era lo que hizo que Nigel y su institutriz desafiaran al mundo. Eso era lo que convertía a mujeres sensatas en insensatas e imprudentes.

—Bueno —musitó él, con la voz ronca y seductora—. No tenía idea de lo buena que eres para la imprudencia.

—Como si yo estuviera al mando, demonio.

Él se rió sin poder evitarlo, y la estrechó con más fuerza, aumentando la presión de sus manos alrededor de ella. Demasiado lista para su bien, pensó. O para el bien de él. Ella nunca creería que él no había tenido la intención de hacer eso.

—Dilo y pararé —le susurró al oído.

—No, todavía no.

—¿Todavía no? —bromeó él, atormentándola—. ¿Es que mi gazmoña palomita alberga pasión en alguna parte muy al fondo? Muéstramela, Jane. Particípame tus secretos.

Volvió a besarla y, gimiendo de placer, la hizo retroceder hasta dejarle la espalda apoyada en la pared, aplastándole las muñecas en la pared con los antebrazos. Su boca sabía dulce, a fresones. Su piel ardía con el calor sensual de una mujer excitada, y de pronto se sorprendió pensando cuándo, si alguna vez, se había visto obligado a refrenar tanto al libertino que había en él, que maquinaba seducciones, que ansiaba liberar la tensión sexual que se le enroscaba por todo el cuerpo. Lo sorprendía el intenso y doloroso deseo que le provocaba.

Esa situación era vergonzosa. Su intención era restablecerle la reputación y le robaba besos a hurtadillas. Menudo héroe iba a resultar. Pero...

Pero ella le producía algo. No tenía muy claro qué. Le enmarañaba los sentidos. Le hacía imposible contenerse.

—Deseo devorarte —le susurró.

—¿Sí, Sedgecroft? —musitó ella, apretando los hombros a la pared, para afirmarse, para combatir la sensación de ir cayendo en un vacío negro, ardiente.

—Estoy perdido —dijo él con la boca pegada a la suya—. Sálvame, Jane.

—¿Que te salve? —susurró ella.

Sintió moverse brillantes arcos de color detrás de los ojos; suspiró cuando el aliento de él le produjo vibraciones de deseo a lo largo de la clavícula y luego siguió por la elevación de sus pechos por encima del escote, hasta que sus rosados pezones se endurecieron y tensaron el delgado tul. Le miró la cabeza. Él levantó lentamente la cara y la miró apasionadamente a los ojos, ojos que tenía nublados por el deseo.

—Soy yo la que necesito que me salven —dijo entonces ella, suspirando—. Me siento...

—Mejor que todo lo que he acariciado en mi vida. Querida Jane, no dudes nunca, ni por un momento, de que eres deseable.

Ella escrutó su hermosa cara, la cara que provocaba su caída, fascinada. Esos ojos azules la escrutaban con descarada sensualidad. Azul, el color del cielo de medianoche, el color del pecado.

—Cierra los ojos —musitó él, travieso, frotándole el mojado labio inferior con el índice.

Ella los cerró, y él volvió a besarla en la boca, absorbiendo ávidamente su suspiro de excitación, seduciéndole con la lengua todo el cuerpo, hasta el último aliento. Sintió pasar por toda ella la excitación y el despertar sensual, en vibrantes oleadas. Se le debilitaron las piernas y se le doblaron las rodillas, que estaban atrapadas y sujetas por las piernas de él, duras como el hierro. Combatió el deseo de apretar todo el cuerpo al de él. Se le arqueó ligeramente la espalda.

Grayson no pudo evitar reaccionar a eso, aun cuando percibía que ella estaba en dificultades. Embistió con las caderas, en movimiento instintivo. En su mente, ya estaba dentro de ella. Sintió el involuntario estremecimiento que bajó por la columna de ella. En su duro pecho sentía la presión de sus pechos al moverse con su agitada respiración. Bajó las manos por las incitantes curvas de su cuerpo, siguiendo los contornos de sus costillas, presionando, palpando, esculpiendo ese cuerpo maduro que lo tentaba sin piedad. Deseó arrancarle el vestido con los dientes.

No creía que hubiera muchas jovencitas capaces de convertir un beso furtivo en una crisis de autodominio. En realidad no podría nombrar ni a una sola. Y no era que otras damas no se entregaran al placer tras puertas cerradas. Pero Jane aportaba una atractiva novedad y frescor a lo prohibido.

—Sedgecroft —dijo ella, haciendo una profunda inspiración.

Él se apartó ligeramente, exhalando un suspiro de auténtico deseo en sus cabellos.

—¿Sí?

—¿Qué estamos haciendo? —preguntó ella, con la voz trémula.

Su primera finalidad, se dijo él, había sido hacerla sentirse una mujer deseable, demostrarle que el rechazo de Nigel no hacía que dejara de ser atractiva para un hombre.

Y lo había logrado hasta un extremo humillante. Le ardía el cuerpo de deseo; le hervía la sangre en las venas de un deseo tan intenso que no recordaba haber sentido nunca antes. ¿Sería posible, pensó, que la damita sí albergara su buen poco de traviesa picardía debajo de su caparazón de decoro? No. Descartó esa sugerente consideración. Los motivos más negros eran propios de hombres como él y sus mundanas amantes, no de jovencitas de piel rosada con nata de impecable crianza. Una lástima, para los dos.

—Creo que oigo voces arriba —susurró ella—. Escucha.

Ese susurro rompió el hechizo.

Ladeó la cabeza y frunció el ceño, disgustado consigo mismo. Cielo santo, en su ataque de lujuria se había olvidado completamente de Chloe.

—Tienes razón, y una de esas voces parece ser la de mi hermana.

Jane se alisó y arregló el arrugado vestido, sintiéndose arder por todas partes. No estaba lo bastante serena y compuesta para presentarse ante nadie. Jamás en su vida había sentido esas tempestuosas emociones. Necesitaba tiempo para recuperarse.

—Démonos prisa —dijo él, cogiéndole la mano, ya recuperada su habitual arrogancia—. Este es un momento importantísimo.

—No la oigo gritar pidiendo auxilio —susurró ella, molesta.

—Por eso es importantísimo —contestó él, llevándola casi a rastras por el pasillo en dirección a una estrecha escalera iluminada por antorchas—. El silencio indica sumisión.

—Tendré presente eso en el futuro.

Él giró la cabeza y le miró la cara ovalada sonrojada. Dudaba de que ella tuviera una idea de lo mucho que había deseado poseerla.

—Eso no ha sido una crítica a tu conducta. Los dos sabemos que eres lo bastante sensata para decidir cuándo parar.

—¿Lo soy? —farfulló ella.

En ese momento llegaban al último peldaño y se encontraron ante una acogedora salita de cielo elevado, tan pequeña que sólo contenía un banco en forma de diván estilo griego y...

Allí estaba sentado un joven con casaca militar azul y botas hessianas, y a su lado una conocida joven de pelo negro azabache, con la cabeza apoyada en su hombro.

—Perdón, ¿hemos interrumpido algo? —dijo Grayson, con una voz tranquila, controlada, que quedó vibrando en el silencio.

El oficial se levantó de un salto y se quedó mirando, con la cara ensombrecida de miedo, la alta e imponente figura que se veía gigantesca ante él.

—Milord, permítame que se lo explique.

—Creo que entiendo muy bien lo que estaba ocurriendo —contestó Grayson, apartando con una mano al aterrado teniente como si fuera una simple mosca. Sus ojos azules brillaban de intensa furia—. Le hablaba a mi endemoniada hermana.

Chloe se levantó grácilmente y la cara se le fue cubriendo de rubor al ver a Jane detrás de su hermano.

—¿Qué haces aquí, Grayson?

—¿Qué haces tú aquí?

—¿Podríamos hablar de esto después? —propuso ella, en un tono que revelaba arrepentimiento y rebeldía.

El oficial dio un paso para interponerse entre ellos. Justo antes que Grayson se girara hacia él, Chloe le hizo un disimulado gesto indicándole el diván, diciéndole:

—Deja que esto lo lleve yo, William.

—No quiero que te castiguen —dijo él, torpemente, sentándose, y tragó saliva al ver que Grayson daba un paso hacia él.

Jane pasó junto a la rígida figura de Grayson y se sentó al lado del oficial.

—No le diga ni una sola palabra más —le aconsejó en un susurro.

Ese lado de Sedgecroft era muy diferente a lo que había visto en él. Vaya genio el que tenía.

—Pero es que yo deseo casarme con ella —dijo el oficial, retorciendo su chacó entre las manos—. Quiero pedirle su permiso.

Jane no pudo dejar de sonreír ante ese romántico valor. El muy tonto no tenía la menor posibilidad ante la indignación de Grayson.

—¿Cuánto tiempo hace que se conocen? —le preguntó en voz baja.

—Unos cuantos días —contestó él, mirando a Chloe con angustiosa adoración—. Nunca en mi vida había estado tan enamorado. ¿Entiende lo que quiero decir?

—Bueno...

Jane desvió la vista hacia el marqués, sintiendo el cuerpo todavía caliente por el contacto con su muy musculoso cuerpo. ¿Lo entendía?, se preguntó, sintiendo atrapado el aire en la garganta. ¿Sería posible que una persona pudiera entregar el corazón sin siquiera saberlo? ¿Tendría algún control sobre aquello la persona, o simplemente le ocurría y basta?

Grayson y Chloe estaban enzarzados en una acalorada discusión, los dos con sus emociones a flor de piel. Grayson la amenazó con enviarla a vivir con unos tíos en el campo si no controlaba su comportamiento.

—Tú también podrías marcharte. No puedo decir que esté viviendo teniéndote día y noche echándome el aliento en el cuello.

Jane no supo decidir a cual de los dos defender, ni si se atrevería a intervenir. Grayson estaba francamente eficiente en su furia protectora, paseándose alrededor de su hermana al tiempo que la sermoneaba.

Y Chloe era o bien muy valiente o muy tonta al enfrentarse a él. Él parecía muy capaz de cumplir su amenaza.

Acercó la cabeza al joven teniente y le susurró:

—Yo en su lugar saldría sigilosamente de aquí mientras aún estuviera a tiempo. Parece que está terriblemente enfadado.

El joven contempló los anchos hombros de Grayson y su cara furiosa, y al parecer reconsideró su situación.

—¿Cree que Chloe lo comprenderá?

La opinión de Jane era que Chloe estaba tan confundida que ni siquiera sabía lo que pensaba o quería.

—Creo que ella puede llevar mejor esto sola —dijo amablemente—. También creo que no desearía verle muerto por... por un momento de imprudencia.

El joven se levantó, calculando cuál sería el lado más seguro para pasar junto a los hermanos.

—Seguiré su consejo, entonces —dijo, y la miró como si la viera por primera vez—. Qué raro es encontrar a una mujer como usted, hermosa y sensata a la vez. ¿Puedo atreverme a esperar que le presentará mis disculpas a lady Chloe?

—Váyase —le susurró Jane—. El marqués le dobla en tamaño.

Y es diez veces más imponente, pensó.

Sin necesitar más advertencias, él desapareció por la escalera. Y muy a tiempo, por cierto. Grayson había terminado su furiosa diatriba; Chloe estaba de cara a la pared, con sus blancos brazos cruzados sobre el pecho y sus ojos azules brillantes de lágrimas de humillación contenidas.

Que el joven oficial se hubiera enamorado tan impulsivamente de Chloe no sorprendía a Jane en absoluto. Al parecer, todos los Boscastle vivían con pasión cada momento de sus vidas, y era evidente que estimulaban a hacer lo mismo a aquellos que se cruzaban en su camino.

Una familia muy apasionada, pensó, mirando a Grayson evaluadora. La furiosa mirada de él se encontró con la suya, y el corazón le dio un vuelco al ver las fuertes emociones que expresaban sus ojos. No se atrevió a decir ni una palabra, no fuera que él explotara.

Bueno, podía criticarle muchas cosas, pero tendría que encomiarlo por intentar proteger a su hermana, aun cuando se hubiera pasado un poco de la raya. Tal vez su pasión por la vida se desbordaba sobre otros aspectos de su carácter.

—Y ¿qué ha sido de nuestro donjuán? —preguntó él, mirando el espacio desocupado al lado de Jane en el diván.

Parecía decepcionado por no tener a nadie a quien asesinar.

—Recordó que tenía una cita —contestó ella tranquilamente.

—Bueno, tanto mejor para él, porque su próxima cita habría sido con el encargado de la funeraria.

Jane se aclaró la garganta.

—Cálmate, milord. Ya se ha marchado.

Entonces Chloe se giró y sus llorosos ojos se fijaron en Jane.

—Y ¿qué hace ella aquí, por cierto, después de lo de ayer? Vamos, Grayson, no me digas que la has elegido para convertirla en tu próxima víctima. Eso es tan típico de ti que no lo soporto.

Jane se levantó, segura de que tenía la cara de todos los matices del rojo.

—Hay una explicación muy lógica.

—Que no le daremos a ella —dijo Grayson, en tono abrupto—. El hecho es que me has desobedecido, Chloe, y has demostrado una absoluta falta de juicio con tu comportamiento tanto de anoche como de hoy. A ninguna mujer decente la soprenderían en este pabellón con un hombre.

Jane abrió la boca asombrada. ¿Es que había oído mal al muy sinvergüenza?

—Ve a buscar a un lacayo y dile que haga traer el coche, Chloe —continuó él, en tono severo, con las manos puestas en sus delgadas caderas—. Ya has tenido tu aventura del mes.

Chloe pasó por su lado y se detuvo a mirar a Jane compasiva.

—Yo en tu lugar huiría de él y no miraría atrás.

—Esta dama sólo está aquí para proteger tu virtud —dijo él con voz acerada—. No se te ocurra volver a insultarla.

—Bueno, es que es cierto, Grayson —replicó Chloe, levantando los hombros—. Jane es una jovencita decente y no tiene idea de en qué se convertirá cuando tú decidas...

—Basta, Chloe —interrumpió él, con los ojos ardientes como brasas.

—Es cierto —insistió ella, obstinada.

Jane movió la cabeza de lado a lado, apenada por los dos, y dijo, mirando el suelo:

—Basta de esto, por favor, los dos. Estáis demasiado enfadados para hablar de manera racional.

—Huye de él, Jane —susurró Chloe, limpiándose la mejilla con el dorso de su mano enguantada.

A él se le ensombreció la cara. Jane tuvo la impresión de que estaba tan dolido como su hermana pero no sabía qué hacer. Un par de temperamentos titánicos.

—Esta vez me has llevado al límite —masculló él.

—Lo siento, Jane —musitó Chloe, tocándole la mano—. Lamento haberte insultado, pero lamento más aún que hayas caído en las garras de mi hermano.

—¡Chloe! —rugió él.

Ella pasó a toda prisa por su lado y desapareció en la estrecha escalera, y sus pisadas resonaron en las paredes de piedra del pabellón. Grayson se quedó mirando el hueco de la escalera por donde había desaparecido, con una expresión tan desconcertada que Jane le habría tenido lástima si él hubiera sabido llevar mejor la situación.

Capítulo 9

Grayson se pasó la mano por el pelo, con expresión confundida, y algo tímida, considerando el resultado del enfrentamiento.

—Bueno, vaya escenita —dijo, intentando bromear—. ¿No os dais cuenta las jovencitas de cuánto cuesta manteneros alejadas de los problemas?

—¿Tanto como cuesta a hombres como tú traernos aquí?

Él frunció el ceño.

—Y ¿qué quieres decir con eso?

—Nada. Nada en absoluto.

Él entrecerró los ojos, desconfiado.

—¿Es que defiendes a esa diablilla?

Ella se mordió el labio, ansiando decirle que se había portado como un matón.

—No lo sé —dijo al fin.

—La defiendes —dijo él, del todo atónito—. ¿Verdad?

—De acuerdo, supongo que sí —contestó ella, también mirándolo ceñuda.

Él pareció verdaderamente perplejo.

—¿Por qué?

Ella pasó por su lado y comenzó a bajar la escalera. La halagaba que a él le importara su opinión, aun cuando fuera la peor persona del mundo para pedirle una opinión sincera.

—Has sido muy duro con Chloe, ¿no crees? —dijo, deteniéndose a mirarlo por encima del hombro—. Toda esa tontería de que yo estaba aquí sólo para proteger su virtud y tu amenaza de enviarla fuera de la ciudad. Nos asustaste de muerte a los tres.

Él la siguió, su enorme cuerpo cálido y agradablemente amedrentador en la penumbra. Estaba bastante enfadado con ella también, comprendió Jane, aunque tenía muy dominada la rabia.

—Perdóname, Jane —le dijo fríamente—, por intentar proteger a mi hermana de atraerse la deshonra.

—Sigo pensando que podrías haber llevado el asunto con un poco más de tacto —respondió ella.

Estaba resuelta a mantenerse en sus trece, por resbaladizo que fuera el terreno que pisaba. Pero entonces vaciló, conmovida por la expresión de confusión que vio en sus ojos. ¿Se puede culpar a un hombre por intentar ser padre y madre de sus hermanos y fracasar lamentablemente en la tarea?

—Estoy preocupado por Chloe —dijo él entonces—. Éramos los mejores amigos del mundo antes que muriera nuestro padre, y desde entonces tengo la impresión de que ni siquiera la conozco.

—Tal vez ella siente lo mismo.

—¿Qué quieres decir?

—Tal vez ella tampoco se entiende, Grayson. Tal vez deberías darle un poco más de libertad.

Un ceño ensombreció sus angulosas facciones.

—Jane, creo que eres tú la que no entiende. —Le cogió el mentón y le levantó la cara hacia la suya, acariciándole por debajo con el pulgar—. ¿A ti te habrían sorprendido sentada en un sofá besándote con un hombre al que apenas conoces?

Su caricia le hizo bajar un ardiente estremecimiento hasta los dedos de los pies. Hizo una lenta inspiración.

—Hasta ayer, podría haber contestado esa pregunta con mucha convicción —contestó—. Sedgecroft, qué hipócrita eres.

Él pestañeó, totalmente desconcertado.

—¿Soy un hipócrita?

—¡Sí!

—No lo soy —dijo él, azorado y divertido al mismo tiempo.

—¿Ah, no? ¿Qué crees que estábamos haciendo hace unos minutos? ¿O la conducta imprudente es tan normal para ti que ni siquiera te das cuenta?

Él bajó su hermosa cara hacia la de ella.

—No lo he olvidado. Creo que tú tampoco. Fue algo, ¿no?

—¿Tendrías la bondad de no desviarte del tema? Eso es una importantísima regla de la conversación.

A él se le curvaron las comisuras de la boca, en esa pasmosa sonrisa que había hecho flaquear las rodillas de mujeres gentiles mucho más fuertes que ella.

Le retiró la mano del mentón, pero su sensual boca continuó a sólo unos dedos de la suya. Su magnetismo la distraía.

—¿No era besarse el tema?

—Esa es una táctica de distracción para desviarme del verdadero tema.

—¿Sí? Y ¿en qué te he desviado, si se puede saber?

—El verdadero tema —dijo ella enérgicamente, deseando tener la fuerza para resistir la tentación de entregarse a los placeres que prometía su incitante boca— es que tú y yo éramos culpables del mismo pecado por el que reprendiste a Chloe y a su oficial.

Toma, ya está. Había logrado exponer su argumento y resistirse a él al mismo tiempo, esfuerzo que la dejó totalmente agotada. A ver si podía él refutar esa lógica aplastante.

—Eso fue diferente —dijo él alegremente.

A ella se le abrió sola la boca, ahogando una exclamación de sorpresa.

—¿Cómo se llega a esa sorprendente conclusión?

—Para empezar —dijo él, con una tranquilidad para enfurecer—, mis motivos no son dudosos. Asumo toda la responsabilidad de mis pecados. Contrariamente a la creencia generalizada, no tengo la costumbre de seducir a todas las mujeres que conozco.

—¿Eres un sinvergüenza casto?

—Casto no, selectivo —replicó él—. No tengo la menor idea de por qué mis pocas indiscreciones despiertan tanto interés a todo el mundo.

—¡Llevaste a dos de tus amantes a mi boda!

—Pero ¿alguien me vio en los brazos de alguna de esas mujeres?

—No, claro que no, . Evidentemente era una capilla, al fin y al cabo.

—Bueno, entonces. Nadie puede presentar ninguna prueba de que soy un réprobo.

—El que el mundo civilizado tenga miedo de confrontarte respecto a tus pecados no te absuelve de ellos de ninguna manera.

—¿Las pruebas, Jane? —dijo él riendo, y el ronco sonido de su risa le hizo bajar un estremecimiento por la espalda a ella—. ¿Los testigos?

—Volvamos al punto en que estábamos, Sedgecroft —dijo ella, consciente de que la había distraído—. Al tema de la conversación. Si quieres que Chloe se porte de manera decorosa, no basta que la ataques con sermones y amenazas. Debes darle ejemplo.

Él cerró y abrió sus hermosos ojos azules.

—Ese es justamente el motivo de que quiera enmendar tu situación, Jane. Por eso te estoy ayudando a corregir el escándalo en que mi primo ha convertido tu vida. Para demostrarle a mi familia de qué modo debe comportarse un Boscastle.

—Y de qué manera lo demuestras ¿besándome en este pabellón?

—De acuerdo, lo reconozco. Eso fue un ligero desvío en el camino de mis decentes intenciones. ¿Ha dañado algo?

—Bueno.

Él sonrió. Su intención había sido ayudarla, sanarla. Era una mujer muy especial, y tal vez su personalidad era demasiado fuerte para Nigel. Tal vez la traición de su primo le había alterado la percepción. La había sentido impotente y delicada en sus brazos. Pero en su mente no estaba indefensa. Ah, no, en absoluto; tenía armas escondidas que atacaban a un hombre antes que este pudiera levantar un escudo. Le llevaría tiempo volver a fiarse de un hombre. ¿Podía fiarse de él? De eso no estaba seguro.

—Podría haber continuado besándote días y días —musitó, pesaroso. Moviendo la cabeza le siguió con el pulgar la prominente curva del pómulo—. No te importaría, ¿verdad?

A ella la sensación le penetró en los músculos, una deliciosa vibración que se le propagó a los brazos y piernas.

—¿Días y días? ¿No es algo exagerado eso?

Él se rió suavemente, deslizándole las yemas de los dedos por la curva de la garganta hasta detenerlas en el blanquísimo hombro.

—Meses, incluso. Años.

A ella se le quedó atrapado el aliento en la garganta al sentir el contacto de los botones de su chaqueta en los pechos, rozándole los deseosos pezones. Él deslizó la mano por su hombro en lentas e incitantes espirales, en lentas caricias capaces de aniquilar y licuar el cuerpo de una mujer, y ella descubrió que tratándose de resistirse a la pasión Boscastle no era ni mucho menos más fuerte que el resto de los mortales.

—Tienes una piel suavísima —musitó él—. Creo que nunca había sentido una tentación tan fuerte. Desde el momento en que te vi ante el altar no he sido totalmente yo mismo. Fuera de mi papel habitual me siento torpe, inseguro de mis parlamentos, de lo que se espera de mí. Ni siquiera sé si puedes fiarte de mí, Jane.

Tenía la boca tan cerca de la suya que casi se la tocaba. Sentía en sus labios el entrar y salir su cálido aliento, el poder de su musculoso cuerpo apretado al de ella. El deseo le recorrió los lugares secretos de su cuerpo. Con qué facilidad la podría llevar por el mal camino, pensó. Qué seductor era al hablarle de sus sentimientos. ¿Y torpe? Vamos, eso ni por un segundo.

Tragó saliva.

—¿Esto es lo que quieres decir con dar ejemplo?

—Sí —dijo él, haciendo una inspiración, con su firme boca curvada en las comisuras.

—¿He oído bien?

—Si fuéramos Chloe y su oficial —dijo él en voz baja, mirándola a los ojos—, todavía estaríamos en ese diván. Tú no estarías haciéndome preguntas. Muy posiblemente estaríamos a punto de hacer el amor.

Ella bajó los ojos, pensando si de verdad podía creer esa tontería. Al parecer su cuerpo sí lo creía, a juzgar por los rápidos retumbos de su corazón.

—Pienso que no...

—No. Dudo que estuvieras pensando en algo, Jane. Ni hablando. Estarías muy ocupada dejándome que te diera placer.

Ella levantó la vista y miró atentamente su rostro anguloso, de planos fuertes. Si antes la diversión le daba a sus facciones una belleza de sátiro, en ese momento la estaba mirando una cara con los ojos oscurecidos por el deseo. No tenía idea de si hablaba en serio o simplemente repetía frases manidas, de alguna de sus famosas seducciones. Pero sí sabía que deseaba tanto que la besara que todas las venas de su cuerpo vibraban por las corrientes del deseo y la necesidad. Se le ablandaron los labios, se le hincharon los pechos, y sus turgentes contornos presionaron ligeramente los fuertes músculos del pecho de él.

—No —dijo, hablando como una damita decente desesperada por conservar la sensatez—. Estás equivocado.

A él se le agitaron las ventanillas de la nariz, el macho aspirando el aroma del deseo de la hembra.

—¿Estoy equivocado?

Entonces bajó la boca a la suya, y sintió la ráfaga de sensaciones, que ella seguro estaba experimentando con la misma intensidad que él. La sintió ablandarse apretada contra su cuerpo y notó que se le doblaban las rodillas. Soltando una maldición en voz baja, la sostuvo, cogiéndole los antebrazos. En el oscuro rincón de su cerebro que no estaba excitado por ella comprendió que se estaba desviando de su finalidad. Tendría que parar si no quería hacer más mal que bien. Sí, ahí estaba el defecto en su forma de razonar. No había previsto que las mejores intenciones pueden causar problemas mayores de los que se pretende resolver.

De mala gana se apartó y dijo, tristemente:

—Y ahí está la diferencia.

Jane hizo un esfuerzo para recuperar aunque sólo fuera una apariencia de normalidad. Se sentía como una fruta madura arrancada del árbol y tirada al suelo. ¿Había deseado que él continuara? No. Sí. Sí.

—¿La diferencia, qué diferencia? —preguntó, confundida—. Ah, comprendo. ¿Quieres decir entre Chloe y su oficial y nosotros?

Le salió la voz temblorosa. ¿Se daría cuenta él? Le temblaba todo el cuerpo. ¿Lo notaría él? Claro que sí. Él le había producido ese vergonzoso desequilibrio, y no había más que mirarlo ahí, tan indiferente como un poste para amarrar los caballos.

—La diferencia entre nosotros y ellos —continuó él, en tono algo pomposo—, está en el carácter.

Ella se giró y continuó bajando el resto de los peldaños, afirmándose en la pared para no caerse en la oscuridad. Cómo podía él hablar de carácter cuando habían estado a punto de actuar siguiendo sus impulsos más básicos, escapaba a su comprensión. Seguro que hasta las piedras de ese pabellón estaban impregnadas con algún brebaje para incitar la pasión. Ojalá cuando estuviera fuera se le empezara a despejar la cabeza.

—Somos discretos —añadió él, siguiéndola—. Chloe me desobedeció y me engañó para encontrarse con ese hombre hoy. No podría imaginarte a ti, Jane, llegando a esos extremos. No logro imaginarte implicada en un engaño. ¿Tú sí?

Ella logró tartamudear una respuesta evasiva y echó a correr para salir del pabellón sin oír la respuesta de él. Estaba sorda a su voz. Lo único que oía eran las campanas tañendo lúgubremente su perdición en el futuro.

Él no podía imaginársela implicada en un engaño.

Jamás podría decirle la verdad.

Grayson no estaba tan indiferente a lo ocurrido entre ellos como parecía. Salió con ella del pabellón al calor de la tarde, observándola en cauteloso silencio.

Vaya, vaya, ¿quién se lo habría imaginado? La respetable lady Jane confundiéndolo y poniéndolo nervioso hasta el fondo del alma. ¿Qué pensaría ella si tuviera una mínima idea de cómo lo había desarmado, de lo interesante e incitante que encontraba esa situación? Ella tenía que ser uno de los secretos mejor guardados de la alta sociedad. ¿Qué otras sorpresas tendría en reserva? Jamás en su vida lo habían excitado y regañado con tanta rotundidad en una misma tarde. Agitó la cabeza, entrecerrando los ojos para acostumbrarlos a la luz, manteniendo en la visión periférica su figura ataviada en rosa.

Recordó el sabor dulce de sus labios, lo blando y dócil que sintió su curvilíneo cuerpo apretado contra el suyo. Mirándola en ese momento, toda gazmoña y distante dignidad, nadie adivinaría que era capaz de reaccionar así. Se moría por saber qué más habría descubierto si la hubiera explorado un poquito más. Qué momento más terrible para enterarse de que seguía teniendo conciencia.

Miró alrededor y lo satisfizo ver a Simon y Damaris al final del sendero, esperándolos. Eso daba cierto aire de respetabilidad a su breve desaparición, y nadie podría acusarlos de amores ilícitos. Lo de Chloe era otro asunto.

Cuando iban llegando al final del sendero se detuvo a hablarle. Con que era un hipócrita, ¿eh? Ese comentario de ella le dolía un poco, tal vez porque era cierto.

—¿Estarás bien unos minutos si te dejo sola? —le preguntó, nervioso—. Quiero ir a comprobar si Chloe ya se marchó a casa.

Ella lo miró a los ojos, y él volvió a sentir otra oleada de excitación por los más profundos recovecos de su cuerpo. Tenía las mejillas teñidas por un favorecedor color rosa, y no se veía tan reservada ni tan digna como se había imaginado.

—Jane, ¿estás bien?

—Pues claro que estoy bien. ¿Por qué no iba a estarlo?

Su erizada respuesta lo hizo sonreír. A pesar de su empeño en parecer serena, sabía que le había dado algo en qué pensar. Con toda su inteligencia, ella tenía muy poco conocimiento de los asuntos sensuales. ¿Qué habían hecho ella y Nigel todos esos años juntos, por el amor de Dios? Al parecer, no se habían besado. Ridículamente, ese pensamiento le elevó el ánimo, paunque tendría que vigilarse cuando estuviera con ella en el futuro.

—Quédate con tu hermano —le ordenó amablemente, mirando por encima de la cabeza de ella hacia los grupos de gente en el parque—. Que él cuide de ti mientras yo no estoy.

—¿Puesto que hasta ahora ha hecho tan bien su trabajo de carabina?

Él volvió la miró a la cara.

—Tal vez debería pedirte que tú lo vigiles a él. Pareces ser la más responsable.

—No en algunas cosas.

—Lo que ocurrió en el pabellón no fue culpa tuya. Fue mía.

—A pesar de todo —dijo ella en voz baja—, me resulta imposible estar enfadada contigo. Supongo que es gastar saliva en vano intentar corregir a un hombre que se cree superior al mundo en general. —Exhaló un suspiro de disgusto—. Anda, ve a arreglar las cosas con tu hermana. Yo estaré muy bien, pero intenta no volver a perder los estribos.

—Prueba a controlar al clan Boscastle sin perder los nervios —dijo él, reanudando la marcha por el sendero—. El día de Navidad en nuestra familia uno casi tiene que colgarse de la araña para obtener un momento de atención.

—Eso me ha dicho Nigel.

Ya estaban en la orilla de la parte superior de césped, a sólo unas yardas de las mesas de desayuno. Simon y Damaris ya se iban alejando. Grayson echó una mirada feroz al grupo de petimetres que simulaban no estar mirando a Jane. Eso era lo que lo impulsaba a reformarse. Proteger a jovencitas deseables de los juegos que en otro tiempo jugaba tan bien él. Juegos que no le importaría jugar con ella en ese momento, por cierto.

—Una cosa más —dijo, cauteloso—. He observado con qué frecuencia sale Nigel en nuestras conversaciones, lo que es totalmente comprensible, pero creo que debes aceptar que si dentro de la próxima semana más o menos no ha vuelto para reparar las cosas, es posible que no vuelva nunca más.

—Eso lo sé —dijo ella, arreglándoselas para evitar mirarlo a los ojos—. Estoy... muy resignada.

—No hace ninguna falta que te resignes a nada todavía —dijo él. Tal vez había sido demasiado franco—. Te encontraremos otro marido.

—Pero es que yo no quiero... Ah, mira. Ahí está mi amiga Cecily, en la última mesa, haciéndome señas. Estaré bastante a salvo con ella, ¿no crees?

¿A salvo de mí?, pensó él, sonriendo, irónico. ¿Es que la había asustado? ¿Lo perdonaría? Tal vez todo iría mejor si no lo perdonaba. Los sentimientos que le provocaba le eran desconocidos, y un reto más que difícil a su autodominio.

Antes que él pudiera contestarle ella ya se iba alejando a toda prisa. Su expresión se tornó reflexiva observándola reunirse con el pequeño grupo de jovencitas que se giraron a saludarla. Por un estúpido instante sintió la tentación de decirle que tuviera cuidado. Pero ella ya se había enfrentado con él en favor de Chloe, y salió totalmente ilesa de eso. Nuevamente lo maravilló la estupidez de Nigel por abandonarla. Había misterios en Jane que ese bobo jamás había detectado.

Capítulo 10

Jane volvió a recordar el viejo proverbio: «Salir de las llamas para caer en las brasas». Todavía algo aturdida por su experiencia con Sedgecroft, se sentía sofocada en el círculo de sus cuatro parlanchinas amigas. ¿Tendrían una idea de cómo le ardía la cara? ¿Se darían cuenta de que todavía le hormigueaban los labios por sus besos?

Claro que todas sabían lo que le había ocurrido el día anterior. Su mejor y más querida amiga, la honorable Cecily Brunsdale, hija de un vizconde, había sido una de sus damas de honor, testigo presencial del fiasco. No sabía qué reacción podía esperar de las otras.

¿Compasión, azoramiento, la generosa cortesía de fingir que el horrible acontecimiento no había ocurrido jamás?

Pero lo que ciertamente no había esperado era que el interés de ellas por su fallido intento de matrimonio fuera tan fugaz. Sí, comentaron su pérdida, pero sólo un breve momento. Eso era noticia de ayer, algo digno de compasión, y de unas pocas sonrisas bien intencionadas aunque falsas. Muchísimo más interesante para esas cuatro mariposas sociales eran los detalles de su romance deliciosamente sorprendente con el muy adorado marqués de Sedgecroft.

—¿Romance? —preguntó, aparentando no entender, ante la insistente andanada de preguntas. Bueno, ahora sí que tenía la cara ardiendo, como en un incendio—. ¿Qué os hace pensar que tengo un romance con él?

—¿Qué otra cosa podría ser? —musitó una de ellas.

—Una mujer no entra en una sala en que está Sedgecroft sin caer presa de sus encantos —dijo la señorita Priscilla Armstrong, autoproclamada experta en esos asuntos después de tres infructuosas temporadas.

Al instante saltó en defensa de Jane su amiga Cecily, esbelta joven de pelo rubio ceniza y ojos gris claro.

—¿He de recordarte, Priscilla, que Sedgecroft es primo de Nigel? Es su deber ocupar su lugar como acompañante hasta que Nigel...

¿Hasta que Nigel qué?, se preguntaron todas, mirando a Jane con los ojos agrandados, esperando alguna insinuación de lo que se podría esperar.

Pero ella se resistió obstinadamente a revelar algo más, haciendo caso de la advertencia de Grayson, de que un pequeño misterio la haría más atractiva ante la sociedad. Y no es que deseara ser atractiva, pero sí deseaba no fastidiar a Sedgecroft. Si su comportamiento durante las veinticuatro horas pasadas era un indicio de su pertinaz perseverancia, no tenía el menor deseo de provocar su rabia. Buen Dios, si ya le era difícil tratarlo como amigo, no digamos cómo sería tenerlo como enemigo.

—No tengo nada más que decir sobre el tema —dijo, sintiendo una aflicción que se iba haciendo más y más real hora a hora.

Pero las cuatro jóvenes casi no la oyeron; tres de ellas estaban embelesadas escuchando la opinión de la señorita

Evelyn Hutchinson sobre el tema Sedgecroft, hombre al que evidentemente había observado y analizado con fervor académico desde hacía bastante tiempo.

—¿Sabéis lo que dijo la doncella de una de sus ex amantes?

—¿De cuál? —preguntó lady Alice Pfeiffer, demostrando que no era lo que se dice ignorante acerca del tema.

—La señora Parks —contestó Evelyn.

—Dínoslo —ordenó Priscilla—. Jane tiene derecho a saberlo.

—Bueno, yo... —comenzó a protestar Jane.

—Necesitas saber la verdad —le dijo Cecily en voz baja.

Jane no estaba muy segura de querer saber la verdad. Sin darse cuenta alargó el cuello mirando al gentío, por si veía señales de su perturbador bribón de ojos azules. Era de esperar que no estuviera regañando otra vez a su animosa hermana. A ella la atraía la pasión de Chloe por la vida, y percibía un corazón herido debajo de su tenaz rebeldía. Dios santo, si ella fuera alguna vez el objeto de esa furia leonina. Y lo sería, si él descubría lo buena que era para urdir diabluras.

Evelyn se apoyó el abanico en la barbilla.

—Una noche la doncella oyó a la señora Parks confiándole a alguien que Sedgecroft era como una orgía para los sentidos femeninos.

Jane pestañeó, atraída su atención.

—Seguro que entendiste mal —dijo; aunque a ella no le costaba creerlo.

Evelyn asintió, con expresión ladina.

—También dijo que es mejor que a una mujer no se le ocurra ir a cabalgar al parque por lo menos hasta dos semanas después.

—Oh, vamos, francamente —exclamó Cecily, desaprobadora, mientras las otras asimilaban encantadas ese fascinante cotilleo—. Ese no es el tipo de revelación que tenía pensado yo cuando te animé a decirlo.

—Y lee el diario de la mañana mientras ejecuta ciertas actividades físicas con sus amantes —añadió Evelyn.

Priscilla se le acercó más con los labios entreabiertos.

—¿Ejecuta esas actividades por la mañana?

—Por la mañana, a mediodía y por la noche —contestó Evelyn, maliciosa—. Complace todos los caprichos de una mujer.

Varios suspiros precedieron al silencio que descendió sobre ellas, hasta que Evelyn se sintió obligada a continuar:

—Pasar un tiempo en su compañía es caer fatalmente bajo su hechizo. Sedgecroft es un hombre que reflexiona bien antes de actuar. Una vez que decide hacer la jugada, es el fin.

—¿El fin de qué? —preguntó Jane, con el vello de la nuca erizado.

—El fin de la virtud. El comienzo del vicio. Ya ha iniciado su estrategia mucho antes de que su víctima se dé cuenta de lo que ha ocurrido.

—Basta, Evelyn —advirtió Cecily, ceñuda.

—Aunque ninguna mujer que él ame se consideraría una víctima —añadió Evelyn, pasado un momento—. Un tesoro sería la palabra más apropiada.

Volvió a caer el silencio sobre el grupo.

Jane aprovechó un espacio que se abrió en el grupo para alejarse; ya había experimentado bastante de la pericia de Sedgecroft por un día.

—Me disculpáis, ¿verdad? Me pareció ver a mi hermano llamándome.

Cecily la siguió, hablándole en apenado susurro.

—Fui a verte anoche, pero tus padres te tenían recluida. ¿Cómo vas a sobrevivir a esto, Jane?

Jane miró hacia el inmenso parque de césped. Cecily era una de sus más viejas amigas y confidentes, casi tan íntima como Caroline y Miranda. Cecily sólo tenía tres añitos cuando anunció a todos los reunidos en la iglesia que había sorprendido al cura en la sacristía con su tía. A los cinco años se cortó su lustroso pelo, que le llegaba a la cintura, para jugar a Robin Hood con sus hermanos. A los once cometió el mismo delito porque tenía el plan de huir de la casa disfrazada y convertirse en jinete de carreras.

No era de extrañar que ella la adorara. Cecily tenía agallas, y el duque con el que estaba a punto de casarse le caía muy bien. Pero ni siquiera su querida amiga conocía su plan con Nigel para frustrar el curso de un falso amor.

Por eso deseó poder ser sincera cuando Cecily le cogió la mano y le susurró:

—Estaba enferma de preocupación por ti. Si hubiera tenido una pistola habría buscado a Nigel para matarlo. Lo creas o no, comprendo exactamente cómo tienes que sentirte. Has sido muy valiente al dar la cara hoy, pero, Jane, ¿es prudente esto?

«Hay un tiempo para ser prudentes y un tiempo para ser desmadrados».

—De todos modos van a hablar de mí en la alta sociedad, Cecily. Cuanto antes me enfrente a eso, mejor.

—No me refería a la alta sociedad.

—¿Entonces...?

—A Sedgecroft.

—Ah.

Se le desvió la mirada hacia el parque y vio al hombre pasmosamente guapo que venía caminando hacia ella, moviendo todos sus músculos con gracia natural. El corazón le dio un vuelco cuando él la miró. Ay, qué monstruo más precioso. A su pesar, volvió la mirada a la cara angustiada de Cecily.

—Creo que no tienes por qué preocuparte por mí.

—Es Sedgecroft, Jane. Un libertino consumado.

—Simplemente he venido a desayunar con él. Nada más.

—Sedgecroft no se limita a «tomar» una comida con una mujer. A no ser que ella sea el plato principal.

«Desayuno y deporte de la cama», pensó ella, recordando sus propias palabras, que volvían para acosarla.

—Tonterías —dijo firmemente.

Cecily miró alrededor, al darse cuenta de que no tenía toda la atención de su amiga. Arqueó las cejas al ver aproximarse al guapo marqués.

—Ah, hablando del ruin de Roma... —masculló—. Jane, por favor, hazme caso, te lo suplico. Por favor. Estás muy vulnerable. Sé lo mucho que te ha herido Nigel, pero asociarte con Sedgecroft... Bueno, ¿no se parece un poco a caminar con los ojos vendados por el borde de un acantilado?

—Hola, Cecily —saludó Grayson, mirando a Jane y situándose entre las dos—. ¿Cómo está tu padre? Últimamente no le he visto en el club.

Cecily lo sometió a la más glacial de sus miradas. Siendo una de las amigas íntimas de Chloe, conocía muy bien el encanto letal Boscastle, y siempre mantenía la guardia alta.

—Está muy bien, gracias. Y ¿tu familia? Todos se veían muy sanotes ayer en la capilla.

—Sanos y endemoniados, si se me permite emplear esa palabra. —Pasó la vista de ella a Jane, y sus penetrantes ojos la miraron con un solícito interés que ella sabía que era pura representación—. ¿Te apetecería bailar, Jane?

Cecily miró con intención la mano con que él le rozó el hombro a Jane, y estiró los labios, desaprobadora.

—Ahora no, gracias —contestó Jane, negando con la cabeza.

—¿Vamos a buscarnos unas copas de champán, entonces? —propuso él, alejándola de Cecily con la mayor sutileza.

—Ah, champán, eso nos iría fabulosamente —exclamó Cecily, negándose a captar la indirecta—. ¿Nos harías el favor de traernos aquí las copas, Sedgecroft?

Él la miró con el mayor candor.

—Pero eso significaría dejar sola a Jane otra vez, y no podría ser tan grosero. Sé buena y ve a buscarnos un lacayo. Una duquesa debe ejercitarse en dar órdenes, ¿no te parece?

Jane bajó los ojos, por temor a echarse a reír, si no a llorar. Ay, Dios, la expresión de horror en la cara de Cecily. Y Sedgecroft, el muy demonio, provocando así a su pobre amiga.

Cecily sonrió, aunque la sonrisa le salió frágil.

—Ah, eso me recuerda, Jane. El martes por la tarde iré a cabalgar al parque con Hudson, y nos acompañarán sus sobrinas y sobrinos. ¿Vendrías con nosotros?

Grayson le sonrió.

—Nos encantaría, ¿verdad, Jane?

Cecily lo miró boquiabierta.

—Quise decir...

—No he estado con Hudson desde que fuimos a cazar en las Highlands —continuó él—. Tal vez los cuatro podríamos ir a la ópera más avanzada la semana.

Cecily no supo qué pensar de su actitud. Era difícil encontrar un hombre más arrogante que Sedgecroft, y lo peor era que a Hudson le caía bien. En incontables ocasiones había comentado que le encantaba Sedgecroft, un verdadero hombre si los hay. Pero ¿qué intenciones tenía hacia su amiga? ¿Sería posible que hubiera una migaja de honor en él?

—Pensándolo bien, ¿de veras crees que Jane debe reanudar sus actividades sociales tan pronto después de... bueno, después de lo de ayer? —preguntó, con la voz ahogada.

Él sonrió levemente y giró a Jane hacia el otro lado, como para protegerla.

—Creo que soy muy capaz de cuidar de Jane, aunque admiro tu lealtad durante estos... digamos, estos momentos difíciles. Y ahora, antes de marcharnos, los dos iremos a buscarte ese champán, Cecily. Tienes el aspecto de necesitar algo fortalecedor.

—¿No podríamos ir los tres? —propuso Jane en voz baja, mirando por encima del hombro a su pasmada amiga.

Pasados unos minutos se despidieron, encontraron a Simon y su guapo acompañante sacó a Jane de la fiesta sin que hubiera probado otro bocado.

—Sedgecroft, tu manera de tratar a Cecily fue muy... muy...

—No es necesario que vivas dándome las gracias —musitó él, llevándola casi por la fuerza hacia su coche—. Tu gratitud se sobreentiende.

—¿Sí, Sedgecroft? No sabes cuánto me alivia eso.

Él se detuvo y frunció los labios.

—Líbreme Dios de criticar el comportamiento de nadie que no sea un familiar, pero me pregunto si esa tendencia tuya a la mordacidad no habrá intimidado a mi primo.

Ella no supo cómo reaccionar.

Él pareció incómodo.

—No debería haber dicho nada. Ocurre que encuentro muy atractiva esa tendencia.

Atractiva. El que ella se enfrentara a él.

—¿Qué? —dijo, una vez recuperada el habla.

—Hasta cierto punto. Lamento haber sacado el tema. —La miró sonriendo contrito—. También lo lamento si he parecido desatento hoy.

Jane le dio la espalda, nuevamente estupefacta. Una muestra más de su atención y estaría derretida dentro de sus zapatos.

La voz profunda de él por encima de su hombro la hizo pegar otro salto.

—Todo se debe a esta rebelión de Chloe —confesó, revelando lo que evidentemente pesaba en su mente—. No puedo controlar todos sus actos, y tengo miedo de que esté empeñada en seguir un camino hacia la autodestrucción. La verdad es que por lo general no asisto a estas insípidas fiestas durante el día. Estoy en mejor forma por la noche.

—No es eso lo que he oído.

—¿Perdón?

Sintió su enorme cuerpo detrás de ella, recordando avergonzada lo que comentara Evelyn.

—Sólo fue un cotilleo —se apresuró a decir—. Decían que por la mañana..., buen Dios, olvida que he dicho algo.

¿Sería cierto? ¿Sería cierto que Sedgecroft leía el diario mientras hacía el amor?

Él la siguió de cerca hasta que subieron el peldaño y estuvieron dentro del coche; la miró guasón:

—No hagas caso de los cotilleos, cariño.

Ella se giró a mirar a su hermano, que aún no había subido. Empezaba a comprender que había más en ese hombre de lo que veían los ojos.

—¿Qué quieres decir?

—Descubre tú misma la verdad. —Esperó que ella se sentara para sentarse él a su lado y se echó hacia atrás, escrutándola con su ardiente mirada—. Si tienes curiosidad acerca de mis costumbres personales, lo único que tienes que hacer es preguntarme.

—Creo que no me atrevería.

—Entonces no lo sabrás nunca.

—Tal vez en algunos casos, es mejor continuar dichosamente ignorante.

—Pero no tú, Jane. —Le dio un juguetón empujón con el hombro—. Tengo la impresión de que tu curiosidad no ha comenzado a ser saciada.

Capítulo 11

Tan pronto como llegó a su casa, Jane fue a encerrarse en su habitación, desentendiéndose de la andanada de preguntas de sus curiosas hermanas. Necesitaba reflexionar, sopesar. Claro que sólo podía pensar en Grayson. Pensar en todos los detalles, despacio, tranquila. Cuando estaba con él el cerebro le dejaba de funcionar, y sólo le permitía realizar las actividades más elementales.

Esa tarde habría pensado menos en él si no la hubieran conmovido tan extrañamente todas las emociones que él reveló cuando le gritaba a su hermana. Eran el cariño y el miedo de un hombre que por fin comprende que no puede controlar el mundo.

Pomposo Grayson. Tenía buena intención, aun cuando sus torpes métodos, de mano dura, dejaban bastante que desear. No entendía por qué se sentía tan cómoda con él. Tal vez se debía a que él no se escandalizaba u horrorizaba fácilmente por las cosas que ella decía o hacía, y eso que había hecho algo muy horroroso.

¿Lo horrorizaría su secreto?

Probablemente sí, si se podía juzgar por su manera de tratar a Chloe. Al parecer, su criterio liberal se limitaba solamente a la prerrogativa masculina de portarse mal.

Pero ocurriera lo que ocurriera al final, por el momento él la hacía sentirse valorada, y nunca nadie, aparte de sus perros, la había valorado por sí misma.

Aunque claro, en realidad Grayson no sabía quién era ella; ni lo que había hecho. ¿Qué pensaría si se enterara de la verdad?

Aun cuando el día pasado con Jane había resultado sorprendentemente placentero para él, a Grayson no le hacía la menor ilusión el inevitable enfrentamiento que debía tener con Chloe esa noche. De todos sus hermanos, era su hermana pequeña la que lo preocupaba más y con la que más choques tenía. Posiblemente eso se debía a que en muchos sentidos se parecían.

Arrogantes. Aventureros. Siempre inclinados a hacer suyas las causas perdidas.

Los atraían los problemas; estaban resueltos a salirse con la suya y al cuerno las consecuencias.

Se detuvo ante la puerta de su dormitorio, preparándose para otra batalla. En esas ocasiones deseaba que estuviera ahí su fuerte y férrea hermana Emma para hacer los honores. O por lo menos Heath, cuya fuerza amable y flexible al mismo tiempo desarmaba eficazmente a las mujeres. También le sería muy útil tener a Jane a su lado, aunque después lo regañara. Él era consciente de que para los asuntos personales tenía todo el tacto de un ariete. Pero había ciertas cosas en las que debía mantenerse firme. Le gustara o no, era el cabeza de familia. Debía ser obedecido.

¿Por qué Chloe lo desafiaba a cada paso?

¿Qué podía hacer con ella?

Abrió la puerta. No tenía la menor idea de lo que debía decir.

Ella estaba sentada ante su escritorio, con su ondulado pelo negro esparcido sobre los hombros como el ala de un cuervo. Se veía muy niña y vulnerable, aunque adulta al mismo tiempo. Ella enderezó la espalda al oírlo entrar, pero no se volvió a mirarlo.

—Ah, viene mi carcelero. Haz el favor de dejar el pan y el agua junto a la puerta.

—Chloe.

—Grayson.

Él abrió la boca para hablar, pero la cerró al ver un dibujo de Brandon sobre el escritorio. Brandon había sido el bebé de la familia, y el ferviente defensor y compañero de Chloe en sus travesuras de niños. Su muerte, y luego la de su padre, la había dejado destrozada justo en el momento en que debería haberse estado preparando para casarse.

Nuevamente se culpó por no haber estado con su padre y Chloe cuando recibieron la noticia de que habían matado a Brandon. Durante meses su padre, Royden Boscastle, le había suplicado, a él, su hijo mayor, que fuera a pasar una semana en la casa de campo para salir de caza y encontrarse con sus amigos. Y él fue dejándolo para después, prometiendo que iría, sin saber que se estaba acabando el tiempo para esa reunión familiar.

¿Acaso su padre presintió su propia muerte? No podía dejar de preguntarse si habría continuado vivo si él hubiera estado a su lado para suavizar el golpe de la noticia del asesinato de Brandon. Chloe y su padre estaban solos cuando llegó la carta, y fue ella la que lo sostuvo en sus brazos, impotente y asustada, cuando él murió. La conmoción y la sorpresa la hicieron cambiar.

—¿Qué pretendías hacer hoy? —le preguntó tranquilamente.

—No quiero hablar de eso.

Él se sentó en el borde del diván.

—Chloe, gírate hacia mí y háblame. Vamos a hablar de eso.

Ella vaciló un momento, pero al final se giró, con sus ojos azules fríos y dolidos. Él suspiró, con el corazón afligido por ella.

—¿Qué esperabas que hiciera? —preguntó, disgustado—. Era un soldado, por el amor de Dios.

Ella golpeó el escritorio con la pluma.

—¿Así que si yo hubiera estado besando a un duque habrías dado tu aprobación?

—No, claro que no. Pero por lo menos con alguien de tu clase, bueno, si de verdad estuvieras enamorada, habría una opción de matrimonio.

Ella enterró sus blancos dientes en el borde del labio inferior.

—Y ¿qué pretendías conseguir llevando a Jane para que presenciara mi vergüenza?

—En realidad, Jane te defendió.

—Alguien debería defenderla a ella de ti —exclamó Chloe, con sus ojos azules, tan parecidos a los de él, como llamas.

—Chloe —dijo él, haciendo una inspiración y pasando por alto el insulto—, no puedes decirme que de verdad estás enamorada de ese hombre.

—Podría.

—No me gusta este giro insensato que has dado —dijo él, negando con la cabeza, disgustado—. Tampoco apruebo tu trabajo en la Inclusa ni en la Penitenciaría para mujeres, con esas jóvenes deshonradas y prostitutas.

—Nadie se preocupa de ellas, Grayson —dijo ella, vehemente, su voz impregnada de pasión—. No tienen padres que cuiden de ellas.

No tienen padres. ¿Sería tan aguda, tan fuerte, su sensación de pérdida por la muerte de su padre que se sentía más cómoda con esos seres angustiados que con sus familiares?

—Yo te quiero, Chloe —dijo, aturullado, sin saber qué otra cosa decir—. Todos te queremos.

—Entonces déjame vivir mi vida como me place.

—No, mientras lo que te place no reciba mi aprobación. —Se levantó, metió sus enormes manos en los bolsillos y comenzó a pasearse por detrás de ella—. Tal vez deberíamos buscarte marido. No lo sé. Alguien que hubiera elegido nuestro padre.

Una sombra de pena le oscureció a ella los ojos azules, pero desapareció antes que él pudiera descifrarla.

—Mi padre me habría dejado elegir a mí.

—Los dos sabemos que eso no es cierto —se apresuró a decir él—. Era un tirano, Chloe, por mucho que lo quisiéramos. Sabía ser muy hiriente a veces.

Ella se levantó, con las mejillas encendidas.

—No digas eso —dijo, afligida.

—Bueno, es cierto. Eso no quiere decir que yo no lo quisiera. Ni que no lo eche de menos tanto como tú.

—Quiero ir a Nepal —dijo ella, inesperadamente.

—¿Qué? —preguntó él, atónito.

—Quiero encontrar el cadáver de Brandon.

Él exhaló un largo suspiro. No podía decirle que era muy probable que los animales carroñeros no hubieran dejado ni un resto de su cuerpo; que Brandon y sus compañeros habían muerto en un barranco al haber caído en una emboscada de los rebeldes. Que él supiera, nadie le había revelado a ella esos horrorosos detalles. En realidad, nadie sabía de cierto lo que ocurrió, a pesar de los esfuerzos de Heath y Drake por descubrir la verdad.

—Eso de ninguna manera, Chloe —dijo, negando con la cabeza para dar más énfasis.

—Eso es lo que quería hacer nuestro padre.

—Sí, ir él.

—Devon dijo que me llevaría.

—Entonces le voy a retorcer el pescuezo a ese diablo cuando llegue a casa —dijo él, elevando la voz simplemente al pensar en el peligro que entrañaba ese viaje.

Ella lo miró fijamente, intentando contener las lágrimas de desafío y de aflicción.

—Algún día haré exactamente lo que quiera.

—No si yo tengo opinión y voto en el asunto.

Le puso firmemente las manos en los hombros; ella se puso rígida y no lo miró a los ojos.

—No vuelvas a ver a ese soldado —añadió, y la voz le salió tan parecida a la de su padre que hizo un mal gesto.

—En todo caso, seguro que lo ahuyentaste para siempre —masculló ella.

—Eso espero.

Entonces ella lo miró a los ojos, con una chispita de diversión en los ojos.

—Es posible que hayas ahuyentado a Jane también.

Grayson reprimió el deseo de reírse, recordando el rapapolvo que le echó Jane en defensa de Chloe. ¿Es que todos la infravaloraban?

—Se puso de tu parte, si has de saberlo.

—Me cae bien, Grayson —dijo ella, exhalando un largo suspiro—. Hay un algo tierno, encantador, en ella. Por favor, no hagas nada que pueda empeorar su situación.

Él la miró sorprendido.

—Chloe, en parte se debe a ti que yo me haya convertido en su amigo. Tú me convenciste, durante el desayuno después de la boda frustrada, que lo correcto era ayudarla, y eso me hizo pensar. Y ¿sabes?, es bastante curioso: a mí también me cae bien. Es muy fácil hablar con ella.

—Simplemente no lleves demasiado lejos esa amistad —dijo ella, en voz baja.

Él respiró aliviado, sintiendo la tentación de estrecharla en sus brazos como a la hermana pequeña que siempre sería para él. Así que Jane iba a ser el terreno común entre ambos, el eslabón para restablecer su dañada relación. Jane, su sensata pacificadora y su seductora sin saberlo.

—Creo que Jane es perfectamente capaz de cuidar de sí misma —dijo—. En especial si continuamos leales a ella.

—Eso espero —dijo Chloe, sonriéndole tímida—. Tal vez ella haga aflorar lo mejor que hay en ti.

—¿No a la bestia?

Ella se rió, a su pesar, sin poder resistirse a su encanto.

—Por el bien de ella, espero que no.

Capítulo 12

Los cinco días siguientes, Grayson representó el papel de un atento pretendiente, acompañando a Jane a fiestas al anochecer, a charlas y conferencias, e incluso a una cena tardía con varias personas amigas en el Clarendon. La introdujo en los sofisticados placeres de su mundo, un mundo rutilante al que sólo se había asomado alguna vez. En lugar de establecerse en la apacible oscuridad que había deseado, bebían a su salud libertinos y reformadores; hizo amistad con actrices, jugadores y pintores exiliados de París. Hizo una visita a los muelles para ver descargar el último barco de Grayson llegado de China, y en todo momento estaba muy consciente de que pronto llegarían a su fin esos placeres ilegítimos.

Y no deseaba que acabaran.

Había comenzado a vivir para los momentos en que gozaría de su pícara compañía. Jamás en toda su vida se había reído tanto. Él era arrogante, y considerado. Se sentía tan atraída por él que temía no ser capaz de disimularlo.

Ese día habían ido a ver el ascenso de un globo en Green Park, y durante el trayecto de regreso a casa, estuvo peligrosamente cerca de confesárselo todo. Le era casi imposible soportar la tensión que le causaba ocultar un secreto a un hombre de su experiencia. Especialmente, dado que él le confiaba sus deseos, esperanzas y miedos. Pensar que confiaba en ella contándole secretos de su familia mientras ella continuaba engañándolo. ¿No debería ser al revés? ¿No era el sinvergüenza el que engañaba a la dama?

Sospechaba que si él no estuviera tan involucrado personalmente con ella, adoptando el papel de héroe, tan impropio de él, podría ser el tipo de hombre que valorara lo que habían hecho Nigel y ella.

Lo irónico era que, en otras circunstancias, Grayson Boscastle sería justamente la persona a la cual recurrir en busca de consejo. Sería el amigo más leal y comprensivo que se podría desear. Y ella deseaba con todo su corazón merecerlo.

Caroline y Miranda entraron sigilosamente en el dormitorio en penumbra y se acercaron de puntillas a contemplar la esbelta figura de su hermana tendida cuan larga era en la cama de cuatro postes.

Jane estaba inmóvil como una efigie de piedra con un paño mojado en agua fría sobre la frente y el pelo desparramado sobre la almohada. Simuló estar durmiendo hasta que sus nervios no le permitieron soportar ni un segundo más esa silenciosa intrusión. No podía continuar de esa manera. Su conciencia no se lo permitía.

—Fuera, las dos —dijo entre dientes.

—Vamos, Jane —suspiró Miranda, compasiva—, te ves... pareces estar absolutamente acongojada.

—Muy posiblemente porque lo estoy.

Caroline se sentó en la cama.

—Yo tenía razón, entonces —dijo, apesadumbrada—. Sedgecroft es horroroso.

—No —protestó Jane, quitándose el paño de la frente y abriendo los ojos—. Es maravilloso. Es lo más maravilloso que he tenido la desgracia de experimentar en toda mi vida.

Sus hermanas se miraron sorprendidas.

—Cuéntanos —dijo Miranda, sentándose al lado de Caroline.

—No os contaré nada.

—Si con eso quieres decir que te sedujo —susurró Miranda—, la primera semana...

—No, no me ha seducido —dijo Jane, irritada—. Puede que me haya besado. Una o dos veces.

—Y ¿por eso estás acostada aquí a oscuras? —preguntó Caroline, ceñuda.

—Si te hubiera besado Sedgecroft, no harías esa pregunta tan estúpida. Tal vez serías incapaz de decir algo coherente.

—Creo que lo hemos juzgado mal —dijo Miranda, pasado un largo momento de silencio—. Puede ser muy encantador, si se le da la oportunidad.

—Y ¿alguien lo dudaba? —suspiró Jane, recordando muy claramente lo potente que podía ser ese encanto—. Eso es lo que lo hace un sinvergüenza de éxito.

—Y ¿cómo piensas resistirte a él? —preguntó Caroline.

—Con la mayor dificultad, te lo aseguro. Por lo visto no soy tan inmune a su encanto como había esperado. Todavía tengo que recuperarme de nuestra salida de hoy.

—Bueno, será mejor que comiences a recuperarte —dijo Miranda, mirando el reloj de la mesilla de noche—. Su lacayo Weed ha venido a decir que el marqués vendrá a recogerte dentro de una hora.

Jane se sentó alarmada.

—¿Para qué?

—El baile anual en la casa Southwick —contestó Caroline—. Es uno de los principales eventos de la temporada. Sólo a unos pocos favorecidos los invitan a llegar temprano. Vamos, Jane, asistimos todos los años.

Jane miró hacia el ropero, aterrada. Jamás se había visto tan desafiada su aptitud para vestir a la moda como en esos cinco días pasados. No le había importado nada parecer una paloma hasta que Sedgecroft le arrojó el guante, retándola a su diabólica manera.

—De hecho, sería agradable si hubiera tenido la amabilidad de decírmelo —gruñó—. ¿Qué me puedo poner?

—El de organza rosa claro con el chal de flecos —contestó Caroline—. El de tu ajuar hecho para el convite de la boda.

—¿El convite de la boda? —repitió Jane, pensando vagamente si el rosa claro se consideraría rosa, y por lo tanto complacería los gustos de réprobo de Sedgecroft—. ¿Qué recepción?

—El convite que ibas a celebrar con Nigel —repuso Miranda, guasona—. Nigel, el hombre por el que llegaste a extremos maquiavélicos para no casarte.

Con el ceño fruncido, Jane se bajó de la cama y se dirigió al ropero sin ponerse los zapatos, sólo con las medias.

—Sé muy bien quién es Nigel, gracias.

—El vestido rosa claro no está en el ropero —dijo Caroline, mirando traviesa a su hermana—. Vinimos con Miranda a sacarlo cuando estabas recuperándote, para que lo airearan y lo plancharan.

Jane giró sobre sus talones, irritada.

—¿Es que a nadie se le ha ocurrido que yo tengo derecho a opinar en esta casa?

—Claro que lo tienes —contestó Miranda, en tono malicioso—. Y eso fue lo que te metió en este problema con Sedgecroft.

—No tiene problemas con Sedgecroft —dijo Caroline, mirando a Jane preocupada—. Todavía.

—Deberías llamar a Amelia para que te peine y te arregle la cara. Te has quedado pálida y delgada.

—¡No he probado ni un solo bocado en toda la semana, aparte de un fresón! —exclamó Jane, sintiendo que se le escapaba hasta el último vestigio de control que tenía sobre su vida—. Necesito sustento para tratar con ese hombre. ¿No se le ha ocurrido eso a Su Perversidad?

Caroline se mordió el labio para reprimir una sonrisa.

—Pues sí que se le ocurrió. Dijo que habría cena antes del baile. Sugirió que te comieras una manzana para sostenerte. El chef austriaco de los Southwick es divino, un absoluto genio en la cocina. Sedgecroft dijo que tenemos que llegar con apetito.

Jane miró enfurruñada su imagen en el espejo. Cena y baile. Una manzana. Y otra ronda de resistirse a Sedgecroft. El recuerdo de ese arrogante Adonis de ojos azules besándola le quitaba el aliento, le debilitaba las piernas. Él era implacable en su búsqueda del placer, y ella, con su sentimiento de culpa y esa sensación de inminente desastre, estropearía lo que podría ser una noche de ensueño. ¿Por qué no pudieron sus padres buscar a Grayson como yerno desde el principio?

—Y ¿si no quiero ir? —preguntó, sin dirigirse a nadie en particular—. Seguro que, dadas las circunstancias, nadie va a notar mi ausencia.

En ese preciso momento resonaron unas pisadas en el corredor y un instante después se abrió la puerta y lady Belshire asomó la cabeza. Llevaba recogido su pelo castaño plateado en lo alto de la cabeza, sujeto con horquillas con cabeza de diamante. El vestido de tafetán dorado que enseñaba su juvenil figura brillaba como polvo de estrellas en la semioscuridad.

—¿Todavía no estás lista, cariño? Buen Dios, ¿por qué estáis las tres aquí susurrando en la oscuridad? Parecéis traviesos ratoncitos en una sala cuna.

—Miranda y yo ya estamos listas, mamá —dijo Caroline.

—Bueno, date prisa, Jane —dijo lady Belshire, jadeante, arreglándose el pañuelo cruzado sobre el pecho—. Sedgecroft acaba de llegar. Está de punta en blanco, elegante hasta los dientes. Debo reconocer que hace muy buena estampa. Me parece que los dos vais a causar revuelo.

—Fantástico —masculló Jane—. Justo lo que necesito, causar otro revuelo.

Con la apariencia de una alicaída reina de las hadas, Athena, lady Belshire, exhaló un largo suspiro de desesperación ante el rebelde comentario de su hija mayor. Claro que el abatimiento de Jane, pensó, no tenía nada que ver con el adorable marqués al que ella, evidentemente, había juzgado mal. La triste verdad era que Jane no olvidaría a su amado Nigel en tan pocos días, y lo mejor que podía hacer su familia era distraerla y demostrarle que su vida no había acabado.

—Cuando hablas de esa manera tan impropia —dijo—, mataría a Nigel por lo que te ha hecho. Pero debes tener presente el título Belshire, querida mía. —Hizo una honda inspiración, complacida por la forma como había decidido llevar eso—. Y ahora tienes a Sedgecroft de tu parte.

—Sedgecroft —gimió Jane, dejándose caer en la cama.

—Una damita no podría pedir mejor paladín —dijo lady Belshire, olvidando que no hacía mucho tiempo lo consideraba un libertino irresponsable. Pero claro, ¿qué importaba eso si él aplicaba toda esa... avasalladora virilidad en ayudar a su hija a salir de la deshonra?—. En realidad —añadió, pensando en voz alta—, me estremece pensar lo que hará cuando encuentre a Nigel.

—Y ¿no nos estremece a todas? —dijo Miranda en voz baja cuando su madre desapareció de la puerta.

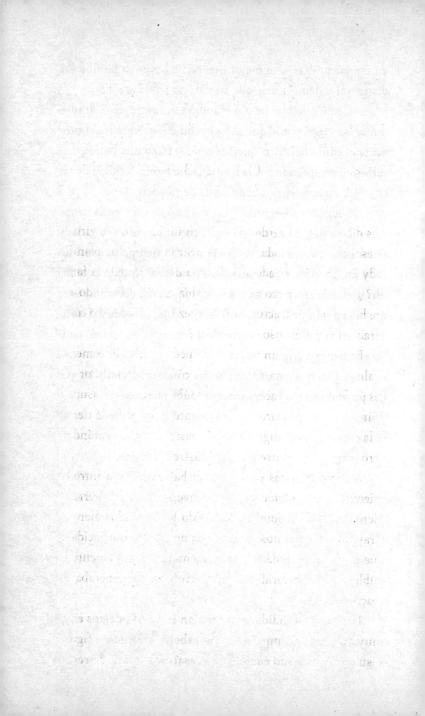

Capítulo 13

Los diarios de esa tarde ya sugerían un interesante giro en el escándalo de la boda Boscastle: ¿Sir N realmente plantó a lady J o fue amenazado por la rama dominante de la familia? ¿Es que un cierto marqués había estado esperando entre bastidores para actuar? ¿O tal vez fue ese apuesto conspirador el que dispuso el escenario?

Esto planteaba un misterio respecto a cuándo comenzó realmente ese drama. O respecto a cómo acabaría. ¿Por qué los padres de lady J aceptaban tan públicamente ese asunto? ¿Sir N habría desaparecido totalmente de la faz de la tierra? Y la pregunta más sugerente de todas: ¿Estaba preparándose otro matrimonio entre esas dos ilustres familias?

A las pocas horas ya no se hablaba de otra cosa entre los miembros de la aristocracia. Las conversaciones se interrumpieron en la casa Southwick cuando los invitados vieron a Grayson y Jane juntos, aunque ella no estaba convencida de que no fuera su audacia para presentarse repetidamente en público y la popularidad de Sedgecroft lo que generaba esa reacción.

Las damas decididamente tenían sus ojos puestos en su muy atractivo acompañante. Su esbelta y elegante figura, y su andar pausado cuando atravesaron el salón de recepción hicieron volver cabezas y agitar abanicos por todas partes.

La opinión de Grayson respecto al interés que causaba su aparición era diferente.

Sí, notaba que la gente los miraba; en especial los hombres, y el deseo apenas velado que veía en sus ojos al mirarla, lo ratificaban en su temor de que lady Jane Plantón fuera considerada una mujer fácil.

Pero las ardientes miradas que le dirigían a Jane se apagaban al instante cuando él fijaba su aplastante mirada en los hombres que se atrevían a degradarla. Entonces se desviaban las miradas, y había preguntas susurradas y gestos de resignación. Nadie tenía el valor de desafiarlo, ni de palabra ni de obra. Su temperamento acomodadizo le había ganado muy pocos enemigos, pero era famosa su lealtad hacia las personas que quería.

Naturalmente había visto los diarios. No le molestaban en absoluto las elucubraciones de que estaba cortejando a Jane como a una posible novia. Tal como predijera lady Belshire, eso parecía elevar el valor social de Jane, y él estaba contento de ser útil. De hecho, había ordenado a su secretario que no negara ni confirmara nada cuando lo interrogaran.

Bastaría una sonrisa enigmática.

Harto de su reputación de libertino, no le importaba si los aristócratas creían que estaba considerando la posibilidad de casarse con Jane. Un matrimonio entre ellos era creíble. ¿Qué más daba que alguien pensara que él estaba detrás del escándalo en la boda?

Que lo apodaran demonio, muy bien.

En realidad, si hubiera conocido a Jane unos meses antes, habría... ¿qué? Frunció el ceño, pensativo, ensombreciendo la cara. Era probable que hubieran asistido a varios eventos al mismo tiempo.

Sin embargo, nunca se habían cruzado sus caminos. ¿Por qué no? En su nebulosa memoria vio a Nigel arrimado a ella, protegiéndola de pícaros como él, para después poder herirla. Eso le recordó que sólo hacía dos horas había recibido un mensaje de Heath acerca de la desaparición de Nigel y que tendría que encontrar un momento para hablar con ella a solas, para decírselo. Detestaba estropear una agradable velada, pero ella tenía el derecho a saber la verdad acerca de su primo.

—El muy idiota —masculló.

Jane giró la cabeza y lo miró sorprendida.

—¿Qué has dicho?

—Nada. Que lo pases bien.

—¿Cómo? —musitó ella, mirando los grupos de invitados que abarrotaban el iluminado salón—. Esto es una tortura absoluta para mí.

—Nadie te molestará estando yo aquí. No les hagas caso.

—¿Siempre eres tan cegadoramente arrogante?

—Creo que sí.

Instintivamente se acercó más a ella. Hasta el día de su muerte sería un misterio para él por qué jovencitas inteligentes como Jane y Chloe podían verse tan fácilmente perjudicadas por las opiniones de personas prácticamente desconocidas.

Se le escapó el aire de los pulmones cuando un invitado, sin querer, los hizo chocar. El cuerpo se le encendió de deseo al sentir ese brevísimo contacto con el lado de su pecho y su codo. Deseó saber ahí mismo y en ese momento cómo era ella debajo de su vestido rosa claro, de qué color era su piel en todos los lugares secretos. El deseo de tenerla en su cama fue tan intenso y terrible que tuvo que apretar fuertemente las mandíbulas para impedirse cogerla en sus brazos.

Desvió la mirada, perplejo; no entendía cómo podía tener ese deseo tan potente de seducir a una mujer de la que aseguraba ser amigo. Pero los ocultos indicios de la sexualidad de ella lo desasosegaban más y más cada vez que la veía. ¿O sería su carácter lo que lo atraía? Qué curioso que no supiera discernir eso. Tal vez una caráacterística realzaba a la otra.

Volvió a mirarla. Tenía el aspecto de sentirse tan absolutamente desgraciada que no pudo contener la risa.

—¿Siempre te resistes tanto a disfrutar?

—¿Cómo debo disfrutar?

—Bailas un poco. Bebes un poco. —Le hizo una seña a un lacayo para que le trajera a Jane una copa de champán—. Hablas conmigo. Además —añadió alegremente, protegiendo con su alto y fornido cuerpo el de ella—, puesto que estamos aquí, bien podríamos tratar de pasarlo lo mejor posible.

Ella le sonrió y él sintió otro temerario deseo de cogerle la mano y sacarla de ahí para tenerla exclusivamente para él. Sólo el trayecto en coche con ella lo había puesto de humor para una noche de amor. Claro que ella era la única mujer del mundo que no debía poseer, lo cual podría tener algo que ver con su deseo de seducirla acariciándola por todas partes.

Y ahora tendría que afligirla aún más revelándole lo que decía el breve mensaje de Heath. Tendría que hacerla llorar explicándole que, al parecer, Nigel tenía planeada su escapada por adelantado. Ah, bueno, mejor dejarla disfrutar una hora más antes de darle la noticia que le estropearía la velada.

Había descubierto que le gustaba muchísimo hacer reír a Jane. También le gustaba irritarla, sólo un poco, lo justo para ver brillar esos ojos verdes con tantas e interesantes emociones. Tal vez no era amable hacer eso, pero al parecer sus demonios no lograban resistirse a ella. Sus demonios se sentían atraídos por Jane de un modo inexplicable, desconcertante.

Jane estaba paseando la mirada por la multitud de elegantes invitados en busca de sus hermanas cuando Grayson le cogió suavemente el brazo y la hizo girarse hacia él.

—¿Buscas a Nigel? —le preguntó.

—¿A Ni...? Ah, no, no —contestó, sintiendo un nudo en la garganta.

—No te preocupes —dijo él, sin sonreír—. No me cabe duda de que a su debido tiempo responderá ante los dos. Yo tendré una satisfacción personal cuando vuelva a encontrarme con él.

A ella se le ensombrecieron los ojos al ver la despiadada resolución de su cara. Dios santo, muy pronto tendría que responder ella ante él.

—A no ser que haya muerto —añadió él, casi ilusionado.

—Yo... esto... espero que no haya muerto.

—Ah, claro —dijo él, con un deje de desaprobación en su grave voz—. Le amas, por increíble que empiece a parecerme esa idea.

Y amaba a Nigel, en cierto modo; le tenía cariño, tal como les tenía cariño a Simon, al tío Giles o a los perros de la familia.

—Conozco a Nigel desde siempre. Puso un sapo en mi cuna cuatro días después que yo naciera, al menos eso cuentan. De niños éramos inseparables.

—¿Tienes una idea de adónde podría haber ido?

—¿Ido? Bueno, le oí hablar de Escocia una o dos veces.

Y habló, sí, como del último lugar bárbaro del mundo que le gustaría visitar. Nigel era el tipo de hombre capaz de quedarse sentado en un sillón junto al hogar el resto de su vida. Ay, cuánto detestaba ser tan mentirosa.

—¿Escocia? —repitió Grayson, ceñudo—. Es curioso. Pero le pasaré esa información a Heath.

Ella sintió bajar un escalofrío, como hielo, por la columna.

—¿Por qué?

—Porque Heath tiene el instinto rastreador de un lobo. Tenía muchas aptitudes para el trabajo que hacía en el servicio de inteligencia secreto.

Lobos. Servicio de inteligencia. La arrolladora sensualidad que brillaba en los ojos de Sedgecroft. Eso hubiera bastado para que una mujer con menos arrestos se dejara caer en un sofá. Jane sintió que se le iba apretando más y más alrededor la red de su engaño, ahogándole el sentido común, frustrándole la escapada.

El baile era una fiesta grandiosa. El maestro de ceremonias le entregó una rosa roja a todas las damas asistentes. Una banda de músicos italianos dio un concierto durante la cena, y después se habían dispuesto tres salas de juego para los que quisieran jugar a las cartas. A pesar del elegante ambiente, Jane no logró relajarse ni un sólo momento, simulando que no se fijaba en las miradas curiosas que le dirigían todo el tiempo.

Nunca le había pasado eso antes. La verdad era que si no tuviera a Sedgecroft a su lado no se la consideraría una persona tan interesante como para continuar generando rumores. Y no era que no tuviera amistades, que las tenía. Pero el escándalo que la rodeaba se habría acabado pronto. Habría pasado feliz al olvido antes que terminara la temporada.

Pero nadie se desentendía del marqués.

Le resultaba imposible no estar consciente de él, ni siquiera un segundo, y tenerlo a su lado tan atento y vigilante no hacía nada para calmarle la ansiedad. Se sentía como si estuviera acompañada por un enorme león dorado que podría volverse feroz en cualquier momento. ¿Quién podía saber lo que pensaba realmente él de todo eso? Esos ojos azules de párpados entornados no revelaban nada, y continuaba teniendo la terrible sensación de que pagaría caro su engaño.

Él bailó con ella dos veces. Y después, con la mayor naturalidad, la sacó bailando el vals por las puertas cristaleras que daban al jardín. Allí un grupo de jóvenes habían improvisado el juego de la gallinita ciega.

—¿Qué vamos a hacer? —preguntó, divertida, resistiéndose a bajar la escalinata de la terraza que llevaba al jardín de césped iluminado por linternas.

—¿De veras quieres bailar con todos esos presumidos que nos observan? —bromeó él—. Ahora sé de dónde te viene ese ceño de búho. Tu hermano me miraba ceñudo como si hubiera querido abalanzarse a golpearme en cualquier momento.

Jane sonrió.

—El Ceño Belshire no puede ser tan peligroso como los Azules Boscastle.

Él se detuvo al pie de la escalinata de piedra, pestañeando con aire inocente.

—¿Los Azules Boscastle? ¿Eso es una especie de regimiento?

Ella contempló su angulosa cara traviesa. Seguía teniéndola cogida de la mano, bueno, sólo sus dedos enguantados, pero esa cálida presión le producía un revoloteo de excitación prohibida en lo más profundo del vientre. Era fuerte la tentación de apretarse a ese cuerpo fuerte y duro y simular que el resto del mundo no existía.

—La maldición de los Azules Boscastle —dijo—. Y no hagas como si no supieras qué es.

Él se encogió de hombros, perplejo.

—Pues, no lo sé. ¿Es algo horrible?

—Sólo para la víctima, para una de esas almas desafortunadas que cae bajo el hechizo de esos ojos azules.

—Bueno, lamento que mi familia te haya elegido como víctima.

—No parece que lo lamentes mucho.

Él la miró curioso.

—No quise decír «mi» víctima, cariño. Me refería a Nigel.

—Aah.

¿Podrían arderle más aún las mejillas? ¿Cómo pudo olvidar que debería estar revolcándose de pena por el abandono de Nigel y no combatiendo la atracción por su primo pecaminosamente deseable?

—Él tiene los ojos verdes, en todo caso —dijo.

—Entonces tal vez se pueda anular la maldición —dijo él, acercándosele más para apartarle un rizo suelto del hombro.

Ella captó el olor a su jabón de afeitar y se estremeció involuntariamente.

—Mmm, es posible.

—Eh, vosotros dos, ¿jugáis? —gritó una voz amistosa, y un joven se quitó la venda de los ojos un instante antes de saltar sobre el peldaño para subir—. Ah, hola, Sedgecroft. ¿Os he sorprendido?

—Todavía no —contestó Grayson, llevándola firmemente por el sendero embaldosado, adentrándola en el jardín donde titilaban bonitas linternas de fantasía—. Danos una oportunidad.

—Pero es que yo no quiero jugar —protestó Jane.

—Bueno, ni yo, pero tampoco tengo el menor deseo de que me acusen de traerte fuera para una cita amorosa. ¿Has recorrido estos jardines a la luz de la luna?

Ella lo miró desconfiada.

—Se parecen en algo al Pabellón del Placer.

—Necesito hablar contigo.

—Eso lo encuentro bastante ominoso, Grayson. ¿Por qué este secretismo tan de repente?

—No quiero que nos oigan. Separémonos y encontrémonos en el centro del laberinto.

—Pero el laberinto no está iluminado.

—Lo sé. No tengas miedo. Yo estaré contigo.

—Y ¿es necesario que nos ocultemos como espías?

—Sólo porque quiero proteger tu nombre. Venga, ve.

Sonriendo, la observó entrar en el laberinto de setos de alheña; al instante se equivocó de pasillo y tuvo que girarse para pedirle ayuda.

—Puede que tengas sentido común, Jane, pero no tienes el menor sentido de la orientación —le dijo a través del seto—. No, toma el de la derecha. Yo me reuniré contigo al otro lado.

—Todos nos vieron llegar juntos —susurró ella, mirando en la dirección de donde venía la voz—. ¿Qué crees que van a pensar?

Él no contestó, por lo que supuso que estaba hablando sola, hasta que un fuerte par de manos le cogió los hombros y la giró. Reprimió el grito al mirar y ver su cara sonriente.

—Tal vez van a pensar que estamos atrapados en un amor más grande que el que ha visto nunca el mundo —contestó él, tan atractivo en la penumbra que ella medio deseó que eso fuera cierto—. Que tu eres una mujer fatal a la que no se puede resistir ningún hombre.

—¿Ah, sí? Y ¿no se te ha ocurrido escribir para los folletines de chismes? Espera, me ha entrado una piedra en el zapato.

—Aquí. Siéntate en este banco. Yo te ayudaré. Creo que no nos ha visto nadie.

Ella se sentó obedientemente en el banco tallado en piedra y él se arrodilló, le quitó el zapato de baile y le pasó los largos dedos por la planta cubierta con la media, hasta que ella suspiró.

—¿Mejor?

—Mucho mejor. —Por la pierna le iba subiendo un traicionero calor—. ¿Ahora me puedo poner el zapato?

—No lo sé —dijo él, moviéndole el pie a un lado y otro—. Tienes un pie muy bonito. Tal vez lo añada a mi colección. Hay hombres así, ¿sabes? No, probablemente no lo sabes. Veo que nadie se ha metido en tus zapatos antes.

Ella le sonrió pesarosa.

—¿Ese es tu placer secreto, Sedgecroft? ¿Los pies?

Él se enderezó, riendo.

—Noo. Yo prefiero el todo en lugar de unas pocas partes.

—Qué democrático.

Él se levantó y se sentó a su lado.

—En tu caso —dijo, produciéndole vibraciones por toda la piel con su voz grave y profunda—, un hombre lo tendría difícil para decidir qué parte es más deseable.

—¿Eso era lo que querías decirme?

—No. —Desvanecida su sonrisa traviesa, le cogió la mano y le deslizó el índice por las yemas de los dedos enguantados—. No son muchas las personas que saben que mi hermano Heath trabajó como espía para la Corona hace un tiempo.

Jane se quedó muy quieta, adormecida por su caricia. ¿Qué querría decirle?

—No tenía ni idea —dijo.

—Heath es muy inteligente.

Y un seductor también, pensó ella, al menos eso aseguraban sus hermanas.

—¿Qué quieres decir?

—Le encargué que buscara a Nigel —dijo él, pasado un momento—. Hablé de esto en privado con tu padre, Jane, y los dos estuvimos de acuerdo en que eso era preferible a contratar a un agente de Bow Street.

A ella se le formó un nudo de nervios en el estómago.

—Ah, pero no tenías por qué...

—No lo hice sólo por ti. La conducta de Nigel ha hecho una irreparable mella en el apellido Boscastle. —Al ver que ella iba a decir algo, le puso el pulgar en los labios para impedírselo—. Sí, sé que los demás no somos lo que se dice un ejemplo de virtudes, pero normalmente somos más discretos y no humillamos a una mujer en público.

Ella expulsó el aliento cuando él le quitó el pulgar de los labios.

—¿Heath lo encontró, entonces?

—No, pero se enteró de que vieron a Nigel subiendo a una diligencia en Brighton. Hacia dónde iba, aun no lo hemos descubierto, pero no tardaremos mucho en dar con él —añadió, en tono más resuelto aún, enfadado—. Heath es muy perseverante.

Brighton, pensó Jane, tratando de poner una expresión impasible para ocultar su alarma. Nigel tenía una tía en Brighton, por lo que era muy posible que hubiera hecho una parada ahí con Esther, para luego continuar hasta la pintoresca aldea de Hampshire que habían elegido para establecer su casa.

Pero Sedgecroft no sabía eso. Al fin y al cabo, con toda su arrogancia y aires señoriales, sólo era un ser humano, no una deidad omnisciente. No podría seguirle la pista a Nigel hasta una aldea rural casi invisible.

Él se levantó, estirando con sus anchos hombros la tela de su elegante frac negro. Su pelo rubio, que llevaba algo largo, brilló a la luz de la luna cuando asestó el siguiente golpe:

—Creo que deberías saber que Nigel tiene una tía en Brighton, la mujer de un abogado jubilado.

Ella se levantó bruscamente, sintiendo que se le agolpaba la sangre en la cabeza, mientras él continuaba:

—Es muy posible que pasara la noche ahí para luego continuar viaje a... —Se interrumpió para cogerla por los hombros—. Dios mío, Jane, ¿no te me vas a desmayar, verdad?

—No lo sé —dijo ella, con una vocecita débil. ¿Qué haría él ahora? ¿Sacarse a Nigel del bolsillo de su chaleco?—. ¿Continuar viaje a... hacia dónde?

—Sólo Dios lo sabe. Pero créeme, lo descubriré. —Le apretó suavemente los hombros, mirándola con rostro compasivo, pero resuelto—. Sé que esto no resuelve tu problema, pero espero que por lo menos te haga sentir algo mejor.

—Me eluden las palabras. No logro ni comenzar a explicar cómo me siento.

—Entonces, vuelve a sentarte. Me parece que te sientes algo indispuesta.

Ella se sentó en el banco, tragando saliva.

—No me pasará nada.

—Claro que vas a...

El sonido de pisadas sigilosas al otro lado del seto interrumpió la conversación. Hasta ellos llegaron susurros y risas; era evidente que un hombre y una mujer estaban disfrutando de placeres clandestinos.

Jane miró a Grayson consternada, levantándose con la intención de escapar. En su opinión, era casi tan vergonzoso oír furtivamente una conversación durante una cita amorosa como ser sorprendida en una, pero, la verdad, esa interrupción fue un verdadero alivio.

—¿Qué hacemos ahora? —preguntó en un susurro.

—Esperar —susurró él, mirando hacia el seto, bastante fastidiado.

Ella obedeció, aunque de mala gana, y sólo pasado un momento comprendió el motivo de que él estuviera con el ceño fruncido.

—Dime, pues, Helene —dijo la voz del hombre—, antes que yo perezca por el suspense, ¿se ha acabado tu romance con Sedgecroft?

Jane retuvo el aliento, tragándose una exclamación de sorpresa. Era Helene Renard, la bella y joven viuda francesa cuyo marido inglés había muerto aún no hacía tres meses, la mujer a la que, supuestamente, Sedgecroft había estado cortejando con el fin de hacerla su siguiente amante. Sin duda era un escándalo que se presentara en público tan pronto, durante su periodo de luto, y ni siquiera con ropa negra o gris. Vestía de rosa.

Sí, a través del seto se veía parte del vestido de satén rosa fuerte de Helene. Rosa fuerte, el color de la piel de ciertas partes de una mujer. El color que satisfacía el gusto de cierto réprobo.

En nombre del sexo femenino en general, miró ceñuda al hombre que estaba sentado a su lado.

—¿Si ha acabado mi romance con Sedgecroft? —musitó Helene, ásperamente—. Es imposible decir eso, puesto que nunca comenzó. Y ahora él anda por aquí con esa ratoncita plantada, Janet.

—Jane —enmendó su acompañante.

A Jane le pareció reconocer la voz del rubicundo lord Buckley, el heredero de una inmensa fortuna que no tardaría en despilfarrar en juego y mujeres. A ella no le caía bien; se imaginó sus mofletudas mejillas rojizas.

—Yo no la encuentro nada ratonil, Helene —continuó él, en tono vacilante—. En realidad, la encuentro muy atractiva, en cierto modo distante, fría, eso sí —se apresuró a añadir.

Bueno, pensó Jane, tal vez tendría que revisar su opinión de él. Tan pronto como se recuperara de haber sido llamada «esa ratoncita plantada». ¿De veras se parecía a un ratón? ¿Tendría eso algo que ver con su predilección por el gris?

Miró a Sedgecroft, y ante su meditabundo silencio se olvidó de todo lo que estaba pensando respecto a sí misma. Si en realidad era Helene la mujer que, según los rumores, él deseaba convertir en su siguiente amante, tenía que serle doloroso oír esa conversación. Ella no sabía si a él le importaba tanto Helene como para retar a duelo a Buckley. Qué escándalo se armaría si la acusaran de haber provocado un duelo. Claro que la posibilidad de que hubiera un duelo dependía de la reacción de Grayson ante esa reveladora conversación.

¿Indiferente, despreocupado, dolido? Era imposible sacar alguna conclusión de esos ojos azules entornados ni de la leve sonrisa que esbozaban esos labios tan bien modelados. A juzgar por la emoción que expresaba su cara igual podría estar escuchando un recital de poemas. La mayoría de los hombres estarían lívidos de furia al oírse traicionar por la mujer que inspiraba su interés amoroso.

—¿Vas a considerar mi proposición? —preguntó Buckley, después de un silencio durante el cual Jane sólo pudo suponer que se habían estado besando—. Ya he hecho redactar el contrato, y no te faltará de nada.

—Pregúntamelo por la mañana. Esta noche estoy de pésimo humor.

—Y ¿lo de Sedgecroft?

—¿Qué pasa con él? —preguntó Helene, en tono cortante.

—Bueno, quiero decir, tiene una cierta reputación, no sólo como amante, sino como luchador.

—Se quiere muchísimo a sí mismo.

—Pero me han dicho...

—Es un aburrido —exclamó Helene, vehemente—. Sí, me aburre de muerte; me hace saltar las lágrimas de aburrimiento.

—¿Incluso en la cama? —preguntó Buckley, en tono de incredulidad.

Helene exhaló un suspiro tan melancólico que Jane no pudo evitar mirar a Grayson con las cejas arqueadas. Él se encogió de hombros, y tuvo incluso la elegancia de parecer azorado.

—Lo que quiero decir —continuó Buckley en voz baja—, es que tal vez deberías perdirle permiso para liarte conmigo. No me hace ninguna gracia la idea de enfrentarme con él en un duelo.

—Si quieres su opinión, pregúntasela tú, Buckley —dijo Helene, y su voz sonó más apagada pues ya habían vuelto al centro del camino—. Es decir, si logras arrancarlo de las garras de esa patética ratona. No logro imaginar qué ve en ella.

—Esa elegancia Belshire es muy impresionante —dijo su acompañante, imprudentemente.

—Oh, vamos, Buckley, cállate —replicó Helene—. Los británicos sois insoportables con esa obsesión por vuestros linajes. Yo digo que es lady Ratona, la princesa de los ratones. Lo más probable es que chille cuando Sedgecroft se acueste con ella.

Jane ahogó una exclamación, indignada, y ya casi se había levantado cuando Grayson le cogió el brazo y volvió a sentarla a su lado. Aunque provocara un escándalo, no vacilaría en sacudir a esa mujer hasta dejarla completamente inconsciente...

—No chilles, mi adorable ratoncita —le susurró él, travieso—. Espera.

Ella se cruzó de brazos y echando atrás la cabeza se puso a contemplar el cielo estrellado. Se sobresaltó cuando, pasado un minuto de silencio, lo oyó reírse en voz baja.

Lo miró por encima de la nariz.

—¿Te has vuelto totalmente loco?

Él la apuntó con el índice.

—Tu cara... deberías haberte visto cuando dijo...

—No es necesario que repitas nada —dijo ella, indignada—. Oí cada palabra insultante.

Él se estaba burlando de ella, y ni siquiera intentaba disimular su diversión. ¿Qué tipo de hombre era? Sintió arder la cara. ¿En qué tipo de mujer se había convertido ella?

—Bueno —dijo él, emitiendo una ronca risita traviesa, e hinchando las mejillas, en un ridículo intento de parecer controlado.

—¿Bueno qué?

—Tienes que reconocer que ha sido una conversación interesante —musitó él, con los ojos bailando de risa.

—Para ti es muy fácil decir eso —dijo ella, apartando los pies de los suyos—. Nadie te ha acusado de parecer un roedor.

—Bueno, esas no fueron palabras mías —repuso él, negando con la cabeza además—, ni mis pensamientos.

—¿Por qué te ríes, entonces?

—Tú también te estás riendo.

—Ahora me río, pero al principio no, hombre cruel. Me he sentido muy ofendida.

Ofendida por la casi amante del pícaro que la estaba protegiendo de las consecuencias de su enrevesada obra. Ya veía casi imposible salir del enredo que había armado.

Él sonrió.

—No te enfades conmigo. Jamás te acusaría de parecer una ratona.

—Ah, no, sólo una paloma. O un búho.

Él la miró a los ojos profundamente, de una manera que ella supuso era un intento de parecer sincero.

—Jane, sólo es risible porque es ridículo. Eres una mujer deseable, como ya te he dicho.

—No me siento en absoluto deseable, gracias. Me siento... con ganas de roer un trocito de queso. ¿Crees que al chef austriaco le habrá quedado algo del queso de Cheshire?

Él le puso la mano bajo el mentón y le giró la cara hacia la suya. Ya no se estaba riendo. En realidad, estaba demasiado serio.

—He dicho que eres deseable. ¿Crees que sólo lo digo para hacerte sentir mejor?

—No, porque si desearas hacerme sentir mejor me irías a buscar un trozo de ese queso. Y un bollo bien crujiente para...

El oscuro brillo de deseo no disimulado que vio en los ojos de él le hizo expulsar todos los pensamientos de la cabeza. Ningún hombre la había mirado jamás con ese deseo tan desnudo. Claro que ella nunca se había puesto en una situación que la hiciera tan vulnerable a la seducción. Qué maestro en ese arte, Dios santo.

¿Sería posible que viera en ella algo que nadie más veía? Cuando la miraba así sentía la tentación de creerle. Aunque no fuera sincero, le producía una sensación muy agradable. Los dos podrían seguir sentados solos en medio de ese laberinto oscuro, y eso ya sería estímulo suficiente para llenar toda su velada.

La Jane sensata se dijo que debería pedirle que la llevara de vuelta al salón, pero estaba clavada en el banco. Al parecer el escándalo de la boda no había satisfecho su capacidad de buscarse problemas. Más bien la había desatado.

—Tal vez los dos vamos a ser desafortunados en el amor esta temporada —dijo él, pensativo, inclinando la cabeza hacia la de ella.

Ella retuvo el aliento, esperando en desesperado suspenso. Esa Jane desatada no tenía ni el más mínimo sentido de la vergüenza.

—¿No te importa que dijera que la aburres de muerte?

Él esbozó una leve sonrisa.

—¿Te aburro a ti?

—Ah, no.

—Bien, pues.

Ella sentía en el cuerpo el calor que emanaba del cuerpo de él. Le penetraba la piel, le entraba en la sangre y en los huesos, robándole la fuerza.

—¿No vas a hacer nada respecto a Buckley? —preguntó, mirándole la cara, fascinada.

Él acercó otro poquito la cara. A Jane el pulso se le aceleró hasta un desbocado galope.

—¿Para qué? —dijo él—. Parece que tiene buen gusto con las mujeres.

—Helene es muy hermosa —musitó ella, aunque secretamente pensaba que la mujer se merecía caer en una madriguera de conejos y no salir nunca más de ahí.

—Al decir su gusto con las mujeres me refería a ti, Jane. Esa elegancia Belshire «es» impresionante.

—Bueno...

Él le enmarcó la cara entre las manos y la besó, profundo, devorándole los labios como si su vida dependiera de reducirla a una jadeante rendición. Ella apoyó la mano en su pecho, y sus dedos se encontraron con una pared granítica de músculos bajo la cual latía su corazón con el fuerte ritmo del deseo. Fuerte. Cálido. Aniquiladoramente masculino hasta la última pulgada.

—Sí, acaríciame, Jane —susurró—. Deja que yo te haga el mismo favor. —Deslizó las yemas de los dedos desde su hombro hasta el valle entre los pechos y entonces pasó la mano de uno a otro lado rozándole los dilatados pezones hasta que ella gimió—. Tú y yo trazaremos nuestra propia suerte —musitó, cogiéndole el borde de la oreja entre los dientes.

De ahí bajó la boca por la curva del cuello. Ella no tenía idea de qué quiso decir con «suerte», solamente podía intentar controlar los estremecimientos de excitación que le recorrían todo el cuerpo como rayos. Sus capaces manos no tardaron en subir y bajar por todo su esbelto cuerpo, en evidente gesto de posesión, acariciándole las curvas de la cintura, la leve elevación del vientre, el cálido hueco entre los muslos. Increíble. En un segundo ya conocía su cuerpo mejor que ella.

Se le arqueó la espalda, al sentir correr por sus venas la excitación. Cuando él la acariciaba se convertía en la Jane desatada, distinta, exuberante y viva, muy preparada para ser seducida, ardiendo de los deseos más escandalosos que podría imaginarse. Cada roce de su firme y hermosa boca, cada exploración con sus manos y dedos, le sensibilizaba la piel.

—Acércate más —dijo él, con la voz ronca, atrayéndola hacia sí hasta que quedó prácticamente sentada entre sus muslos, con la mano de él metida bajo sus nalgas—. Así está mejor, ¿verdad?

—¿Mejor para qué? —preguntó ella en un susurro, sintiendo un deseo tan intenso por dentro que le dolía.

En la capilla él se había dado cuenta de que Jane tenía un cuerpo muy sensual, la fantasía secreta de un hombre. Se entregó, pues, a esa fantasía, explorando sus voluptuosas curvas, sus bien redondeados pechos, su bien formado trasero, teniéndola sentada tan cómodamente entre sus muslos.

—Deseé hacer esto el día de tu boda —dijo, hundiendo la cara entre los blancos montículos de sus pechos, y aumentando la presión alrededor de su caja torácica—. Me sentí hechizado por ti mientras esperabas ante el altar.

Ella arqueó la espalda, riendo de sorpresa y auténtico placer.

—Bueno, tomando en cuenta el escándalo que causé, hiciste bien en no actuar según tus impulsos.

Él le bajó las mangas por los hombros hasta dejar al descubierto sus tentadores pechos. Cerró la boca sobre un oscuro pezón y cogió entre los dientes la punta ya dura para atormentárselo con la lengua. Le fastidiaba tener entre ellos el vestido, y no estar en un lugar que le permitiera una exploración ininterrumpida. Lo que estaba haciendo era impetuoso, temerario, imprudente, una locura, pero estaba disfrutando encantado de cada momento. Claro que no se permitiría llegar demasiado lejos. Pero por el momento estaba tan excitado que no lograba razonar.

Bajando la mano izquierda le encontró el tobillo y le levantó las faldas hasta la rodilla y allí cerró la mano, acariciándole la sedosa corva. Un segundo después le estaba acariciando la sedosa piel por encima de la media, subiendo la mano hasta el cálido triángulo de piel húmeda de la entrepierna. Se imaginó el placer de saborearla ahí, de estar dentro de ella, y el deseo pasó como un cuchillo por todo su cuerpo.

Ella se estremeció cuando él enredó el índice en su nido de rizos, pero la conmoción fue reemplazada al instante por un deseo tan intenso que no pudo moverse. Había deseado liberarse de Nigel, para darse la oportunidad de encontrar a su propio amor, y ¿era eso lo que había conseguido a cambio? Le crepitaba la sangre con esas caricias íntimas y, aunque sentía miedo, la expectativa le electrizaba todas las terminaciones nerviosas. Estar así con Grayson superaba todo lo que había experimentado en su vida, y en sus fantasías personales.

Él gimió con la boca pegada a la suya.

—Uy, Jane, estás temblando toda entera. Relájate, y déjame que te dé placer.

—¿Relajarme? Me siento como si me fuera a morir.

—No te vas a morir. Bueno, tal vez en cierto modo, pero, fíate de mí, será muy agradable.

—¿Fiarme de ti? —susurró ella, en un resuello—. Mira adónde me ha llevado confiar en ti.

Entonces ordéname que pare, pensó él, porque no lograba encontrar la fuerza de voluntad para poner fin a ese ejercicio de autotortura. A ella nunca la habían acariciado así, y de ninguna manera podía desflorarla ahí, en un banco de jardín. Aunque sí lo deseaba. Deseaba enterrarse hasta el fondo en ese seductor calor, sumergirse en esa ardiente pasión aún no despertada. Su aroma le llenaba la mente produciéndole una negra y egoísta pasión. Una pasión tan intensa que le hacía temblar todo el cuerpo.

Jane hundió la cara en su cuello, tratando de combatir esa deliciosa neblina sensual que se cernía sobre ella. Cuando él le separó los mojados pliegues de la vulva y le introdujo un dedo en la vagina, se sorprendió tanto que no fue capaz de resistirse, y la distrajo tanto la insoportable oleada de placer que no pudo montar una defensa. Ya tenía bastante intentando aferrarse a la cordura cuando sus caricias la llevaron al borde y más allá, hasta liberarle la creciente tensión de la excitación en ráfagas de sensaciones increíbles. Ah, maravilla de maravillas. Qué placer tan intenso, vertiginoso. Se le descontroló la cabeza, sumergida en un borrón de colores.

Él la tenía abrazada con tanta fuerza que le costó hacer una inspiración para volver, de mala gana, a la tierra. En la distancia se oyeron risas y voces, que fueron aumentando en volumen, como el zumbido de abejas. Era evidente que un grupo de invitados venían acercándose al laberinto. Giró la cabeza, asustada.

—Creo que...

—Los oigo —musitó él roncamente, con la cara hundida en su pelo—. No pasa nada. Vamos a recomponerte, cariño. No se ha estropeado nada.

Disimuladamente ella se arregló el corpiño y se alisó la falda.

—A ti no, tal vez —dijo con la voz trémula—. A mí... creo que nunca volveré a ser la misma. Cielo santo, me tiemblan las manos, Grayson. ¿Tengo todas las partes de mi cuerpo en el lugar que corresponde?

Él la examinó de los pies a la cabeza y detuvo su sagaz mirada en su cara. El caballero blanco había vuelto a fracasar rotundamente en sus intenciones caballerosas. ¿Qué le había hecho a ella esa noche? ¿Qué locura se había apoderado de él?

—Unas partes muy hermosas, por cierto —dijo, dulcemente—. Me parece una lástima esconderlas. —La puso de pie y la retuvo un momento entre sus brazos, pensando si después de eso ella huiría de él y no volvería jamás. ¿Cómo encajaba el seducirla en su plan de ayudarla?—. Te ves incluso mejor que antes —añadió en voz baja—. Soy yo el que voy a volver a la fiesta con mi ruibarbo hinchado y todo levantado.

—Tu rui...

—Démonos prisa, Jane, antes que nos echen de menos. No deben vernos salir juntos del laberinto. —Bromas aparte, de ninguna manera iba a correr el riesgo de involucrarla en otro escándalo—. Vamos a buscar ese trozo de queso que tanto deseas, ¿eh?

Capítulo 14

Cuando llegaron al jardín caminaron juntos por la hierba, inspirando el aire nocturno para enfriar la pasión. Él le había cogido la mano pero se la soltó cuando llegaron a la parte iluminada por una linterna y se mezclaron con el grupo de invitados que estaban fuera como si nunca se hubieran marchado de ahí. La verdad era que él no deseó soltarle la mano. Había actuado mal aprovechándose de su vulnerabilidad. Pero, por su vida, le resultaba imposible resistirse a ella.

¿Qué tenía Jane que lo descontrolaba de esa manera, cuando había conocido todos los tipos de ardides femeninos que existían bajo el sol?, pensó. Y entonces lo comprendió. Jane era simplemente ella misma. No se daba aires, no estaba empeñada en atraparlo ni impresionarlo. Era Jane y eso era más que suficiente.

Afortunadamente, nadie los había echado en falta. Por lo que todos sabían, bien podrían haber estado todo ese tiempo charlando en esa parte del jardín. Pero de todos modos eso no debía continuar. Él tenía que refrenarse, si no Jane acabaría peor de lo que estaba antes.

—¿Me vas a volver insensata cada vez que estemos juntos? —le preguntó ella, sin mirarlo.

Él la miró con una triste sonrisa.

—Supongo que me lo merezco.

—Eso no era parte de tu plan para redimirme ante la sociedad, ¿verdad?

—Nunca hago planes con muchos detalles, al menos tratándose de mujeres. Siendo seres imprevisibles, hay que darles cierta libertad de expresión si uno quiere conservar la paz.

—Esa no es una respuesta, Grayson.

—¿Te sentirías mejor si programáramos por adelantado estas «actuaciones»?

Ella exhaló un suspiro.

—Yo he tenido tanta culpa como tú, pero creo que me sentiría mejor si controláramos el deseo de cometerlas.

—¿Cometerlas? Como si fueran pecados mortales o asesinatos. —Se detuvo junto a un parterre, con la cara a oscuras, ya que la luz de la linterna estaba detrás—. Es por Nigel, ¿verdad?

—Nigel no tiene nada que ver con esto —dijo ella, arreglándoselas para decirlo en tono muy convincente.

—Sí que tiene que ver. Entiendo algo de mujeres, Jane. En el fondo de tu corazón tienes la esperanza de que regrese. Siendo una mujer leal, una mujer íntegra, quieres demostrarle que no caíste en la tentación mientras él estaba en… su peregrinaje de soltero.

—¿Qué peregrinaje de soltero?

—Parece que en la desaparición de Nigel no hubo ningún tipo de violencia. Por desgracia creo que está vivo.

—¿Lamentas que tu primo no esté muerto?

—Eso me habría ahorrado el problema… ¿quieres que descubra la verdad o no?

Un mal presentimiento pasó por ella ardiendo como un reguero de pólvora. ¿Hasta qué punto de la verdad se acercaría él? Nigel le había prometido no dejar huellas y mantenerse oculto hasta que los dos decidieran que ya no había peligro en dar a conocer su matrimonio con Esther.

Ninguno de los dos había contado con la intervención de Sedgecroft, ni con la de Heath. En qué juego más complicado se había convertido todo.

Hizo una inspiración lenta y profunda, para reunir todo su valor.

—Hablando de la verdad, creo que deberías saber lo que siento por Nigel.

—Lo sé —dijo él, ceñudo.

—No puedes saberlo.

—Eres una mujer inteligente, especial, Jane, pero no eres tan experta en ocultar tus sentimientos como podrías creer.

—Y tú, ¿Grayson? —preguntó ella, tímidamente.

Él la miró sonriendo, perplejo.

—¿Qué quieres decir?

—¿No lamentas lo de Helene?

—Debes de estar bromeando.

—No, no es broma. Tiene que haberte herido los sentimientos.

—En lo más mínimo.

—¿Eres sincero conmigo, o eso es orgullo?

—Encuentro la situación muy divertida e iluminadora.

—Mmm. Alguien quiere dar una buena imagen.

—Vamos, ¿quién podría ser?

Ella lo miró sonriendo escéptica.

—Digamos que uno de nosotros es un valiente soldado, y no soy yo. La mujer que debía ser tu siguiente amante anda exhibiéndose por ahí con otro hombre.

—Mi querida Jane, si Helene significara algo para mí, ¿crees que tú y yo habríamos estado solos en ese laberinto?

Ella vaciló, y la salvó de responder la aparición de su hermano, que venía caminando hacia ellos. Todavía ni empezaba a entender ese interludio mágico ocurrido en el laberinto. Una complicación parecía llevar a otra, hasta que su vida se había convertido en un verdadero nudo gordiano.

—Ah —dijo—, ahí aparece Simon, por fin; sólo se ha retrasado veinte minutos en venir a investigar qué estábamos haciendo.

Grayson se echó a reír.

—Vamos, Jane, vuelve a asomar ese lado sensato tuyo.

—Sí —dijo ella, pasando por delante de él a paso enérgico—. Y ha retrasado veinte minutos para serme útil.

Jane se sentía absolutamente desgraciada, bailando con jóvenes que o bien eran tan estúpidos que no entendían que ella era un escándalo ambulante, o estaban tan desconectados socialmente que no les importaba. ¿Cómo iba a poder concentrarse en una verdadera conversación cuando todavía tenía acelerado el corazón por lo ocurrido con Grayson? ¿Cómo pudo meterse en un juego en el que no tenía la menor esperanza de ganar? Cuanto más conocía a Grayson, más hechizada se sentía por él. Y esa manera de acariciarla, oh, todavía le temblaba el cuerpo.

—Vamos, basta de mirarlo —masculló—. Ahí como un león.

—Perdón, ¿qué ha dicho? —le preguntó su pareja, cuando los últimos pasos de la danza los reunieron.

Ella abrió el abanico.

—Dije que estaba cansada de estar en la fila.

—Ah, sí, es una danza tonta, ¿no? ¿Le apetecería una limonada?

—Sí, si no le importa. Tengo mucha sed.

Diciendo eso echó a andar por la pista de baile en dirección a Cecily, que estaba dando audiencia ante un grupo de amistades aristocráticas. No podía desentenderse de Sedgecroft, por le que le hizo un disimulado gesto con la mano. La sonrisa que le dirigió él fue francamente engreída, enloquecedora, un recordatorio de que nunca le permitiría olvidar lo que acababa de ocurrir entre ellos.

Le extrañaba su facilidad para aceptar lo que habían hecho, por qué no se sentía más horrorizada y arrepentida, en lugar de complacerse en la sensación de bienestar producida por su glorioso pecado. Lo sabía todo acerca de la reputación de él con las mujeres, pero nadie le había explicado nunca lo maravilloso que era ser objeto de sus atenciones. Nadie le había explicado tampoco que aunque podía planear su vida con métodos retorcidos, lo que le ocurría a su corazón era otro asunto totalmente distinto.

Grayson había estado observando a Jane bailar con dos o tres jóvenes galanes, que sin duda se sentían atraídos por el radiante rubor de sus mejillas. Bueno, pensó cínicamente, con el hombro apoyado en uno de los enormes pilares del salón de baile, él podía atribuirse la responsabilidad de poner ese rubor en sus mejillas. Debería haberle pedido disculpas en lugar de hacerle bromas. Pero en ese momento lamentaba más no haber estado en posición de llevar algo más lejos las caricias. La verdad era que tal vez ya había hecho daño suficiente por una noche y no debía continuar su relación con ella. Maldición, ¿cómo se le pudo ocurrir hacer eso, en qué estaba pensando? Lejos de ella le había vuelto la capacidad para razonar.

Pero le encantaría atraerla a su cama; deseaba hacerle el amor de todas las maneras habidas y por haber. Sin embargo, ese placer no sería de él jamás. Las obligaciones familiares eran su prioridad, se dijo. Y eso también le recordó que Chloe se había mostrado francamente desdeñosa ante su amenaza de enviarla al campo si le daba un solo motivo más para desconfiar de ella. Su infelicidad, su rebeldía, lo preocupaban tremendamente. Sólo era cuestión de tiempo que su actitud desafiante le obligaran a hacerlo.

Sus pensamientos volvieron a Jane. Su aroma, la suave textura de su piel, su tímida y osada exploración de su cuerpo cuando lo acarició; esas caricias tímidas lo llevaron al punto de ebullición. No sabía qué hacer consigo mismo fuera de estar ahí, temblando por dentro, como un adolescente.

—¿Vienes a jugar a las cartas? —le preguntó un amigo desde atrás.

Él se encogió de hombros, pensando que le vendría bien un descanso de su ejercicio de autotortura.

—¿Por qué no?

Mientras se volvía para ir a la sala de juego, vio a un joven alto de pelo moreno apartarse del grupo de Cecily para mirar a Jane con una expresión que él reconocía muy bien.

—Denville, ¿quién es ese hombre, el que está mirando a Jane como un halcón?

—Ah, el barón Brentford, ¿no?

—Parece algo vehemente.

—Vehemente es la palabra. El año pasado intentó matarse cuando Portia Hunt lo dejó por su hermano. ¿Vienes o no?

—Sí, dentro de un minuto.

Observó con los ojos entrecerrados. Jane estaba mirando a los ojos al siniestro barón, asintiendo muy seria a lo que fuera que él le estaba diciendo. De pronto desvió la vista y se encontró con la pétrea mirada de él, como si hubiera percibido su desaprobación.

Ella le sonrió indecisa; él no le correspondió la sonrisa. Era muy probable que al barón se lo considerara un buen partido, pero a un espíritu alegre como Jane no le hacía ninguna falta un pretendiente emocionalmente inestable para sumar a sus males. Tomando en cuenta lo bien que había aceptado el abandono de Nigel, él tenía que encomiarle su fortaleza interior.

Le hizo un firme gesto negativo con la cabeza. Ella podía encontrar a alguien mejor. Pero ¿quién sería un hombre digno de ella?, pensó.

No sabía qué hacer; se sentía desconcertado. Eso era extraño. En el banco del laberinto él y Jane habían estado más cerca de hacer el amor de lo que él hubiera soñado jamás, y de todos modos él seguía ahí, acechando en las sombras, sintiéndose cargado de culpa, mientras ella bailaba y hacía todo lo posible por desentenderse de él. ¿Sería eso una simple representación para demostrarle al mundo que sobreviviría al abandono de Nigel? Bueno, no podía culparla por seguir su consejo.

—¿Ya te ha abandonado tu última conquista, Sedgecroft? —dijo una voz glacial junto a su hombro.

En el sugerente acento francés reconoció a Helene, la mujer a la que durante un breve espacio de tiempo pensó convertir en su amante; las últimas semanas sus encantos habían adquirido un decidido deslustre. De mala gana se giró a mirarla.

—No veo a Buckley a tu lado. Le hemos soltado la cadena, ¿eh?

—Fue a buscarme una bebida —dijo ella. Le observó el hermoso perfil en silencio y, gracias a su considerable experiencia, comprendió que su ardor se había enfriado—. En realidad, te tiene miedo.

—¿Por qué?

—Porque tú y yo...

Él le sonrió con el educado desinterés de un desconocido. No era un hombre cruel, pero deseaba que se esfumara.

—¿Sí?

Ella se ruborizó ante esa indiferente frialdad.

—Tu conquista está en animada conversación con Brentford, ¿no?

Él volvió la mirada a Jane y la cara se le ensombreció, con ironía.

—Bueno, ya sabes lo que dicen, Helene. «Cuando el gato está lejos los ratones aprovechan para jugar.» Y hablando de roedores, ¿no es Buckley el que está escondido detrás de la maceta con el helecho del rincón?

Se rió al oír la obscenidad que ella masculló en francés antes de disculparse para ir a reunirse con su nuevo protector. No le guardaba ningún rencor; en realidad, agradecía no haberse liado más a fondo con ella antes de darse cuenta de lo incompatibles que eran. Claro que antes, antes de la muerte de su padre, se habría lanzado de cabeza en el romance y al cuerno las consecuencias.

Lo cual no quería decir que hubiera renunciado para siempre a ese tipo de placeres. Sólo hasta que tuviera controlado al clan y se hubiera arreglado el desastre de la desafortunada Jane a satisfacción de todo el mundo.

Pero bueno, ¿qué se había hecho de Jane? Su triste barón también brillaba por su ausencia.

—Perdón, lord Sedgecroft, ¿podríamos hablar un momento?

Grayson se giró a mirar y se encontró ante la penetrante mirada del barón Brentford. Al fondo alcanzó a divisar a Jane, que estaba con sus dos hermanas, a ninguna de las cuales le faltaba su número de admiradores.

—¿Respecto a lady Jane, supongo?

Brentford inclinó su morena cabeza.

—¿Está disponible para cortejarla?

—Eso depende —contestó Grayson, cauteloso.

—¿De qué, milord?

—De cuáles sean tus intenciones, y de si Nigel... —Se interrumpió. No había hablado con Jane acerca de ninguna posibilidad para el futuro. ¿Qué diantres debía decir? La mitad de los aristócratas creían que él se casaría con Jane; tal vez era beneficioso para ella alentar esa ilusión—. ¿No es esta una pregunta que deberías hacerle a su padre o a su hermano?

—El vizconde me envió a ti, milord. Él estaba ocupado en un debate político.

—No te conozco tan bien como para hablar de mis asuntos personales —dijo Grayson al fin.

—Comprendo.

Se quedaron en silencio, cada uno esforzándose por no mirar a Jane, sin conseguirlo. Grayson se había sentido cómodo con ella desde el principio, como si ella hubiera sido una vieja amiga, pero después de lo ocurrido esa noche temía que hubiera algo más. Qué, no lograba imaginarlo. El barón fue el primero en romper el silencio.

—Entiendo el dolor del amor no correspondido —dijo, inesperadamente—. Conozco la humillación de la traición que ha sufrido ella.

Grayson lo miró sorprendido. ¿Es que repentinamente se había convertido en una tía solterona que daba consejos a los heridos de amor?

—Pensé que no podría continuar viviendo —añadió Brentford.

—Sí, bueno, no nos pongamos tristes en una fiesta, Brentford. Jane ha venido aquí a distraerse.

—Entonces, ¿me prohíbes que hable con ella?

Grayson dejó de mirar a Jane. Dios sabía que no era dueño de ella por defecto. No tenía el derecho a prohibirle a un hombre que la cortejara, y mucho menos cuando esperaba restablecer su disponibilidad en el mercado del matrimonio. Pero tampoco podía entregarla al primer indeseable que se presentara. Le debía como mínimo ese grado de protección.

—Sí —dijo, sin saber qué otra cosa decir—, supongo que sí.

Y que el hombre entendiera lo que quisiera.

Nuevamente se quedaron en silencio. Los dos observaron a Jane bailando en la pista con uno de los amigos íntimos de su hermano. Se estaba riendo, al parecer pasándolo muy bien, hasta que a mitad de un giro miró hacia los dos hombres tan distintos que estaban observándola con melancólica intensidad, se le nubló la cara, perdió el ritmo y se equivocó en el paso.

—Eso es lo que quiero decir —dijo Grayson, apartando el hombro del pilar—. No se va a revolcar en la aflicción por mi primo si yo puedo evitarlo.

—No sé como puede parecer tan alegre y despreocupada cuando él la abandonó apenas hace una semana —dijo Brentford, pensativo—. Aplaudo su capacidad para actuar. Es increíble.

Grayson, que estaba escuchando a medias esa triste tontería, lo miró, perforándolo con los ojos.

—¿Qué quieres decir?

El barón titubeó.

—Líbreme Dios de dar crédito a los cotilleos. Lo que pasa es que una de sus amigas sospecha que ella nunca amó a Nigel. Incluso algunas creen que no se sintió tan desgraciada cuando... —Se interrumpió al ver la expresión de desprecio en la cara de Grayson—. Cotilleos, milord —se apresuró a añadir.

—Entonces no los repitas. Jamás.

Brentford arqueó una ceja.

—Mi abuela siempre decía que el cotilleo es una semilla que da malos frutos.

—Pues, hazle caso —dijo Grayson, fríamente—. No plantes semillas mal engendradas.

Brentford asintió.

—Te dejo, entonces, para que cumplas tu deber de guardián.

—Eso —dijo Grayson, cortante, con la esperanza de abortar así cualquier otro rumor malicioso acerca de Jane que anduviera circulando entre los miembros de la aristocracia.

Capítulo 15

A la mañana siguiente le llevaron a Jane una cajita proce-
dente de Rundell, Bridge & Rundell, los joyeros de Ludgate
Hill. La cajita contenía un broche adornado con un ratón de
diamante y los ojos de ónix. No lo acompañaba ninguna tarjeta, ningún mensaje que hiciera alusión a esa apasionada sesión de amor en el laberinto; sólo eso, un muy caro recordatorio de un momento que no podría olvidar jamás, ni aunque
quisiera. Mientras Caroline y Miranda admiraban el insólito regalo y hacían elucubraciones acerca de su significado,
Jane bajó sigilosamente a la cocina a hablar con la cocinera.

—¿Un ruibarbo, ha dicho, milady? —dijo la cocinera, se-
cándose las manos en su delantal—. Bueno, hace siglos que
no veo ninguno, pero hay un apotecario al que visita mi tía
que vende hierbas para brebajes importadas de China. Raíces de ruibarbo secas y cosas de esas.

—Raíces de ruibarbo —musitó Jane, y una complacida
sonrisa le iluminó la cara, al imaginarse la manera de corresponderle dignamente el regalo a Sedgecroft—. Ah, es-
pléndido. Encárgate de que pongan una raíz bien grande en
una caja bonita y se la envíen al marqués a Park Lane. Con
mis mejores deseos. Ah, y que aten la raíz con una cinta
rosa.

—Al marqués. Una raíz de ruibarbo. Con una cinta rosa —repitió la cocinera.

—En una caja bonita, eso sí —añadió Jane, antes de girarse y alejarse.

La cocinera miró, perpleja, a la fregona que se había quedado inmóvil junto al fregadero.

—Raíz de ruibarbo —musitó—. Dios nos asista. ¿Qué querría hacer una damita con una raíz a no ser que sea una de esas pociones amorosas de abracadabra que venden las gitanas? Recurrir a la magia para conseguirse un hombre —contestó ella misma—. Pobrecilla.

La fregona bajó la escoba.

—Me gustaría comprar un poco de arsénico para ponérselo en el té a sir Nigel, de verdad.

—¿No nos gustaría a las dos? —dijo la cocinera—. Pero el arsénico es demasiado amable, querida, para lo que ha hecho ese miserable maricón. Yo le pondría las manos alrededor del pezcuezo y se lo retorcería como a un pollo.

La fregona miró el paño de cocina que la cocinera estaba retorciendo entre sus potentes manos.

—Cálmese, señora Hartley. La dama tiene al marqués para que se cuide de sus asuntos.

La cocinera frunció el ceño.

—Y enviarle una raíz de ruibarbo, como si yo fuera tan obtusa que no entendiera qué significa «eso». No hay ninguna sutileza en esto, hija mía. Ni una vieja como yo puede dejar de ver la atracción.

Esa tarde Grayson llegó a caballo a la mansión del conde de Belshire en Grosvenor Square.

Había pensado en Jane toda la noche, a ratos perplejo, a ratos divertido y a ratos aterrado por la atracción que sentía hacia ella. También había pensado en ella cuando volvió a visitar el club de Nigel y otros de sus lugares favoritos, sin encontrar nada en ninguno de ellos que le diera alguna pista sobre su desaparición. Ya comenzaba a pensar si no sería mejor que acompañara a Heath en su búsqueda. Pero claro, había prometido quedarse en Londres para defender a Jane de la crueldad de la sociedad. Defenderla de sí mismo era otro asunto muy diferente.

Cada vez que la veía, la deseaba más y más.

Sabía que no debía tenerla.

Pero la deseaba de todos modos.

Sin embargo, una promesa es una promesa, aun cuando le causara un problema que no había esperado cuando se lanzó al inverosímil papel de salvador de doncellas. Sí, lamentaba el impulso, pero no por los motivos que podría haber previsto. Aunque su traicionero cuerpo la deseaba con una perseverancia que desafiaba sus opiniones morales sobre el galanteo, mucho más perturbador era cuánto disfrutaba de su compañía y de su conversación. La apreciaba, y la apreciaba tanto que no podía dejarla sola a merced del primer barón suicida que la deseara.

Si no podía proceder con ella de la manera normal para él, pues tendría sencillamente que idear otra manera que fuera aceptable para los dos.

Se le elevó el ánimo cuando ella apareció en la escalinata de la puerta principal, seguida por su hermano. Simon hacía mala cara, por la resaca de los excesos de esa noche pasada. Era probable que ni siquiera recordara que él lo llevó a casa esa noche y lo depositó justo en el lugar donde estaba de pie en ese momento.

Sonriéndole a Jane desmontó para ayudarla a montar su yegua, despidiendo con un disimulado gesto al mozo que había aparecido con esa misma finalidad. A decir verdad, no deseaba que nadie que no fuera él la tocara.

—Veo que te has puesto mi broche —le dijo en voz baja.

—Ah, sí. Todos lo admiran, aunque nadie entiende su significado. Incluso podría iniciar la moda de llevar un ratón de diamante por la mañana. —Lo miró sonriendo pícara—. Qué detalle el tuyo conmemorar así nuestra velada de anoche.

—Todo el placer ha sido mío. —Le miró de reojo el ceñido traje de montar de terciopelo color borgoña, que le destacaba los exuberantes pechos. Su placer, desde luego—. ¿Viene Simon?

Los dos se giraron y vieron a Simon inclinado sobre el caballo, cubriéndose los ojos con una mano.

Jane se echó a reír.

—No sé si logrará llegar hasta el parque.

—No te preocupes. Si se cae lo encontrarán los barrenderos.

Cabalgaron en silencio la corta distancia, Grayson sorteando a los niños que corrían haciendo rodar sus aros y a los perros que pasaban ladrando, al tiempo que observaba el trasero de Jane botando al ritmo del paso de su caballo. Ese sensual meneo de su cuerpo lo hacía pensar en un tipo diferente de cabalgada, lo cual explicaba su ardiente mirada cuando en Upper Brook Street ella se giró a mirarlo. Por desgracia, no logró disfrazar a tiempo sus lujuriosos pensamientos para que ella no se los viera en la cara.

—Grayson Boscastle —dijo ella en voz baja, en tono exasperado—, no te atrevas a mirarme así en público.

Él esbozó su sonrisa perezosa.

—Simplemente estaba admirando tu asiento.

—¿Qué se puede hacer contigo?

—No puedo evitar pensar como un hombre.

Ni dejar de recordar lo blanda y mojada que estaba ella esa noche, desenfadada y receptiva en su sensualidad. El recuerdo le hizo arder hasta los huesos.

—Sí, es esa espantosa masculinidad tuya la que se muestra otra vez —dijo ella.

Él no sabía qué pensar de ella. A veces le parecía sofisticada. Otras veces la veía vulnerable. Era una contradicción a cada paso. Aunque también lo era él.

Ella no hacía nada para hacerse atractiva a otro posible marido. Lo atraía sin el menor esfuerzo, cuando otras mujeres habían maquinado para atraerse su atención.

Lo calaba al instante siempre que él cometía un error o desliz; se atrevía a insultarlo cuando él quería ayudarla. Ese era un tipo de amistad diferente a todo lo que había conocido, y le gustaba.

—Por cierto —dijo, acercando el caballo al de ella cuando llegaron a la esquina del parque—, fue muy amable de tu parte enviarme la raíz de ruibarbo esta mañana. Debes perdonarme que no me la haya puesto.

Ella fingió sentirse afligida.

—¿No te gustó?

—Ah, sí que me gustó. Casi me caí de la cama de la risa.

La clara luz del sol le formaba visos dorados en el ondulado pelo, que le caía suelto a la espalda, enmarcándole el cuello. Observó la delicada estructura ósea de su cara y sintió agitarse una extraña emoción en el fondo del corazón.

Una emoción desconocida, que lo asustaba.

Una emoción a la que no le convenía ponerle nombre.

Esperaba, contra toda esperanza, que fuera lo que fuera, se marchara sola.

Tuvo la horrible sensación de que no sería tan afortunado.

—Creo que has engañado al mundo, Jane.

Ella lo miró en silencio, apagado el brillo de sus ojos.

—¿Cómo? —preguntó al fin, con voz débil.

—Debajo de todos esos aires de señora funciona una mente de arpía. Eres un verdadero demonio.

—Ah, vamos, mira quién habla.

Él sonrió de oreja a oreja, apretando sus potentes muslos para incitar a su semental a acercarse más a la montura de ella.

—Un demonio reconoce a otro, supongo. ¿Dejamos atrás a tu hermano?

Ella asintió y los dos hicieron entrar a sus monturas en el camino de herradura. Después de un breve galope, Grayson aminoró la marcha y sugirió desmontar para caminar un poco. Varias parejas lo saludaron agitando las manos, y observaron furtivamente a Jane, al parecer sin saber si debían aparentar que sabían o no sabían lo del escándalo de la boda.

Ella no hizo caso de las miradas y fijó la mirada en el lago, azorada por todo el interés que despertaba. Y pensar que la gente bien podría suponer que ellos estaban destinados a unirse en matrimonio. Ella y Grayson, marido y mujer.

—Me gustaría saber si Simon nos anda buscando —dijo de repente, más para distraer la imaginación de esa sugerente posibilidad que porque le preocupara el paradero de su errante hermano.

Grayson le cogió la mano para ayudarla a desmontar y después apretó su duro cuerpo contra el suyo, causándole un placentero estremecimiento.

—Ya puedes soltarme —susurró con la voz algo trémula.

—¿Por qué? —musitó él, rozándole el pelo con los labios—. Te siento divina; ese traje de montar se te ciñe como un guante y yo te ciño mejor aún. En cuanto a Simon —añadió, soltándola lentamente—, parece que va hacia el Serpentine con un grupo de damitas.

—Bueno, es de esperar que no se caiga al agua. Ha venido todo el camino meciéndose como un jorobado borracho. Ojalá encontrara una jovencita decente para casarse.

Echaron a andar juntos, sorteando a las niñeras que pasaban corriendo detrás de niños, y a los perros, y más allá a un duque anciano que había salido con sus criados a tomar el aire. Grayson vio aparecer al barón Brentford en Rotten Row; muchas cabezas se giraron a mirar a los dos briosos bayos que tiraban del elegante faetón por el camino. Inmediatamente cogió del brazo a Jane y la llevó, con cierta energía, en la dirección opuesta. Brentford le hacía aflorar una muy agresiva vena posesiva.

—¿Qué haces? —le preguntó ella, riendo nerviosa.

—Protegerte de un mal viento que está a punto de soplar hacia nosotros. Y volviendo al tema de Simon. ¿Por qué las mujeres siempre pensáis que el matrimonio es el curalotodo para nuestros males?

—El matrimonio es sin duda la piedra angular de nuestra civilización —contestó ella distraída, mirando por encima del hombro de él.

Él miró atrás y se le ensombreció la cara de fastidio al ver al barón aminorar la marcha de su faetón de excelentes ballestas, luciendo su pericia en controlar a los briosos caballos. ¿Es que no le había dejado claro el asunto en el baile?

—Le estás mirando, Jane —dijo, en tono frío, disgustado.

Ella pegó un respingo.

—Lo siento. Lo estaba mirando, ¿verdad?

—Sí. ¿Por qué?

—No lo sé. Él me estaba mirando. Una se siente obligada a mirar también.

—Jane —dijo él, en tono severo, inflexible, esbozando una tensa sonrisa—. Uno de nosotros podría sentirse obligado a poner fin a esas miradas de una vez por todas.

—Aquí no, supongo —dijo ella horrorizada, temiendo que él fuera tan temerario que cumpliera la amenaza.

—¿Por qué no? —preguntó él, alegremente—. Ya se ha derramado sangre en este terreno. Al fin y al cabo provengo de una familia que sigue la tradición.

Ella le cogió el musculoso antebrazo y lo llevó hasta un apacible lugar cubierto de hierba, dejando atrás al mozo que los seguía a discreta distancia con los caballos.

—Al parecer esa es una tradición saturada de violencia y búsqueda del placer. En lugar de tenerle manía a Brentford, ¿por qué no haces una buena obra y le presentas a mi hermano alguna damita dulce que pueda ejercer en él cierta influencia para apartarlo de su voluble conducta?

A él le hizo bastante gracia ese afán de ella de guiarlo; aunque, lógicamente, no tendría ninguna influencia en él ni en uno ni otro sentido. Si el barón se convertía en un problema grave, él se las arreglaría con él, no en un lugar público, claro, pero lo haría entrar en razón de todos modos.

—Presiento otro sermón sobre las virtudes del santo matrimonio —dijo, dejándose caer sobre la hierba como si se hubiera desplomado, y emitió un teatral ronquido—. ¿Aún no estoy muerto?

—Levántate, Grayson. Los diarios ya están llenos de cotilleos sobre nosotros.

Él abrió un ojo.

—Ah, más cotilleos. ¿Qué hemos estado haciendo ahora?

Ella se cruzó de brazos y lo miró fastidiada.

—Nos vamos a casar el mes que viene.

—Bueno, y ¿qué hay de malo en eso? —preguntó él, travieso—. Creí que aprobabas el matrimonio.

—Sólo que nuestro compromiso es una mentira, Grayson —repuso ella, haciendo una mueca—. No podemos engañar a todos eternamente. Ahora, por favor, deja esa postura tan poco digna. Ahora mismo.

Él rodó hasta quedar de costado y se apoyó en un codo. Su postura, estirado sobre la hierba brillante por el sol, con su chaqueta de mañana abierta en la cintura, volvió a recordarle a ella la imagen de un magnífico león.

—¿Qué hacíais con Nigel cuando estabais juntos? —le preguntó él en tono lánguido, recorriéndola toda entera con la mirada—. ¿Dibujar naturalezas muertas?

—Hablábamos, si has de saberlo. Teníamos lo que en círculos educados se llama conversación.

Él arrancó una hoja de hierba, con una expresión de cínica diversión en la cara.

—¿De qué hablabais?

Ella exhaló un suspiro.

—De la vida, de libros, del amor. —Concretamente, ese último año, de la creciente pasión de Nigel por la institutriz de la familia.

—¿Del amor de Nigel por ti?

Ella captó su mirada y le bajó un estremecimiento por la espalda.

—Mmm, no exactamente.

Él se levantó, con la cara ensombrecida por un ceño, y su inmensa sombra la cubrió enteramente.

—A veces pienso que él no era realmente un auténtico Boscastle.

—¿Qué quieres decir? —preguntó ella, pasado un instante de titubeo.

—Bueno, para decirlo francamente, un Boscastle no habría pasado todos esos años en tu compañía sin haberte dado algo más que simple conversación, si entiendes lo que quiero decir.

—Me temo que lo entiendo —dijo ella, agitando la cabeza, como si no viera esperanza para él, y al instante exclamó, en voz bien alta, para distraerlo—: ¡Ah, mira! ¿No es Cecily la que va caminando por la orilla del lago?

—Jane. —Le cogió el faldón de la chaqueta de montar y la hizo retroceder hasta dejarle la espalda apoyada en su ancho cuerpo. Se inclinó a musitarle al oído—. ¿Te hace sentir incómoda hablar de deseo? Nadie nos puede oír a esta distancia.

A ella le hormiguearon peligrosamente los lugares que quedaron en contacto con el cuerpo de él: los omóplatos, las curvas de las nalgas, las pantorrillas.

—Eres el único hombre que se ha atrevido a hablarme de ese tema —contestó, y se giró bruscamente al sentir gritar su nombre—. Es Cecily, nos está llamando. ¿Vamos? Creo que Simon está con ella.

—Eres muy previsible, cariño.

—Tú también, Grayson.

—¿Sí?

—Eres absolutamente transparente.

—Entonces dime qué estaba pensando.

—No creo que mi lengua sea capaz de articular las palabras.

—Estaba pensando en lo que ocurrió anoche —dijo él dulcemente, apartándole un mechón de pelo del cuello.

Antes que ella se apartara, alcanzó a ver cómo se le agitaba el pulso de la garganta.

—Entonces piensa en otra cosa —dijo ella, casi reteniendo el aliento—, al menos durante el próximo rato. No nos conviene que te caigas al agua.

Grayson la siguió, con su angulosa cara pensativa. Pese a todas las tácticas evasivas que empleaba ella, no podía dejar de pensar en su desenfadada receptividad esa noche en el laberinto, ni en cómo eso había cambiado sus sentimientos por ella. Jamás había conocido a una mujer que lo desarmara tan completamente. Recatada un momento, tentadora al siguiente. Dócil, complaciente, deliciosa. Decorosa, majestuosa. Un poco arpía.

Una mujer que lo hacía ansiar poseerla. Y comprometerse.

Se detuvo en seco e hizo una respiración profunda, negando con la cabeza. ¿De dónde le vino ese último pensamiento?

Pero era cierto. Alguien llegaría a valorarla. Había descubierto en ella muchísimas cualidades dignas de valorarse. Y lo que se veía por fuera no dejaba de ser invitador. ¿Por qué la estupidez de Nigel tenía que hacerla indeseable de por vida?

El deseo que él sentía por ella dejaba en ridículo los criterios de la alta sociedad. Su astuta ratona lo incitaba a seguirla, y hacia dónde lo llevaba no le importaba tanto como debería importarle.

«Algunas de sus amigas sospechan que ella nunca amó a Nigel.»

Ah, Jane, pensó, sonriendo para sus adentros, necesitas una o dos lecciones en amor. Tal vez los dos las necesitamos.

Sus amigas estaban reunidas a la orilla del lago lamentando la pérdida del sombrero de copa de seda de Simon, que un noble impertinente había arrojado al agua. Se elevó un coro de vivas cuando el sombrero se movió en dirección a la orilla, y luego se oyó un gemido colectivo cuando comenzó a hundirse y quedó claro que la alta sociedad no volvería a verlo nunca más.

—Esto es muy impropio de ti, Jane. ¿No has visto hoy los diarios? —dijo Cecily por la comisura de la boca, simulando que no veía al marqués aniquiladoramente guapo que se mantenía a cierta distancia de los demás.

Cecily vestía un traje de montar de seda color chocolate y su pequeña cara casi desaparecía bajo un sombrero a juego, adornado airosamente por plumas de cisne.

Jane se dedicó a contemplar el agua, con todas las partículas de su ser conscientes de que Grayson estaba detrás de ella, apartado, pero tan presente que no lograba pensar en nadie más. Todavía sentía el contacto de su musculoso cuerpo apretado al de ella. Por lo visto no era la única que se sentía atraída por él; la mayoría de sus amigas le dirigían encantadoras sonrisas y súplicas de que salvara el sombrero hundido. Inexplicablemente, esa atracción generalizada por él la irritaba, a lo que se sumaba el nerviosismo y el sentimiento de culpa por el secreto que le ocultaba.

—Sí —contestó, pasado un rato—. Los he visto. Sabes que la mitad de lo que han escrito no es cierto.

Cecily entrecerró los ojos, pensativa.

—O sea, ¿que la otra mitad lo es? No, no me contestes.

—No pensaba contestar.

—Todos dicen que te va a proponer matrimonio, Jane. Si es que aún no te lo ha propuesto.

Jane suspiró. Esa mañana, cuando vio unidas sus personalidades en letras de imprenta, cuando leyó que cierto marqués se había enamorado de ella, experimentó una oleada de alegría de lo más injustificada, que se desinfló tan pronto como dejó el diario sobre la mesa.

—Una parte de mí te admira por esto, Jane —añadió Cecily, pasado un largo rato de vacilación.

Por el rabillo del ojo, Jane vio a Grayson mirando hacia el parque; Helene estaba pasando cogida del brazo de lord Buckley, con su pelo rubio claro brillante por el reflejo del sol. La francesa se detuvo cuando vio al alto marqués, y disimuladamente le dio un leve codazo a su acompañante. Grayson se cubrió su sensual boca con la mano enguantada y bostezó.

—Me admiras, ¿por qué? —preguntó, distraída, absorta en el silencioso drama que acababa de presenciar.

¿Qué demonios significaba eso? ¿Por qué serían tan complicadas las emociones humanas? Entonces se le ocurrió pensar si dentro de un mes sería ella la que iría del brazo de otro hombre, desesperada por atraer el interés de Grayson. ¿Alguna vez Grayson habría llevado a Helene a un laberinto y le habría dado placer ahí hasta dejarla sin sentido? ¿Algún día bostezaría cuando la viera?

—Por echarte de amante a Sedgecroft —le susurró Cecily al oído.

Eso sí le captó la atención. Sintió un rubor de vergüenza, que le comenzó en las suelas de los zapatos y le fue subiendo como una ola de marejada hasta la cara. Peor aún, a juzgar por el brillo diabólico que vio en sus ojos, él también lo había oído.

—No es mi amante —susurró, aunque la voz le sonó menos convincente de lo debido—. Es un acompañante, un... un amigo de la familia.

—Ese tipo de amistad —dijo Cecily, con voz áspera, pero más baja— se llama engordar al cordero para matarlo. Sí, todo el mundo ve ese enorme broche de diamante en tu pecho. Todos sabemos de dónde procede y que si esta amistad acaba en matrimonio todo será perdonado. Pero ¿y si él sigue los pasos de Nigel? Y ¿si Nigel regresa?

—Ten la bondad de cambiar de tema, Cecily —susurró Jane, segura de haber oído reír a Grayson.

Cecily la llevó más cerca de la orilla del lago.

—Tienes que romper con él. Al menos hasta que estés lo bastante calmada para pensarlo.

—Tú prueba a romper con Sedgecroft.

—Estoy muy preocupada por ti, Jane, de verdad. Da toda la impresión del mundo de que disfrutas de su compañía.

—Tal vez la disfruto.

—Y tal vez estás tan dolida que no sabes lo que haces.

—Podría ser que por primera vez en mi vida esté haciendo lo que deseo.

A Jane la sorprendió su intenso deseo de defender al pícaro. Sus amigas sólo veían su fachada. No percibían su bondad ni el cariño por su familia que a ella le había conquistado el corazón. Sí, podía ser un tunante a veces, pero cuidaba de los suyos. Si Grayson se enamoraba alguna vez, pensó tristemente, la mujer que eligiera no sólo se quedaría sin sentido de placer, sino que también sería amada, mimada.

—Creo que...

Cecily se interrumpió al caer una sombra entre ellas.

—¿Te apetece cabalgar ahora, Jane? —preguntó Grayson, en tono muy agradable, como si no tuviera idea del tema de esa conversación susurrada.

Jane lo miró, y sintió pasar una ráfaga de placer por toda ella. Podía ser un demonio, pero lo que la hacía sentir desafiaba toda descripción. Cecily estiró los labios en una mueca de desaprobación y se giró hacia el lago, donde habían arrojado un puñado de flores en honor del sombrero hundido de Simon.

—Si quieres —dijo Jane, temiendo que sus dos amigos iniciaran una pelea por ella en cualquier momento.

Tanto Cecily como Grayson eran sus amigos, dos personas distintas que sólo querían protegerla, cada uno a su terca manera. ¿Cómo iba a mantener la paz entre ellos?, pensó.

—Sí —añadió, sonriéndole a Cecily a manera de disculpa—. Creo que me apetece mucho cabalgar.

Dos horas después Jane iba caminando con Grayson por un sendero del húmedo y sombreado jardín de su casa en Grosvenor Square.

—Ahora Cecily está enfadada conmigo —comentó apenada—. Me ha pronosticado que me van a caer sobre la cabeza todo tipo de desgracias, y es posible que no esté equivocada.

—Bueno, se equivoca respecto a mí —dijo Grayson, suponiendo evidentemente que lo había acusado a él de ser la causa de sus inminentes desgracias—. Espero que hayas salido en mi defensa.

—Sí, pero...

Se detuvo junto al cobertizo para las plantas pequeñas y miró hacia la casa, justo a tiempo para ver caer una cortina en la ventana de un dormitorio.

—El equipo de espionaje nos ha visto —dijo, sonriendo de oreja a oreja.

—¿Quién es esta vez? —preguntó él, en un susurro teatral—. ¿Caroline o Miranda?

—Creo que las dos. En realidad, me pareció ver un catalejo en la mano de Caroline.

Él la observó con una perezosa sonrisa.

—¿Les damos un motivo para preocuparse?

—Vamos, Grayson, qué bribón eres. ¿Qué podemos hacer? Tenemos que poner fin a esta tontería antes que los aristócratas exijan saber la fecha de nuestra «boda».

—¿Quieres romper nuestro compromiso, Jane?

—¿Podrías hablar en serio un momento?

Él levantó la vista, distraído por el claro crujido de una ventana al abrirse. Sonriendo divertido, le cogió la mano y la llevó hasta el otro lado del cobertizo.

—Ahora no pueden vernos, y eso debería alarmarlas de verdad. Así pues, ¿qué será esta noche? ¿Una fiesta o una cena para dos?

Jane resistió la tentación de fundirse con él apoyándose en su duro pecho.

—¿Nunca se te ha ocurrido pensar que a veces la gente normal se queda en casa, para leer, o descansar?

—No hay descanso para los malos, querida mía, algo así dice la Biblia.

—Como si la hubieras leído.

—Ah, pues sí, la he leído. —Le bailaron los ojos azules al recordarlo—. Con una institutriz que tenía prácticamente mi edad, y sostenía una vara junto a mi trasero. Desde entonces he tenido cierta dificultad para estudiar las Sagradas Escrituras. A veces pienso qué habrá sido de esa mujer, y a quién estará torturando ahora.

Jane se obligó a sonreír para ocultar su reacción a esas palabras. No le costaba imaginarse qué buena pieza sería él de niño. Pero el cielo la amparara. Al decir institutriz sólo podía referirse a Esther Chasteberry o, mejor dicho, lady Boscastle, que ya lo era, madre de otra generación de niños de mala conducta. La Institutriz del Guante de Hierro, la llamaban. Le renovaba todas sus ansiedades descubrir que él la recordaba tan bien. No estaría bromeando si supiera que Esther se había casado con su primo desaparecido.

—No sé qué decir —dijo—. Probablemente te merecías cualquier castigo que ella te infligiera. Creo que...

Pestañeó sorprendida porque él le cogió el mentón y le dio un rápido y fuerte beso. En un instante una peligrosa oleada de calor le inundó los sentidos, que desapareció cuando él se apartó, dejándola algo desequilibrada y molesta.

—Eso tendrá que sostenerte unas cuantas horas —dijo él, pesaroso—. Vienen los jardineros.

—Sostenerme unas cuantas horas. Francamente, Grayson, como si una mujer no pudiera vivir ni respirar entre beso y beso tuyo. Eso es pura arrogancia.

Él se rió y, despreocupadamente, la hizo salir del sendero para dejar paso a la carretilla que venía empujando uno de los jardineros.

—Eso me lo han dicho más de una vez —dijo, sin retirar la mano de su hombro—. En todo caso, esto sólo es para asegurarme de que no caigas en las garras de ningún barón melancólico al que le gustes.

—A mí me da pena —contestó Jane—. No deberías burlarte de él.

—Un hombre en busca de presa podría aprovecharse de esa compasión —dijo él, con el más absoluto cinismo.

—Dicho por alguien que conoce todos los gajes de su oficio.

—Pero puedes encontrar a alguien mejor que Brentford, Jane. Sólo hemos comenzado nuestra búsqueda.

—¿Alguna vez se te ha roto el corazón?

Él retrocedió un paso y bajó la mano a su costado. Acababan de aparecer Caroline y Miranda en el jardín, dando un vergonzoso espectáculo al simular que estaban admirando las malvas locas.

—Sólo una vez. La sensación es horrible —dijo, arrugando la nariz y corriendo hacia la puerta del jardín—. Lo pasaremos bien esta noche. Trae tu Biblia o una vara. Lo que prefieras.

Capítulo 16

Su Biblia o una vara.

Jane sintió pasar un escalofrío por toda ella cuando la alta figura de él desapareció de su vista. Iba a necesitar todas las oraciones de la Biblia y una vara para protegerse cuando Grayson descubriera la suerte de su institutriz guante de hierro, y el papel que ella y Nigel habían tenido en su vida. ¿Cuánto tiempo podría continuar con esa farsa sin derrumbarse? ¿Cuánto tiempo le llevaría a él darse cuenta de que lo había estado engañando?

Se cruzó de brazos cuando se le acercaron sus hermanas sigilosas.

—¿Qué ocurrió? —le preguntó Caroline, con un ojo puesto en la puerta del jardín.

—Salimos lo más rápido posible cuando os vimos —continuó Miranda, parando para respirar—. Podríamos haber llegado antes, pero Caroline no lograba encontrar un zapato.

—No ocurrió nada —contestó Jane, en tono nada convincente.

Caroline le dirigió su fría mirada de tigre.

—Te escondió detrás del cobertizo.

—Le iba a enseñar los bulbos que envió la tía Matilde de Bruselas.

—Y ¿por eso tienes desabotonados esos tres botones de tu chaqueta de montar? —preguntó Miranda, toda inocente—. ¿Porque le ibas a mostrar tus bulbos?

—Estuve cabalgando en el parque —contestó Jane indignada—. Ha hecho mucho calor esta tarde.

—Sí, mucho calor —suspiró Caroline—. Vamos, Jane, mi sensata, mi respetable hermana, la que nunca se ha visto mezclada en un escándalo, ¿cómo has podido permitir que ocurra esto?

Ella apartó una piedra con la punta del zapato.

—Eso me lo pregunto yo a cada hora.

Las jóvenes se pusieron una a cada lado de ella sobre el sendero embaldosado.

—Todo esto es muy impropio de ti, Jane —dijo Miranda, contemplándole el perfil—. Sabes cómo es él.

—Pues, la verdad es que no sé cómo es —dijo Jane, pensativa. Pero fuera como fuera, le gustaba mucho, muchísimo—. Solamente sé que no se merece que yo lo tenga engañado.

—¿Se lo vas a decir? —preguntó Caroline, casi sin aliento.

—Tengo que decírselo, ¿no? —contestó Jane, afligida—. Aunque vivo con la esperanza de que, por algún milagro, él decida que ya ha cumplido con su deber y no tenga que descubrir nunca la verdad.

—Eso no ocurrirá —dijo Caroline, ceñuda—, a menos que Nigel se marche de Inglaterra y no vuelva jamás. Y no la descubrirá mientras tú... le enseñes tus bulbos.

—¿Quieres que se lo digamos nosotras? —propuso Miranda, pasado un momento de reflexión.

—¡No! —exclamó Jane, enérgicamente—. Eso sería la salida del cobarde. —Se mordió el labio inferior—. Se lo diré el viernes.

—Piénsalo muy bien —aconsejó Caroline—. Si Sedgecroft decide traicionar tu confianza por rabia, otro escándalo detrás del primero será tu fin. No estamos del todo seguras de que podamos confiar en que él te guardará el secreto.

—No me lo imagino encogiéndose de hombros y olvidando el asunto sin guardar rencor —añadió Miranda, en tono ominoso—. Puede que un Boscastle sea un amigo excelente, pero yo no querría tener a ninguno de ellos de enemigo.

Ese mismo pensamiento había pasado por la mente de Jane más de una vez. Se giró a mirar el cobertizo, sintiendo otra escalofriante premonición. Qué perspectiva más insoportable. Todo ese encanto y energía masculinos convertidos en rabia, en deseo de venganza. Todo el delicioso agrado que compartían derrumbado bajo la sombra del engaño.

—Tendré que correr ese riesgo, ¿verdad? —dijo, firmemente.

Y otro escándalo no sería su fin en absoluto. Perder la confianza de Grayson sí lo sería.

Grayson se daba cuenta de que con Jane iba entrando en territorio traicionero, peligroso, no explorado. Más de una vez había considerado incluso la posibilidad de poner fin al arreglo entre ellos, pero no lograba decidirse a hacerlo; seguía inventándose montones de pretextos para continuar viéndola. Al final decidió que, como mínimo, debía intentar quitársela de la cabeza cuando no estaban juntos. En todo caso, había descuidado sus asuntos. Nunca se había sentido a gusto participando en los ociosos pasatiempos de la aristocracia.

Asuntos de negocios lo aguardaban en los muelles. Había jurado investigar el rumor de que Drake quería seguir el malhadado camino de Brandon y alistarse en las filas de la Compañía de las Indias Orientales. De ninguna manera podía permitirse estar pensando en una mujer todo el día, por atractiva que fuera.

Sin embargo, prácticamente no pensaba en otra cosa, y constantemente se soprendía esperando con ilusión volver a verla. Se sentía ansioso por asistir con ella a algún evento agradable o ameno, por hablarle de sus preocupaciones por la familia o de pedirle consejo.

¿En qué se había convertido el arreglo con ella para ayudarla?

No se atrevía a elucubrar.

Pasaron rápidamente otros cinco días, y Jane seguía sin lograr reunir el valor para hacer su confesión. Cinco días en que Grayson ocupó su tiempo y sedujo su espíritu, los cinco días más felices y más aterradores de toda su vida. Felices porque él la hacía reír con su audacia y afable sinceridad; aterradores porque se había dado cuenta de que estaba bastante enamorada de él, de ese hombre cuyo galanteo sólo era una generosa farsa.

Aterradores debido al secreto que se interponía entre ellos.

Al puñado de esperanzados pretendientes que se atrevieron a visitarla, se los rechazó con amables disculpas. Ella incluso se negó a salir de compras con Cecily, en su excursión semanal por Bond Street, pues no tenía el menor deseo de soportar otro sermón. En lugar de salir con ella, fue con Grayson a pasear en barca por el Támesis en Chelsea, acompañados por Simon y Chloe; allí hicieron carreras con la barca de Drake y su bulliciosa tripulación. Naturalmente, ganó la barca de Grayson.

A la noche siguiente asistieron a un baile.

La noche del jueves, la víspera del Día del Juicio Final, es decir, el día que tenía fijado para hacerle la confesión, fueron a ver una obra de teatro con sus padres, y volvieron a casa solos, pues lord y lady Belshire decidieron quedarse a jugar a las cartas con un amigo mayor en Piccadilly.

—Encárgate de que llegue bien a casa, Sedgecroft —dijo lord Belshire, que sólo aprobaba ese arreglo porque le parecía que Jane estaba más feliz que nunca, bueno, en realidad, más feliz que desde el momento en que comenzaron a organizar esa malhadada boda. Y nadie había sabido nada de ese cruel tunante, Nigel. Por lo tanto, sentía mucha pena por su hija mayor, y tanto la sentía que la alentaba a pasar el tiempo con un hombre con fama de libertino que estaba demostrando ser más fiable que su primo—. Simon y las dos niñas estarán en casa —añadió, a modo de precaución—. Así que no estaréis solos.

Pero resultó que Jane y Grayson sí se encontraron solos al llegar a la casa, aparte de los criados que iban y venían silenciosos por los corredores más oscuros. Lord Belshire había olvidado que Simon iba a acompañar a Caroline y Miranda a un baile de cumpleaños.

Así pues, se encontraron los dos solos en el vestíbulo de baldosas de mármol blancas y negras, como dos piezas en un tablero de ajedrez, cada uno experimentando las subcorrientes de tensión y tentación que impregnaban el aire. ¿A quién le correspondía hacer la primera jugada?

Él sacó una de las plumas de pavo real que lady Belshire mantenía en un jarrón de bronce y con ella le hizo cosquillas en la nariz a Jane, moviendo las cejas en gesto teatral.

—Por fin solo contigo —musitó, rozándole el pelo con los labios—. ¿Qué crees que debemos hacer primero?

—Dejar de hacer el tonto, para empezar. —Jane se quitó el capote de seda color ciruela, y se le quedó atrapado el aire en la garganta al ver los oscurecidos ojos de él al mirarla. Desde esa noche en el laberinto no habían vuelto a caer en la tentación—. Y ahora me vas a hacer estornudar...

—Dios te guarde —dijo él, dándole unos golpecitos en la cabeza con la pluma—. Lo digo en serio. ¿Dónde prefieres que te seduzca, en el salón de damasco rosa o en el dorado?

Ella se echó a reír, más para disimular la excitación que le produjo la pregunta que por otra cosa.

—Bueno, en ninguno de los dos, así que parece que la seducción no está escrita en los astros. Pero... ya es tarde. Supongo que lo correcto es que te marches.

—¿Por qué?

La atrajo suavemente hacia él, rodeándole la cintura con sus potentes brazos. Por encima del hombro de él ella vio el reflejo de los dos en el espejo del perchero, su alto cuerpo con el traje negro de noche casi ocultando el suyo arqueado, apoyado en el de él. Por un instante el reflejo creó la ilusión de que eran uno solo, unidos en uno en la penumbra. Tragó saliva, con el corazón desbocado por ese pensamiento.

Él soltó la pluma, que cayó al suelo.

—No voy a dejarte sola —dijo, levantándole la cara hacia la suya.

—Están los criados. Estoy segura.

Más segura que con él en cierto sentido. Aunque en otro, bueno, en el fondo del corazón sabía muy bien que él no permitiría jamás que alguien le hiciera daño. Ojalá pudiera salvarla de sí misma también.

—Podemos quedarnos hasta tarde y jugar a las cartas —dijo él, despreocupadamente, llevándola por el vestíbulo hasta el salón—. Seguro que puedes apostar algo que yo desee.

—Eh..., ah, no, lo había olvidado. Quedé en ir a desayunar con Cecily y Armhurst mañana temprano.

—Discúlpate con ella y pídele que lo deje para la próxima semana —dijo él firmemente.

—No puedo. Tengo que verla antes que se marche con su familia a Kent a preparar la propiedad para la boda.

Él cerró silenciosamente la puerta, sin dejar de mirarla. El salón estaba en penumbra, y se quedó observándola caminar hacia el aparador. Toda esa noche había estado muerto de ganas de acariciarla, aun cuando lord y lady Belshire estaban sentados junto a ellos en el palco. Cada roce de su suave hombro con el suyo le había hecho bajar un estremecimiento de deseo por la columna.

La tentación le aceleró los latidos del corazón a un ritmo peligroso cuando ella se volvió y echó a caminar hacia él. Se le espesó la sangre y lo inundaron violentas oleadas de excitación.

Ella bebió un sorbo del whisky antes de pasarle el vaso.

—¡Aj! —exclamó, arrugando la nariz—. Si esto no te enciende el fuego en el vientre, nada lo hará.

«A excepción de ti», pensó él. Con sus largos dedos rodeó los de ella un instante al coger el vaso, y con la mano libre se soltó un poco la corbata.

«Ordéname que me marche, Jane, antes de que me olvide de que esto no debe ir a más.»

Ella se dio media vuelta y fue a sentarse en el enorme sofá del centro del salón, haciendo crujir la seda al hundirse en él.

—¿Qué te pareció la obra?

—No la vi —repuso él, sentándose a su lado—. Estaba algo distraído.

Ella le escrutó la cara, fascinada. Sus ojos se veían plateados en la penumbra, ardientes, chispeantes de pecado.

—Creo que no te voy a preguntar qué te tenía distraído.

Había sido ella, lógicamente. Mientras fingía estar atento a la obra de teatro, se estaba estrujando el cerebro tratando de recordar todos los cotilleos que había oído sobre Jane a lo largo de los años. Todos daban por supuesto que ella pertenecía a Nigel, y él no había prestado mucha atención. De buena cuna y buena crianza; hermosa; una intelectual, una marisabidilla. Sí, de acuerdo, una intelectual con un cuerpo que le correspondería estar en un burdel real. Nadie había mencionado nunca su pícaro humor ni esos seductores ojos verdes, ni ese atractivo asomo de inseguridad. Ni que con ella todos sus demonios encontrarían a sus iguales.

—¿Quién es Armhurst? —preguntó, después de beber un trago.

—Un amigo de Cecily.

—¿Es joven?

—Creo que sí.

—El año pasado un Armhurst estuvo involucrado en un duelo por un romance roto.

Ella hizo una inspiración profunda, para serenarse. Había detectado frialdad en su voz cuando habló, y en ese momento veía fuego en su mirada al acercar lentamente la cabeza hacia ella, y su pelo dorado algo largo le rozó las solapas de su frac negro. El aroma a whisky de su aliento la tentaba, y la ardiente pasión que expresaban sus ojos la abrasaba.

—No vayas —dijo él, en un tono engañosamente alegre.

A ella le dio un vuelco el corazón, saltándose un latido. Estaban suspendidos al borde de algo, de una caída en lo desconocido. Lo percibía, y no lograba decidir si tenía miedo o no.

—¿Qué?

—No vas a reunirte con ese Armhurst. Te lo prohíbo.

—Y ¿si voy? —preguntó ella, para pincharlo.

—Entonces yo estaré ahí y Armhurst no se atreverá ni a mirarte siquiera.

—No me digas que nunca has participado en ningún duelo —dijo ella, con el corazón acelerado por ese despliegue de posesivo autoritarismo.

¿Qué había cambiado entre ellos?

—En este momento el tema no es mi moralidad, Jane.

Lo cual, pensó irónico, era condenadamente conveniente, si tomaba en cuenta las cosas inmorales que deseaba hacerle.

Ella apoyó la cabeza en el respaldo del sofá.

—Dime una cosa, Grayson. ¿Te casarías con una mujer a la que no amaras? ¿Si tu familia insistiera, o ella tuviera montones y montones de dinero y fuera una fabulosa beldad?

Él alargó el brazo hacia atrás para dejar el vaso en la mesilla lateral que estaba a su espalda. Eso era entrar en terreno peligroso, hablarle con franqueza a una mujer.

—Jane, para ser totalmente franco, nunca he sabido si me casaría con una mujer a la que amara, tuviera montones de dinero o no.

—¿No?

—Bueno, hace un mes más o menos, habría preferido achicharrarme en aceite hirviendo antes que someterme a encadenarme con una mujer por matrimonio. Pero últimamente he estado mirando la vida de otra manera.

Ella lo sintió acercarse más, un movimiento en el tablero de ajedrez. Se le resecó la boca. Dentro de un momento ella estaría sentada sobre sus muslos; él apretaría contra ella su cálido y potente cuerpo y los deshonraría a los dos.

—¿Desde que murió tu padre, quieres decir? ¿La carga de responsabilidad Boscastle de que me has hablado?

Él le rozó el exuberante labio inferior con el dorso de los dedos; la responsabilidad era lo último que tenía en la cabeza. La deseaba con tanta intensidad que le dolían los huesos.

—Eso y otras cosas. ¿Te ha dicho alguien alguna vez que tu boca es muy erótica?

—Noo, por supuesto que no —se apresuró a decir ella—. Es probable que Nigel ni siquiera sepa qué significa esa palabra.

De repente no logró recordar de qué estaban hablando. Se le olvidó todo al sentir esa placentera boca con aroma a whisky a unos dedos de la suya; al ver esos ojos azul plateados perforándole los suyos con sensual posesión. El cuerpo se le tensó y vibró en reacción a su tácita petición. Deseó darle lo que fuera que deseara, por muy desmandado, escandaloso o peligroso que pudiera ser.

—No debería haberme quedado —musitó él, con la voz ronca, espesa.

—Lo sé.

Y cerró los ojos cuando él le deslizó las manos por los costados, subiéndolas hasta sus pechos y ahuecando suavemente las palmas sobre ellos.

—¿Sabes cuánto deseé hacer esto en el teatro? —preguntó él, con la voz ronca, besándole el cuello, por debajo del mentón, bajándole el corpiño de seda color bronce hasta dejarle descubiertas las cimas de sus redondos pechos—. Qué cuerpo más hermoso tienes. Lo deseo, Jane.

Ella se estremeció, de deseo e incredulidad.

—Creí que íbamos a jugar a las cartas.

—Juguemos a otra cosa.

La cogió por los hombros y la montó en su regazo, levantándole las faldas mientras la besaba y luego hundía la cara seductoramente entre sus pechos. Se sintió mareada por la riada de sensaciones que le desencadenaba esa postura, con las nalgas atrapadas entre sus musculosos muslos; sus besos la hacían retorcerse y gemir de placer. Sintió girar la cabeza como torbellino cuando él le subió la mano por el interior de una pierna y luego comenzó a acariciarla ahí, de una manera que le encendió todas las terminaciones nerviosas.

—Ooh, ooh —susurró él, enredando los dedos en el húmedo vello—. Ya estás mojada. Me ahogaría en ti. No he dejado de pensar en ti a todas las horas, desde esa noche en el laberinto.

Su voz profunda le llegaba de muy lejos, penetrando apenas la niebla de deseo que la envolvía. Estaba arrollada por su fuerza y suavidad. Se aferró a sus hombros y en las palmas sintió ondular sus duros músculos, como acero caliente. En las partes bajas, se abrieron a él todos los recovecos más íntimos de su cuerpo, en una reacción erótica que le era imposible controlar, en una rendición al macho elemental que había capturado su presa y podía jugar con ella a su placer.

La casa estaba absolutamente silenciosa. Los suaves sonidos íntimos del hombre dándole placer a su mujer parecían amplificarse en el silencio y eran absorbidos por las gruesas cortinas de damasco y los tapices de las paredes. También absorbieron el grito de placer que se le escapó a ella cuando él le introdujo el índice en la abertura. El tic tac del reloj de similor que estaba detrás de ellos marcaba el paso del tiempo. A él se le escapó un gemido por estar acariciándola así.

—No debería estar aquí —musitó con la voz áspera, con los ojos oscurecidos, casi negros, por el deseo y el remordimiento—. Me tientas hasta hacerme perder la razón. Tengo que marcharme...

—No —dijo ella, sin poder creer la desesperación que detectó en su voz. Le acarició la mejilla, deslizando las yemas de los dedos por su bien cinceladas facciones, y lo miró a los ojos—. No quiero que te marches.

—Vamos, Jane —susurró él, girando la cara para hundirla en su palma—. No me des aliento. Ya estoy en el límite. Sé muy bien a qué podría llevar esto.

Ella sintió latir fuerte el pulso de la garganta. Él parecía la tentación encarnada, con su pelo dorado revuelto y su cuerpo de guerrero oculto bajo su traje de noche. Y la deseaba, la deseaba ese hombre que le había ofrecido su amistad en un momento en que estaba humillada y deshonrada ante la sociedad. ¿A qué conduciría eso?

—No me importa —dijo, acercando la cara para besarle su firme boca—. Deseo que te quedes.

—No sabes lo que dices —musitó él, y su voz sonó angustiada. No podía resistírsele. Ninguna otra mujer podría calmar el torbellino que sentía en su interior. Ella se sentía igual, o al menos eso creía él—. Tú nunca has hecho esto. Tengo una ventaja injusta.

—¿Quién mejor para enseñarme, entonces? —susurró ella, cerrando los brazos alrededor de su fuerte cuello.

Lo oyó hacer una inspiración profunda. No desvió la vista. A él le brillaban los labios, mojados con el beso de ella. Él era todo lo que había deseado en su vida. Que hiciera lo peor.

Él se quedó inmóvil como un muerto, con los párpados entornados, su mirada indescifrable, mirándole la hermosa cara. Se le agitaron las ventanillas de la nariz y un hormigueo de presentimiento le pasó a ella por las terminaciones nerviosas. Por un insoportable instante pensó que lo había escandalizado con su petición. Sintió subir el rubor por el cuello, de vergüenza. ¿Qué tipo de mujer le pide a un hombre que la seduzca?

De pronto él pareció cobrar vida nuevamente y sintió moverse su enorme cuerpo debajo de ella. Sus ojos continuaban teniéndola cautiva con su intensidad. Hechizada, no se movió. No tuvo tiempo para pensar si había cometido un error. Con la mano izquierda él soltó los lazos de su vestido, con tanta pericia que quedó desnuda hasta la cintura antes de darse cuenta. Bueno, eso era lo que había deseado, ¿no?

Él bajó la vista, para contemplarla, y su boca se curvó en una sonrisa de sensual expectación. La invitación de ella le había soltado los últimos vestigios de reserva.

—¿Quién mejor, en efecto? —dijo, introduciéndole otro dedo en la vagina mojada—. La respuesta es nadie, Jane. Reclamo ese privilegio para mí, con tu permiso.

Ella arqueó la espalda; la experta invasión de él en el centro más sensible de su cuerpo la tenía absolutamente impotente, mientras el placer le inundaba los sentidos. Él le ensanchaba y friccionaba la cavidad con una delicadeza rayana en la tortura, y sus frescos y largos dedos continuaron introduciéndose y saliendo; la intensidad de su excitación y placer era tal que le parecía que se estaba disolviendo, convirtiéndose en vapor.

Grayson hizo una honda inspiración cuando el aroma almizclado de ella le envolvió los sentidos. El salón de la familia no era el lugar para hacerle el amor por primera vez, pero no lograba pensar en otra cosa que en enterrarse en su estrecho pasaje. Ella le mojaba toda la mano, moviéndose con una sensualidad inconsciente que le desencadenaba el lado diabólico de su naturaleza. Eso era lo que él deseaba también, y había temido que ocurriera. ¿Por qué se imaginó que él sería conveniente para ella?

—Grayson —gimió ella, con la mirada desenfocada.

Estaba receptiva y bien dispuesta, la mujer más deseable que había conocido.

—Es placentero, ¿verdad? —musitó—, y voy a hacértelo más placentero aún dentro de un momento.

Con la mano libre se abrió la chaqueta, ansiando sentirla apretada contra su pecho. Al ver su cuerpo medio desnudo, su instinto masculino básico amenazaba con arrojar al viento el poco autodominio que le quedaba. Darle placer a ella no le calmaría la fiebre que corría por su sangre; necesitaba poseerla totalmente. Se le tensaron los músculos de la espalda y los hombros con el esfuerzo de aplastar el deseo que vibraba por todo él.

Con la yema del pulgar le acarició el sensible y pequeño botoncito de su sexo hasta que ella se cogió de la tela almidonada de su camisa, con el cuerpo duro de tensión. Él no apartaba los ojos de su cara, y el corazón le dio un salto y se le alojó en la garganta cuando vio que ella se iba acercando a la cima. Miró hacia la puerta, para asegurarse de que la había cerrado con llave. Ella era toda de él en ese momento, y nada se lo iba a estropear.

Apretándose contra su mano ella llegó al orgasmo, en una violenta oleada de sensaciones, tratando de respirar, mientras él hundía más los dedos en ella para intensificarle aún más el placer. Se sintió dividida en trocitos, aliviada y humillada al mismo tiempo por las contracciones de placer que le estremecían el cuerpo. Sin embargo, una vez pasado todo, le pareció lo más natural del mundo estar sentada ahí con él, en un agradable enredo de brazos y piernas, con el vestido todo arrugado en la cintura. Deseó continuar así eternamente. No pensar.

Disimuladamente le miró el bien cincelado perfil, oyó su entrecortada respiración. Estaban sentados juntos, él con la pierna doblada sobre el delicado arco del pie de ella, y la cabeza apoyada en el brazo doblado sobre el respaldo. Tenía la ropa indecentemente ordenada, y estaba mirando el cielo raso, con el ceño fruncido, tan absorto que ella se estremeció. ¿Qué se había hecho de su pícaro juguetón? ¿Estaría molesto por no tener su propia satisfacción? No se atrevía a preguntárselo, pero sí que parecía... insatisfecho. ¿O estaría lamentando la caída de su dechado de virtudes? Ese pensamiento la hizo volver bruscamente a la tierra.

—¿Grayson?

—Dame sólo un momento, Jane. Necesito tiempo.

¿Tiempo? Paseó la vista por el salón en penumbra. Pasado un largo rato, que a ella le pareció siglos, esperando que él hiciera algún movimiento, musitó:

—Deberíamos poner un poco de orden aquí, no sea que nos sorprendan nadando en culpabilidad como Antonio y Cleopatra. Lo único que nos falta es que unos esclavos nos estén abanicando con hojas de palma y poniéndonos uvas en la boca.

Su intento de reanimarlo no dio resultado. Él exhaló un largo suspiro. No podría pegar ojo en toda la noche, aunque darle placer había valido la pena. Él y Jane habían cruzado una raya esa noche, y eso llevaba a pensar en serio respecto al futuro de ambos.

—De acuerdo —dijo al fin—. Levántate y ve a buscar una baraja mientras yo enciendo las velas. Cuando llegue tu familia estaremos muy compuestos, como si nos hubiéramos portado bien.

—¿Por qué estabas tan ceñudo? —le preguntó ella, preocupada, cuando los dos ya se habían levantado del sofá y él estaba junto al aparador encendiendo las velas del candelabro.

Él desvió la vista del candelabro.

—¿Qué? Estaba tratando de dominarme. Y pensando. Ah, mi dulce Jane, hay muchísimas cosas en qué pensar.

Ella terminó de atarse los lazos del vestido y arreglarse el corpiño, con las manos nada firmes.

—¿Muchísimas cosas?

La luz de las velas creó claros y sombras en la perfecta simetría de sus angulosas y fuertes facciones. Con el ceño fruncido se acercó a ella a ayudarle a alisarse los pliegues de la falda.

—Hoy recibí un mensaje de Heath diciendo que viene de camino para reunirse conmigo. Supongo que podría tener noticias.

Ella se giró hacia la mesa donde iban a jugar a las cartas y cogió la baraja. Un frío la fue invadiendo toda entera, desvaneciendo el vigorizador calor que había sentido sólo un momento antes.

—¿Qué tipo de noticias? —preguntó.

Aunque no deseaba saberlo. No quería que nada le estropeara su ilícita felicidad. Se le resecó la boca.

Él se encogió de hombros y cogió la baraja de sus manos cuando ella se volvió hacia él.

—No tengo ni idea.

Volvieron a sentarse en el sofá, a una prudente distancia. Ella lo observó barajar las cartas con la misma naturalidad y pericia con que en ese mismo lugar la había acariciado dándole un placer inimaginable. Miró fijamente sus fuertes y bien cuidadas manos, fascinada e inundada de ansiedad al mismo tiempo.

—Algo tiene que haberte dicho —dijo.

Él negó con la cabeza.

—Todo su mensaje era muy ominoso y misterioso, sin decir una sílaba de lo que se ha enterado, si es que se ha enterado de algo. Pero supongo que eso le viene de su trabajo como espía. Claro que Drake estuvo también trabajando en un asunto misterioso, al menos eso sospecho yo. Pero son muy distintos. —Levantó la vista y le sonrió de oreja a oreja—. Lo único que sé es que no querría tener por enemigo a ninguno de los dos.

—No, claro —dijo ella, y retuvo el aliento cuando se encontraron sus ojos. Bajó la vista a las cartas que él ya había repartido. Vio borrosos los colores rojos y negros. Se fía de mí, pensó; todavía no lo sabe—. Y ¿si yo te confesara que nunca me ha importado si Nigel vuelve o no?

Él no pudo disimular su aprobación.

—Lo comprendería totalmente.

A ella se le oprimió la garganta. Eso era aún más difícil de lo que había supuesto.

—Y ¿si te dijera que nunca deseé casarme con él?

Él le escrutó la cara con mirada tranquila, objetiva. ¿Qué vio?

—Ver las cosas en retrospectiva siempre nos da la sabiduría que podríamos desear.

—No es ver en retrospectiva —se apresuró a decir ella—. Soy muy sincera. No creo que lo haya amado jamás. A no ser como a un querido amigo.

Grayson meditó sus palabras mientras seguía dando las cartas. Su tensa sonrisa podría ser la única señal externa de que esa confesión lo complacía, pero en el fondo sentía una ridícula oleada de alivio; no habría necesidad de competir con Nigel.

—Bueno, eso facilita todas las cosas, ¿verdad? —dijo, con la voz más tranquila que pudo.

—¿Qué cosas?

—Otros amores. No lamentar lo que hemos perdido. Yo siento lo mismo respecto a Helene, si quieres saberlo. Ahora la miro y me pregunto qué demonios veía en ella que me atrajera. En todo caso, la única pregunta que vale es, ¿qué harás si Nigel vuelve con su corazón en la mano?

—No lo sé —contestó ella, mirando las cartas repartidas sobre la mesa—. Nada. ¿Qué...?

—¿Estás preparada para perdonarlo? —preguntó él, desvanecida su sonrisa.

Ella buscó la fuerza para limpiarse la conciencia.

—Todavía no sabemos si hay algo que perdonar —dijo, luego de titubear un instante.

—Ah, sí que eres imperturbable, Jane, cariño —dijo él, riendo—. Y, como he dicho antes, extraordinariamente sincera.

—Deja ya de hacerme parecer un dechado de virtudes, por favor —dijo ella, irritada—. Soy una persona extraordinariamente imperfecta, si has de saberlo. Como ya tienes que saberlo.

—Bueno, yo también.

—No. Tú... —Tuvo que tragar saliva para pasar el nudo que le oprimía la garganta—. Tú no eres horrendo; no lo eres en lo que de verdad importa.

Él sonrió, con el fin de disiparle la preocupación.

—Suelo serlo, cuando estoy fastidiado, y es muy improbable que tú experimentes eso personalmente, a no ser que te pille haciendo trampas en el juego.

Ella cogió sus cartas, sintiéndose tremendamente abatida. Tenía que decírselo, lo sabía, y no limitarse a dar rodeos en torno a la verdad, pero tenía miedo. Miedo a que el travieso afecto que veía en su cara se convirtiera en desprecio; miedo de que él saliera de ese salón y no volviera nunca más; y miedo de que en su relación hubieran llegado a un punto en que él ya no pudiera perdonarla si le decía lo que había hecho.

—Grayson, lo siento, no logro concentrarme en el juego en este momento.

—Yo lo siento, Jane. Sabía que debería haberme marchado.

—No, no es por eso.

—¿Por qué, entonces? —Sus ojos azules le escrutaron la cara—. ¿Piensas que has traicionado a Nigel?

—La verdad, me haces parecer mucho más buena de lo que soy. Por favor. No me apetece jugar a las cartas.

—Entonces podemos...

El sonido de voces en el vestíbulo lo interrumpió. Se levantó y fue rápidamente a girar la llave de la puerta, volvió a sentarse y apoyó despreocupadamente el codo en el brazo del sofá. Cuando se abrió la puerta del salón, él y Jane eran un cuadro de actividad inocente para las tres personas que entraron y se quedaron mirándolos sorprendidas.

—Sedgecroft —dijo Simon, mirando con ojos experimentados a su hermana, y quedó satisfecho al ver que todo estaba en orden, aparte de los zapatos de satén que ella se había quitado y estaban debajo de la mesa—. Creí que habíais ido al teatro con mis padres.

—Y fuimos —contestó Grayson, que se había puesto de pie por deferencia a Caroline y Miranda—. Y me ofrecí a hacerle compañía a tu hermana cuando descubrimos que no estabais en casa.

Caroline miró fijamente a Grayson, como si supiera, con los más humillantes detalles, lo que había ocurrido ahí sólo hacía unos minutos.

—Qué gesto tan caballeroso, quedarte aquí con ella para protegerla —dijo.

—Sí, ¿verdad? —dijo Jane, en tono frío, dando a entender que no siguiera con el tema.

Simon carraspeó para aclararse la garganta.

—¿Te apetece una copa, Sedgecroft?

Grayson giró la cabeza para mirar a Jane.

—Gracias, pero quedé en encontrarme con mi hermano mañana a primera hora. Tengo que ponerme en camino. Señoras, os deseo agradables sueños.

Jane miró las cartas desparramadas que habían caído sobre el sofá. Agradables sueños, y un cuerno; no dormiría ni un sólo segundo mientras no supiera de qué más se había enterado Heath acerca de Nigel.

—Te acompañaré a la puerta —dijo Simon—. Tengo entendido que eres un experto en tiro, y me han invitado...

Caroline se apresuró a cerrar la puerta tan pronto hubieron salido los dos hombres.

—No se lo dijiste, ¿verdad? —preguntó en un susurro—. Era el momento perfecto, los dos solos en la casa.

Jane se mojó los labios.

—Casi se lo dije. Incluso podría haber llegado a la peor parte si vosotros tres no hubierais irrumpido aquí como el ejército troyano. De todos modos, mañana es viernes. Dije que se lo diría el viernes.

—¿Le tienes miedo? —preguntó Miranda, dejándose caer en el sofá, en medio de las cartas.

—Terror —reconoció Jane.

—Podríamos escondernos detrás del escritorio cuando le hagas la confesión, por si se pone violento —dijo Caroline, pensativa.

—No seas tonta. Sedgecroft no me hará ningún daño. —Se agachó a coger el rey de corazones, y añadió con la voz embargada por la emoción—: Al menos no de una manera que pudierais evitar vosotras.

Capítulo 17

Grayson se detuvo fuera de la puerta de su dormitorio al oír el débil crujido de los muelles del somier de su cama. Entrecerró los ojos y esbozó su sonrisa implacable; seguro que su visita nocturna era una cierta francesa; esperaba poder sacarla de ahí con un mínimo de gritos histéricos.

Y no era que no ansiara una noche de relaciones sexuales desinhibidas; el problema era que sus gustos se habían trasladado a una damita de ojos verdes más compleja que desafiaba sus emociones además de convertirle el cuerpo en una hoguera de frustración por el deseo reprimido.

Y si Helene albergaba la esperanza de tener la mínima posibilidad de reanudar la relación entre ellos, bueno pues, no había ninguna esperanza. Ninguna en absoluto. Ya no era el hombre que fuera cuando se conocieron.

Por lo demás, esa noche había cambiado todo. Él y Jane habían llegado al punto en que el arreglo entre ellos o bien era un comienzo o un final. Y puesto que no tenía la menor intención de renunciar a ella, comprendía claramente que estaba sumergido en dificultadas, con el agua al cuello.

Aunque las dificultades no lo precupaban en lo más mínimo. Al parecer, formaban parte del estilo de vida Boscastle. Pero puesto que él era el mayor de los hermanos, y el primero de los hombres que entregaba oficialmente su corazón, tendría que considerar cuidadosamente sus pasos siguientes, como pionero que era.

¿Matrimonio?

¿Por qué no?

Hacía tiempo que había comprendido que una esposa es una necesidad, pero secretamente había abandonado la esperanza de encontrarla en el círculo de sus amistades íntimas. Incluso se había hecho una vaga imagen de ella en la mente: el color del pelo, el sonido de su voz.

Y entonces apareció Jane y la imagen fue cambiando lentamente. Cobró otra forma, la forma de la mujer más contradictoria del mundo, que lo mantenía despierto por la noche, que no se parecía en absoluto a la que había andado buscando.

Pero era todo lo que necesitaba.

No era un estúpido. Había visto a muchos de sus amigos caer como moscas cuando los atacaba la enfermedad fatal.

Y ahora era él el enfermo; tenía los Seis Síntomas Mortales de un Hombre Enamorado:

1. Incapacidad para pensar derecho.
2. Una alarmante propensión a sonreír en los momentos más extraños.
3. Pensamiento constante en el objeto de su deseo.
4. Absolutamente ningún interés en otros miembros del sexo opuesto.
5. Una sorprendente buena voluntad hacia el mundo en general.
6. Excitación sexual perpetua.

Ya está. Era un comienzo entonces. La necesitaba. Ella se había abierto paso hasta su corazón, y no podría reemplazarla jamás. Lo invadió una agradable sensación de que todo estaba bien, correcto.

Abrió la puerta del dormitorio, sin tener la menor idea de que ese resumen tan claro de su situación estaba a punto de estallar en llamas.

Entró, teniendo ya todo resuelto en su mente. Ni siquiera miró hacia la figura que estaba recostada en su cama, con el fin de ahorrarle la vergüenza, y ahorrarse él el azoramiento.

—Si no estás vestida, ten la bondad de cubrirte antes que yo mire. No estoy de humor para un revolcón fortuito esta noche.

—Yo tampoco —dijo Heath, bajando los pies con botas de la cama—. Al menos no contigo.

Grayson se echó a reír, dejando la mano inmóvil sobre la impecable corbata blanca que había comenzado a soltarse.

—Comprendo que lleves el espionaje en la sangre, pero ¿es necesario tanto sigilo estando Napoleón bien seguro en su islita?

Heath cogió el par de guantes que había dejado en la mesilla de noche y se puso a examinarlos como si fueran lo más interesante del mundo. Grayson lo contempló un momento y luego continuó quitándose la corbata y el frac.

—Nunca se sabe —dijo Heath.

—Ah, comprendo. Bueno, supongo al menos que no esperarás encontrar ningún problema de esa naturaleza en esta casa.

Heath levantó la cabeza y le sonrió, con su sonrisa de niño.

—Es por la señora Cleary, si has de saberlo. Desde que el mes pasado tu ama de llaves me sorprendió posando como soldado romano para un cuadro de la señorita Summers, no he sido capaz de mirarla a la cara.

Grayson empezó a desabotonarse el chaleco. A pesar del tono bromista de Heath, algo iba mal. Lo percibía, y rogó que no fuera algo que hiciera sufrir a Jane.

—Creí que nos encontraríamos mañana en el club.

Heath se levantó y fue a sentarse en uno de los dos sillones junto a la ventana, en el que miraba a la puerta.

—Tengo que atender otros asuntos en la ciudad. Espero que no te importe.

—No —contestó Grayson, sentándose en el otro sillón, frente a él, algo confundido por ese cambio de planes. ¿Qué revelación podría exigir ese grado de secretismo?—. No me importa. ¿Te apetece una copa?

Heath bebía muy rara vez. Ofrecerle una copa era simplemente un gesto de cortesía, y Grayson vio confirmada su premonición cuando la ancha sonrisa de su hermano fue dando paso a una expresión de preocupación.

—Tal vez tú necesites una cuando yo haya terminado, Grayson.

Grayson se rascó el mentón.

—Entonces lo has encontrado. ¿Cómo estaba?

—Debajo de una sábana, cuando lo dejé.

Los ojos azules de Heath brillaban. En la oscuridad los dos se parecían más que a la luz del día, cuando la belleza masculina dorada de Grayson contrastaba con el pelo moreno y el aire de peligrosa serenidad de su hermano menor.

Grayson tardó unos segundos en reaccionar.

—Debajo de una..., Dios mío, Heath, no me digas que has matado a ese imbécil. No es que no comprenda tus motivos, pero tenía la esperanza de por lo menos obligarlo a disculparse públicamente ante Jane antes de estrangularlo.

—Está vivo. Muy vivo.

Grayson se sorprendió por el inmenso alivio que sintió. Probablemente Nigel se merecía morir, pero era un familiar.

—¿Lo viste, entonces?

Heath soltó el aliento en un resoplido.

—En carne y hueso. Y literalmente en carne, debo reconocer. He visto mucho más de Nigel de lo que uno desearía ver.

Grayson se inclinó hacia él, fascinado.

—Lo sorprendiste en el acto... debajo de una sábana, santo Dios. No me digas que estaba con un hombre.

—No.

—Entonces... no... ¿no sería con un animal o con algo tan pervertido que no se lo pueda explicar a Jane?

Heath sacó un cigarro del bolsillo de su chaleco.

—¿Recuerdas a la señorita Chasteberry?

—Es curioso que la menciones. Sólo hace unos días le estuve contando a Jane ese detalle de la historia de nuestra infancia. La Institutriz del Guante de Hierro, que convertía en gelatina a sus alumnos. Y no olvidemos su vara infernal. ¿Por qué...?

—Por lo visto continúa levantando varas.

Grayson se echó hacia atrás, divertido. Qué revelación más inesperada.

—¿Nigel se estaba follando a la institutriz de la familia?

—Para ser más exactos, se estaba follando a su esposa. O más bien, ella se lo follaba a él. No logré hacer la distinción.

Grayson se rió, inquieto.

—No te creo.

—Créeme. Vi el registro de la boda en Hampshire.

—¿Se casó con Chasteberry?

Heath sonrió, mirando su cigarro sin encender.

—Con ella, la de los miedos y fantasías de nuestra infancia. Tal vez Nigel es uno de esos hombres que siente predilección por las mujeres dominantes. Incluso hay hombres que pagan por ese dudoso placer.

Transcurrió un largo silencio. Finalmente Grayson movió la cabeza de un lado a otro.

—No tengo idea de cómo debo explicarle esto a Jane.

—Ese dramita será innecesario.

—Demonios —exclamó Grayson, irritado—. ¿Se lo dijiste a ella antes que a mí?

—Grayson, ¿tan atontado estás? ¿Tengo que explicarte todos los detalles? Por el amor de Dios, no me lo pones nada fácil. No era necesario decírselo a Jane. Lo sabe, lo ha sabido todo el tiempo. Ella y Nigel sabotearon su boda. La mayoría de las jóvenes llegarían a cualquier extremo por encadenar a un hombre. Tu Jane hizo lo contrario. Tú y tus nobles intenciones interrumpieron su ingeniosa conspiración.

—¿Conspiración?

—Eso es lo que fue. Ni Jane ni Nigel deseaban casarse; nunca lo desearon.

Grayson apartó la vista de la ventana, absolutamente pasmado, mudo, sin siquiera poder abrir la boca, por lo que acababa de revelarle su hermano. Una conspiración. Una boda saboteada. Santo cielo, una conspiración entre Jane y su primo. No podía creerlo. Aunque al mismo tiempo, comenzaba a encontrarle sentido a muchos pequeños misterios. Lógico, a Jane no la dejaron plantada. La muy bribona había estado manipulando su propia vida, y a él, todo el tiempo.

Hizo una larga inspiración, como para aplastar la furia que le quemaba el pecho. No se atrevía a hablar, no podía fiarse de sí mismo. Qué noble se había imaginado que era. Qué arrogancia y estupidez la suya al creer que su sacrificio importaría. Condenación, ¿quién era él para haber llamado bobo a Nigel? Él era el que había demostrado ser un tonto, el bobo que se dejó tapar los ojos. Una conspiración, y él había sido un peón. No, un obstáculo.

Trató de despejar la niebla roja que le embotaba la cabeza. ¿Por qué no vio las señales?, se preguntó, furioso consigo mismo. Desde el principio había sospechado que había algo raro en la situación. ¿Por qué no fue capaz de sumar dos más dos? ¿Por qué no lo adivinó?

Porque ninguna damita decente sabotearía su propia boda. Ninguna dama de la clase de Jane se atrevería. Su querido dechado de virtudes se había burlado de la sociedad, haciéndole una cuchufleta. Se había burlado de él.

¿Cuándo pensaba decirle la verdad, si es que lo pensaba?, pensó, más indignado por momentos.

¿Cuánto tiempo, hasta cuándo, habría continuado con esa farsa?

¿Acaso tuvo miedo de confesarle lo que había hecho? ¿Miedo de él? Estupendo. Debería tenerlo. Él tenía un poco de miedo de sí mismo al pensar en lo que le haría. Lo pagaría caro. Ah, cómo disfrutaría haciéndoselo pagar.

Contempló un momento la habitación y emitió una risa ronca sin humor. Perplejo por la aparente falta de reacción de su hermano, Heath cogió la caja de pedernal y cerillas de la mesa y encendió con sumo cuidado su cigarro.

Una nube de fragante humo gris azulado se elevó entre ellos cuando volvió a hablar:

—Tal vez me has entendido mal —dijo, con cautela.

Grayson lo miró esbozando una escalofriante sonrisa.

—¿Por qué lo dices?

Heath se revolvió incómodo en el sillón.

—No estarías sonriendo como un sátiro si hubieras entendido lo que te dije. Te ha estado engañando, Gray, jugando contigo, haciéndote hacer el tonto, mientras el mundo contemplaba maravillado.

En los ojos de Grayson brilló una llama, una llama de rabia. De fuego del infierno desatado.

—Eres tú el que ha entendido mal —contestó tranquilamente.

—¿Sí?

—Esta sonrisa que ves no es la de un tonto noble. —Guardó silencio, y sus largos dedos ahusados aferraron los brazos de su sillón—. Es la de un hombre planeando un castigo.

—Vamos, espera un momento —dijo Heath, alarmado—. Eso es más de lo que había esperado. ¿Es correcto castigar a Jane?

A Grayson se le desvaneció un poco la sonrisa. No volvería a dejarse manipular por un sentimiento de culpa. Había cumplido su deber, y había que ver adónde lo había llevado eso; prácticamente lo había hecho caer de rodillas al suelo, humillado.

—Hacer lo correcto fue lo que me metió en esta situación. Jane necesita que le demuestre que sé corresponder de acuerdo a lo que recibo.

—Eso lo encuentro ominoso, Gray. Toda esa tontería bíblica del ojo por ojo y diente por diente.

La mirada de Grayson reflejaba muy poca piedad. Jane lo había herido de una manera que no habría ni soñado posible.

—Él hace llover sobre justos y pecadores.

—Sí, pero esto me parece más un temporal que una simple lluvia —dijo Heath, preocupado—. ¿Qué vas a hacer, exactamente?

—Casarme con ella.

—¿Casarte con ella? —exclamó Heath, pasmado.

Grayson se rió de la expresión incrédula de su hermano.

—Después de que se lo haga pagar.

—Y ¿cómo vas a hacer eso? —preguntó Heath, cauteloso.

—Voy a jugar con ella, Heath, tal como ella ha jugado conmigo. La simple realidad es que la quiero. Amo a Jane.

Un destello de afable admiración reemplazó la ansiedad en los ojos azules de Heath. No pudo ocultar su alivio.

—¿He de colegir que esta venganza va a ser dulce? ¿Para ti, quiero decir?

Grayson cruzó sus musculosos brazos detrás de la cabeza y cerró los ojos, en actitud contemplativa.

—La seducción siempre es dulce, ¿verdad? La venganza sólo añadirá un poco de condimento a la olla.

Tan pronto como Heath hubo salido de su habitación, Grayson envió a Weed a buscar a su secretario. Era tarde; pero eso no importaba. Las mejores conspiraciones se traman a la hora más oscura de la noche.

¿Sería a esas horas cuando su ratoncita trazó los detalles de su atrevido plan?

¿Por qué lo hizo? Ya se había disipado bastante su furia inicial, lo que le permitía pensar con más claridad. ¿Por qué lo hizo?

Reflexionó un momento acerca de la respuesta más obvia. Ella y Nigel, siendo tontos jóvenes y valientes, seguían creyendo en el concepto del amor acompañado por el felices para siempre. Si ella se hubiera negado francamente a aceptar la imposición de sus padres, ellos le habrían forzado a hacerlo, le habrían buscado otro marido o la habrían desheredado.

Y Jane, con todas sus flaquezas humanas, adoraba a su familia. Así pues, de una manera inteligente pero desesperada, decidió y planeó tener la tarta y comérsela también. Pero su plan no le resultó, como suele ocurrirles a esos planes tan desesperados.

Él sería mucho más retorcido al elaborar su plan de contraataque. Utilizaría todos los medios que tenía a su disposición: legales, espirituales y financieros. Y, sí, sexuales, también, faltaría más. El engaño de ella le daba carta blanca para realizar sus fantasías más acariciadas, aun cuando ya había estado peligrosamente cerca de actuar según ellas más de una vez.

Por fin, por fin. El pícaro que vivía en él estaba nuevamente al mando. El héroe ya tuvo su oportunidad y su tiempo. Ya no se sentía desequilibrado. Qué más daba que el laberinto emocional por el que lo había hecho pasar Jane lo hubiera llevado a terreno conocido. Finalmente volvía a estar con los dos pies firmes en la tierra.

Peor para Jane.

No se le escapaba la ironía de la situación. Estaba planeando casarse con una mujer que había llevado a cabo un temerario plan para evitar la ratonera del cura, destino que él había evitado durante toda su vida adulta.

No era un estúpido. Amaba a esa condenada, no sólo a pesar de su engaño sino también, tal vez en parte, debido a él. Sí, estaba furioso con ella por jugar con él. Pero ya estaban vueltas las tornas. El juego ya no se jugaría en blanco y negro sino en todos los nebulosos matices de gris.

¿Un juego de venganza?

Tal vez un poco. Pero más que ninguna otra cosa, sería un juego de amor.

Porque presentía que si Jane fue capaz de sabotear su propia boda, no lo respetaría si él no reaccionaba en conformidad. Una mujer con su pasión por la vida, con su capacidad para planear su destino, esperaría lo mismo de su pareja. Y ¿quién, si no Jane, era capaz de igualarlo fechoría por fechoría, palabra por palabra? ¿Quién, si no ella, podía aportar al matrimonio esa avidez por la vida, esa osadía del jugador?

La deseaba, y no le quedaba otra cosa que someterse, aun cuando se negara a hacerlo con elegancia.

Había encontrado a su pareja, a su igual, pero antes de aplaudir su astucia, se divertiría un poco vengándose de ella por engañarlo. Que la sudara, y se ganara su perdón.

Lord Belshire abrió los ojos en la oscuridad, despertado por el pinchazo de una mano desconocida. Vagamente comprendió que estaba en el interior de su coche.

—¿Qué? ¿Ya hemos llegado a casa? No estaba roncando, Athena. Ni siquiera estaba...—Pestañeando miró alrededor, atónito—. ¡Sedgecroft! ¿Dónde...? ¿Qué has hecho con mi mujer?

Grayson golpeó el techo, y el coche emprendió la marcha por las laberínticas calles de Londres.

—Está muy bien en casa con el resto de la familia —contestó, y añadió, frunciendo los labios—: Incluida tu hija mayor.

—Jane —dijo el hombre mayor, sacando su reloj de oro del bolsillo de su chaleco bordado—. ¿Dónde...? ¿Adónde diantres vamos a esta hora de la noche?

Grayson se acomodó en el mullido asiento.

—A mi casa, para hacer nuestro trabajo en paz. Mis abogados y mi banquero ya están ahí esperándonos.

—Banquero..., ¿qué tipo de trabajo se hace de manera tan clandestina a esta hora de la noche? —preguntó Belshire, con voz atronadora—. Buen Dios, sinvergüenza, si has deshonrado a mi hija...

Cuarenta minutos después, lord Belshire ya comprendía a la perfección la naturaleza del «trabajo» de Sedgecroft, y a regañadientes había aceptado las cláusulas detalladas en el contrato de matrimonio que acababa de firmar. Las condiciones impuestas para el noviazgo y matrimonio eran estrafalarias por decir lo mínimo, pero también lo era el solapado engaño de Jane y Nigel a todas las personas que los querían y confiaban en ellos.

—No puedo creer que hiciera eso —masculló—. De todos modos, insisto en que no sufra a consecuencia de este acuerdo. Debes jurar ante Dios que respetarás nuestro contrato.

—No te quepa duda, Belshire —dijo Grayson, con los ojos brillantes como el hielo—. Quiero a tu hija. La amo.

—En estos momentos no puedo decir que comparta ese sentimiento. Eso no quiere decir que desee verla maltratada de ninguna manera.

—Confía en mí. Jane será bien tratada. Dentro de un año o menos, espero que te presente a un nieto.

Un destello de esperanza iluminó la cara de Belshire. Un nieto; un futuro marqués.

—Dudo de tus métodos...

—No vas a dudar de los resultados cuando los veas —dijo Grayson sin vacilar.

—Supongo que Jane está dispuesta a ser tu esposa.

—Te aseguro que sí.

—Eso resuelve varios problemas de una vez, Sedgecroft.

—Eso me pareció.

Meditando lúgubremente acerca de la solapada conspiración de Jane durante el trayecto de vuelta casa, Belshire llegó a la conclusión de que tal vez su voluntariosa hija se merecía casarse con un hombre como Sedgecroft, que tenía el mismo tipo de doblez y mente retorcida que ella. Al menos eso fue lo que intentó explicarle a su mujer cuando llegó a casa.

Athena estaba leyendo en la cama cuando él se detuvo en una pose teatral en el umbral de la puerta del dormitorio.

—Estoy conmocionado, pasmado —declaró—, total y absolutamente prostrado. Siento todo el cuerpo paralizado.

Ella dejó a un lado el libro.

—Eso es el precio que pagas por salir a beber con un hombre al que prácticamente doblas en edad. Y con eso no quiero decir que alguna vez hayas tenido la energía de Sedgecroft. Y ¿de qué quería hablar contigo, por cierto?

Él entró, cerró la puerta y se lo explicó todo. Cuando terminó, ella estaba paseándose furiosa rodeando la cama, sobre la que él ya se había desplomado.

—Y ¿has aceptado esto? ¿Pusiste tu firma en ese contrato?

—Pasas por alto el *quid* del asunto, querida. Jane nos engañó. Nunca deseó casarse con Nigel.

—¡Cómo se ha atrevido a hacer esto! —exclamó ella—. Iré a su habitación inmediatamente.

—No. Vas a hacer las maletas para que mañana cuando se levante descubra que nos hemos marchado todos. Sólo se quedarán Simon y el tío Giles, a los que les pediré que la acompañen mientras Sedgecroft lleva a cabo su... su cortejo.

Athena se detuvo al pie de la cama, cariacontecida.

—Es una maldad lo que ha hecho, sí, pero recuerda que nos suplicó que anuláramos su boda con Nigel. Y dejarla sola aquí a merced de un hombre como Sedgecroft...

—Un hombre que va a ser su marido, querida mía —dijo Howard, ceñudo—. Sedgecroft la ama a pesar de sus engaños, y creo que ella también lo ama a él. Además, ¿crees que habrá un hombre decente en Inglaterra que quiera casarse con ella una vez que se revele su conspiración?

—Bueno, siempre está Escocia o Gales —contestó Athena tranquilamente—. Y no olvides a los aristócratas exiliados de Francia.

—Te lo digo, hemos criado a una joven Medea —dijo él—. Es una suerte que todavía no nos haya convertido a todos en piedra.

—Estás pensando en Medusa. Medea asesinó a sus hijos.

—Medea, Medusa, qué más da. Sólo tú sabes la diferencia. Eso es lo que he sacado por casarme con una marisabidilla y engendrar una hija con el intelecto retorcido. Jane tendrá una condenada suerte si tiene algún hijo que asesinar.

Athena fue a sentarse en la banqueta de su tocador, ya resignada a su destino.

—Con Sedgecroft tendrá hijos, no cabe ninguna duda, e hijos hermosos además, que tendrán un montón de tíos para malcriarlos cuando ya no estemos nosotros —dijo, pensando en voz alta—. Las cosas podrían ser peor.

Howard la contempló desde la cama.

—No veo cómo, pero da igual. Se va a casar con Grayson Boscastle y ahí se acaba todo. Cómo se las va arreglar él para manejarla, no logro imaginármelo, sólo puedo desearle suerte.

—¿Jane sabe algo de esto? —preguntó ella, de repente.

—No. Y Sedgecroft desea ser él quien se lo diga. A solas.

—Qué hombre más romántico. Espero que Jane muestre sentido común esta vez.

Lord Belshire frunció el ceño. Romántico no era la palabra que habría empleado él para describir el aire de implacable resolución de Grayson cuando estaba redactando el contrato de matrimonio.

—No se parece en nada a Nigel, Athena. Jane no va a encontrar ninguna manera de librarse de esta situación, a no ser que decida quedarse solterona.

—¿Podemos por lo menos despedirnos de ella antes de enviarla a la batalla?

—Es un cortejo, no una batalla, aunque en este caso no se puede estar seguro. Y no, afortunadamente ya nos habremos marchado cuando ella se levante. Si Jane tuvo la astucia para engañarnos a todos, es más que capaz de hacer frente a Sedgecroft sola.

Capítulo 18

Al día siguiente, Jane se despertó bastante más tarde que de costumbre y al instante notó el extraño silencio que parecía envolver toda la casa. Nueve de cada diez mañanas la despertaba Miranda con su lastimosa práctica en el piano o una acalorada discusión en el corredor entre su madre y Caroline, debido al atuendo de esta última.

Cuando, después de vestirse a toda prisa, salió a investigar ese extraño silencio, la gobernanta de la planta principal la informó:

—Todos se han marchado al campo, a Belshire Hall, lady Jane. Sólo se quedó lord Tarleton, que salió esta mañana a primera hora con su tío, sir Giles, para asistir a una carrera de caballos. Dijeron que estarían de vuelta a tiempo para la cena.

—¿Mi familia me ha dejado aquí sin siquiera preguntarme si quería ir? —dijo Jane, incrédula.

—Parece que cayó enferma la prima de lady Belshire, y milady consideró innecesario que usted los acompañara —contestó la criada, con los ojos fijos en el suelo, como si se creyera esa historia tanto como Jane.

—Supongo que nadie se tomó la molestia de dejarme un mensaje —dijo Jane, irritada, girando sobre sus talones y alejándose.

Todo eso lo encontraba muy misterioso y sospechoso, y esa inquietante sensación se le confirmó cuando, por instinto, entró en la habitación de Caroline y encontró una nota escrita a toda prisa metida debajo del papel secante de su escritorio.

Jane:
Nos llevan en contra de nuestra voluntad, prácticamente maniatadas y amordazadas. Ten cuidado, el león ha elegido a su pareja.

A continuación había un feo manchón de tinta, como si Caroline se hubiera visto obligada a esconder el papel porque alguien entró en su habitación.

—Qué extraño —dijo, hablando consigo misma, sintiendo erizado el vello de los antebrazos—. «El león ha elegido a su pareja», ¿Quién...?

Pegó un salto al oír un fuerte golpe en la puerta. Era un lacayo.

—Ha llegado el marqués, lady Jane. Insistió en que subiera a llamarla inmediatamente.

—¿A llamarme? ¿A llamarme para qué?

—No se me ocurrió preguntárselo, milady.

—Es curioso..., ¿no crees que ocurre algo raro?

Sin esperar la respuesta bajó a toda prisa hasta el salón principal. Ahí estaba Grayson, de pie asomado a la ventana, muy elegante con una chaqueta de mañana azul marino, hecha a la medida, y pantalones caqui ceñidos, y dándose golpecitos en un duro muslo con su fusta de montar. Golpes, pensó fugazmente, como el movimiento de la cola de un animal que está a punto de atacar, furioso.

—Bueno —dijo, tan contenta de verlo que se echó a reír—, por lo menos tú no me has abandonado. Toda mi familia se ha vuelto loca. Parece que una prima mía ha caído enferma y mis padres se han ido al campo en una misión caritativa.

Entonces él se giró a mirarla y se le quedó atrapado el aire en la garganta. Ningún hombre tiene derecho a estar tan pecaminosamente guapo a esta hora del día, tan temprano, pensó.

Se le desvaneció la risa cuando sus ojos se encontraron con los de él, y, por segunda vez esa mañana, se le erizó el vello de los brazos, recorrida toda entera por un mal presentimiento. No recordaba haber visto esa expresión tan sombría en su cara.

—¿Te encontraste con Heath? —preguntó, con el corazón retumbándole en el pecho.

—Sí.

—Ah.

Sintió débiles las piernas y le escrutó la cara, en busca de una señal respecto a su destino.

—Lamento que la noticia no sea buena, Jane —dijo él, apesadumbrado.

—¿No?

—Parece que debes abandonar la esperanza de casarte con Nigel. Todo indica que es cierto que huyó.

—¿Adónde?

—¿Importa eso?

Ella temió que él oyera los desbocados latidos de su corazón.

—Supongo que no.

—Oye, de buena te has librado.

Qué fría y reservada se había vuelto su expresión. ¿O ella se imaginaba cosas?

—Sí.

—No lo perdonarás.

—Esto...

—Sería mejor que le olvidaras, Jane.

—Pero...

¿Cuánto sabría? La desconcertaba su actitud. ¿Tal vez se sentía avergonzado por tener que darle esa noticia?

—Él ya no importa, ¿verdad? —dijo él, tendiéndole la mano, invitándola a acercársele.

Ella sintió pasar una desconcertante oleada de calor por todo el cuerpo.

—No —dijo, mirándolo, pensando si todo podría ser así de fácil.

¿Existiría una mínima posibilidad de que él no descubriera la verdad, o de que ya lo supiera y pudieran seguir fingiendo que no lo sabía? ¿De que él se contentara con decir que Nigel ya no estaba, que la vida debe continuar y tú, Jane, eres parte de mi vida?

—Ahora ve a buscar tu capote —dijo él, en tono grave y tranquilo—. Tenemos que hacer una visita.

La misteriosa emoción que le ensombrecía la mirada desapareció antes que ella lograra interpretarla. Notaba una sutil diferencia en su actitud hacia ella. ¿Era que Heath había descubierto algo más de lo que Grayson podía decirle? No. Nadie sabía de la casa de Esther en Hampshire. Y si Grayson lo supiera no sería capaz de dominar su rabia. ¿Se sentiría culpable por lo que hicieron esa noche pasada? Se le aceleró la sangre al recordarlo, incluso mientras pensaba si ella no habría bajado en su estima.

Díselo todo. Dile toda la verdad.

«Él ya no importa.»

Agitó la cabeza, para despejársela.

—¿Qué visita? Te dije que había quedado para encontrarme con Cecily...

—Su coche está esperando, milord —dijo el lacayo desde la puerta.

—Gracias —dijo Grayson—. Tráele una capa liviana a lady Jane y espéranos fuera.

Pasado un momento, Jane se vio prácticamente arrastrada por el vestíbulo, de modo no muy suave, y no tardó en encontrarse fuera de la puerta.

—Grayson, ten la bondad de explicarme qué vas a hacer.

—Sube al coche, Jane. Te lo explicaré a su debido tiempo.

Pero continuó enloquecedoramente silencioso cuando el coche iba traqueteando por las atestadas calles en dirección a la zona comercial de Bond Street. Ella no se atrevió a hacer elucubraciones acerca de sus intenciones ni de lo que significaba su actitud meditabunda. Estaba claro que iba pensando en algo. Tal vez no tenía nada que ver con ella.

Aunque sabía que sí.

—Por lo menos dime adónde vamos.

Él la miró de arriba abajo un momento, haciéndole subir un caliente rubor a la cara.

—Vamos a ver a la modista madame Devine.

—Devine. Pero esa modista es para mujeres mundanas, cortesanas, bailarinas.

Él cerró los ojos, y su relajada postura no la engañó en absoluto.

—Sus vestidos son exquisitos —dijo.

—Lo sé —dijo ella, ceñuda—. El novio de Cecily le exigió que incluyera unos cuantos de sus escandalosos modelos en su ajuar. Ah, y eso me recuerda que, por lo menos, debo informarla de que no nos vamos a ver hoy.

El coche dejó atrás una galería de arte y se detuvo delante de una elegante tienda de ladrillo marrón, estilo georgiano, a cuya puerta esperaban dos lacayos para acompañar a los clientes al pequeño interior iluminado por velas de candelabros. Una pequeña multitud de transeúntes los observaba en silencio, con curiosidad. Dondequiera que fuera, Sedgecroft despertaba interés.

—Cecily no te echará en falta —dijo él, llevándola por delante del mostrador hacia una escalera lateral oculta—. Me tomé la libertad de notificarle que no estarías disponible. Ni hoy ni en el futuro próximo.

—¿Qué? —preguntó ella, segura de que había oído mal.

Él la llevó escalera arriba.

—El amigo de Cecily, ese personaje Armhurst, no es un acompañante conveniente para ti. Ah, Jane, perdona, pensaba pedírtelo anoche —añadió, como si acabara de recordarlo—. Supongo que este es un lugar tan privado como cualquier otro.

A ella comenzaron a latirle las sienes. ¿Qué estaba ocurriendo? Algo andaba mal. Notaba algo diferente. Su familia la había abandonado, dejándola con ese escandaloso pícaro que, aunque exteriormente actuaba con su habitual arrogancia, había cambiado, y ella aún no le había dicho...

—¿Pedirme qué? —preguntó en un susurro, al notar movimiento en el corredor de arriba.

—Que seas mi querida —dijo él y miró hacia el corredor, expectante—. Ah, ahí está madame Devine. Le he pedido nuestra sala de pruebas privada.

A ella se le resecó la garganta y estuvo un momento tratando de recuperar la capacidad para pensar que se le había perdido. Su querida. Esas dos palabras le produjeron un escalofrío. Esta vez no había forma de creer que le había oído mal. Así que a eso la había estado llevando todo el tiempo. Qué estúpida, qué ciega había sido al creer en su simulación de amabilidad y responsabilidad. Mientras ella se enamoraba de él, él había estado planeando lo que sabía hacer tan bien.

La seducción definitiva.

Bueno, ¿alguna vez le dijo que era un santo?

Y ella había seguido alegremente el mismo camino de sus otras mujeres. Paso a paso. Nadie la había obligado.

Él le sonrió, obviamente indiferente haberle roto el corazón con su indecente proposición.

—Cariño, no te sorprendas tanto. Es improbable que alguien te vuelva a hacer una proposición de matrimonio. Siendo mi amante, por lo menos tendrás satisfechas de por vida tus necesidades económicas, y las de todos los hijos que me des.

—¿Hijos? —balbuceó ella, aturdida.

Él se encogió de hombros.

—Dada la frecuencia con que haremos el amor, llegarán hijos; son una parte inevitable de la relación sexual. Siempre he deseado una familia numerosa.

—¿Ah, sí?

—Unos doce o más críos Boscastle, el comienzo de mi propia dinastía.

—Líbreme Dios de estorbar tus ambiciones reproductoras.

—Luego lo hablaremos con tranquilidad, ¿quieres?

Ella lo miró como si acabara de revelarle que era el demonio en persona, y antes que pudiera replicar en conformidad a su increíble descaro, él se volvió y continuó subiendo los últimos peldaños, silbando, sin el menor cuidado.

—Venga, vamos —añadió alegremente, mirándola por encima del hombro—. No te tendré en mi cama todas las noches. Habrá ocasiones en que tendrás que vestirte bien para atender visitas. No más gris paloma para mi pichoncita.

Sintiendo las piernas de plomo, Jane entró detrás de él en un pequeño cuarto amueblado por un biombo, dos cómodos sillones, un espejo de cuerpo entero y una mesa de palisandro, sobre la que había un decantador de cristal con jerez y dos copas, además de un rimero de muestrarios de telas y modelos.

Su querida.

Una de las escandalosas mujeres que asistieron a su boda saboteada.

Él pretendía que se convirtiera en otra Helene o señora Parks. Una mujer a la que visitaría para obtener placer sexual. Una mujer a la que le pagaría para verla en privado. Una pareja a la que abandonaría cuando menguara su interés en ella.

Deseó empujarlo escalera abajo y ponerse a saltar encima de su proposición.

Dos costureras la llevaron a situarse detrás del biombo y procedieron a quitarle eficientemente la ropa para tomarle las medidas, mientras Grayson servía las dos copas de jerez y le explicaba a la elegante madame Devine, que usaba anteojos, y a su ayudante, lo que deseaba de las muestras y modelos que le enseñaban.

—Ese no —dijo, y su risa ronca y arrogante le hizo hervir la sangre a Jane—. Demasiados botones. Soy un hombre que prefiere llevar a la mujer a la cama con el mínimo de complicaciones.

Madame Devine emitió una risita de niña tonta.

—*Mais oui*, milord. Comprendo. ¿Estas prendas de ropa interior, tal vez?

—No, la dama no necesita para nada que le realcen los pechos. La naturaleza la ha dotado con todo lo que puedo manejar.

—Ah, bueno, entonces, ¿este de satén rosa?

—Ah, sí. Y el de encaje negro también.

La ayudante de madame Devine exhaló un suspiro.

—Muy, muy bonito debajo de un vestido de baile.

—¿Qué vestido? —preguntó él—. Pensé que los podría llevar sin nada más encima.

La mujer se ruborizó.

—¿Estos corsés con las cintas de lazos, milord?

—¿Para qué molestarse? Prefiero el tacto natural de la piel femenina.

Ante esa declaración, la ayudante se levantó a abrir una ventana; se había acumulado tanto vapor en el aire que los anteojos de madame estaban empañados. Ese era un hombre en una misión muy perversa, en realidad.

Jane asomó la cabeza por un lado del biombo y lo miró indignada.

—Creo que ya basta de tonterías, Grayson.

—Jane, ¿de veras quieres negarme el placer de gastar mi dinero en ti? —preguntó él, plácidamente.

Ella vio que las costureras alertaban los oídos ante esa pregunta.

—Grayson —contestó—, no soy una idiota total. Puedes gastar en mí hasta arruinarte. —Hizo una pausa para dar más efecto—. Pero no te prometo nada a cambio.

Él la miró esbozando una enloquecedora sonrisa.

—Famosas últimas palabras, querida mía. Lo pasaré tan bien quitándote estas prendas como comprándolas. Ahora enséñeme lo que tiene en la seda más vaporosa —le dijo a la modista, volviéndose a acomodar en su sillón—. Algo que me permita ver a través. Sí, esos calzones con la rajita son muy bonitos.

Jane sintió arder las mejillas y su azorada mirada se encontró con los ojos envidiosos de las costureras en el espejo. Era un pícaro granuja hasta la médula de los huesos.

Y se lo dijo, tan pronto como las cuatro aturulladas mujeres los dejaron solos para discutir los detalles de su guardarropa.

—¿Estás totalmente loco? —le dijo, cogiendo la copa de jerez que él le ofrecía mirándola con una inocente sonrisa.

—Quiero cubrir de regalos a mi querida —dijo, en tono dolido—. ¿Qué hay de malo en eso?

—Sólo que yo no he aceptado nada de esto —dijo ella, entre dientes—. Mi padre se va a poner lívido de furia.

Él observó atentamente la copa que tenía en la mano.

—Encanto —dijo amablemente—, tu padre es un hombre de mundo. Lo comprende.

—¿Cómo es posible que digas algo así?

—Porque anoche él y yo hablamos largo y tendido acerca de tu futuro —contestó él, moviendo a un lado y otro la cabeza—. Sí, al principio se resistió, pero ganó la lógica.

—No te creo. Mi padre se moriría de vergüenza si creyera que yo...

—Tu familia ya se está muriendo de vergüenza, cariño. Hay que enfrentar la realidad. Tu periodo de jovencita casadera ya se acabó.

—No se ha acabado.

—Pues sí —insistió él—. Nadie se va a casar con mi querida.

—No acepto esto.

—Pues, lo aceptarás. —La miró malicioso—. ¿Recuerdas lo de anoche? Ya te he hecho subir hasta medio camino del cielo. Una persona en tu situación debe ser práctica. Esta es la solución más sensata para tu problema.

Ella bebió otro ardiente trago de jerez, tentada de golpearlo en la cabeza con el decantador.

—No deseo ser una mujer mantenida —borboteó, tosiendo.

Él reaccionó esbozando una sonrisa indulgente.

—¿Qué deseas?

—Deseo... bueno, supongo que deseo amor.

—¿Amor? —repitió él, divertido—. Tss, tss. Pídeme un arcón lleno de diamantes, o una mansión palaciega. Un barco cargado de sedas.

—No tienes por qué hacerlo parecer una obscenidad. —Se levantó bruscamente y se mareó, por el potente jerez y la proposición de él—. Algunas personas se enamoran, Grayson.

—¿Sí? —Se levantó también, gigantesco ante ella—. Ah, había olvidado tu profundo amor por Nigel. Confío en que con el tiempo vaya menguando tu afecto por él.

Involuntariamente ella retrocedió un paso.

—Anoche te dije que no lo he amado nunca.

—Entonces, ¿eso deja algo de espacio para mí en tus afectos? —preguntó él sin vacilar.

Ella lo miró fijamente, y se le revolvió el estómago al detectar la tranquila burla en su voz.

—De repente me siento indispuesta. ¿Me harías el favor de llevarme a casa?

La oscuridad que vio en las profundidades de esos ojos azules la hicieron pensar en nubes de tormenta.

—Por supuesto, Jane. Complacerte y protegerte son parte de nuestro trato.

Heath arqueó las cejas cuando Grayson terminó de contarle los detalles de esa mañana, estando los dos solos en su despacho.

—En resumen, me parece que todo fue bastante bien.

—No puedo creer que la hayas llevado a la tienda de Devine. A plena luz del día. Y ¿su reputación?

Grayson lo miró tratando de quitarse de encima un leve remordimiento.

—¿Qué pasa con su reputación? Mi primer objetivo era protegerla del daño causado a su reputación por el ficticio abandono de Nigel. Pero a ella no le importó nada su reputación cuando elaboró su plan.

—Pero la alta soc...

—Jamás me ha importado la opinión de la alta sociedad —interrumpió Grayson—. En todo caso, bien está lo que bien acaba. Una vez que nos casemos, se acabarán los cotilleos. Es increíble cómo el santo matrimonio restablece el honor.

Heath logró esbozar una triste sonrisa.

—¿No se te ha ocurrido que algo podría ir mal siguiendo ese razonamiento?

Grayson se quedó contemplando el rimero de cartas que tenía sobre el escritorio, descartando la advertencia de su hermano.

—Tengo un contrato legal de matrimonio firmado por su padre. ¿Se enfadará Jane cuando lo sepa? Tal vez. Pero al final comprenderá que no tiene otra opción. Y de verdad creo que me ama.

Heath exhaló un suspiro, preocupado.

—Bueno, ciertamente espero que sepas lo que haces. Y que nada salga mal en este juego.

Grayson levantó la vista y miró la cara preocupada de su hermano.

—Nada saldrá mal. Como has dicho, es un juego, y no lo llevaré demasiado lejos. Unos pocos días a lo sumo. ¿Qué podría ir mal?

Tres horas más tarde, en su dormitorio, Jane suplicó a Simon en un susurro:

—Dile que estoy terriblemente enferma. Dile que tengo una fiebre espantosa. Que tengo la peste. La malaria, el cólera, las viruelas.

Simon le tocó la frente, preocupado.

—Se lo dije. Envió a Weed a consultar a su médico para pedirle consejo. Ha estado esperando aquí toda la tarde.

—¿Toda la tarde? —preguntó ella, con la voz ahogada por el terror—. ¿Grayson ha estado en nuestra casa tanto tiempo?

—Estuvo jugando al billar con el tío Giles. Ese hombre está decidido a tenerte. —Titubeó, totalmente desconcertado, sin saber qué hacer—. ¿Qué has hecho, Jane? Sé que estás en un lío terrible por algo.

Ella se cubrió la cara con las dos manos.

—No me lo preguntes. No puedo decírtelo. No puedo explicarlo. Es un lío espantoso que he causado yo misma.

—Entonces no puedes esperar que yo te ayude —dijo él, más desconcertado aún.

—De todos modos, no podrías hacer nada.

—¿Estás segura? Jane, ¿no estás..., no estás embarazada?

—Vamos, Simon.

—Bueno, entonces no es tan terrible, ¿verdad? —dijo él, esperanzado.

—Me he cavado mi propia sepultura. Es peor que terrible.

—Sedgecroft es un hombre poderoso. Tal vez ya tenga una solución.

—¿Es que no entiendes nada? Mi problema «es» Sedgecroft. Quiere que sea su querida. Sí, Simon, me lo ha pedido esta misma mañana.

Él bajó la vista y la clavó en el suelo, y se le puso roja la cara de rabia.

—Supongo que todo esto es por culpa de Nigel —dijo, incómodo—. Podría matar a ese idiota. ¿Qué vamos a hacer?

Lo que Jane quería hacer era esconderse debajo de las mantas y simular que nunca había iniciado ese desastre.

—Eres mi hermano —dijo, desesperada—. Sabes qué haría mi padre en tu lugar. Oblígalo a marcharse.

La expresión de Simon fue de tal consternación ante la idea de enfrentar a un personaje como Sedgecroft, que Jane se habría echado a reír, si no hubiera deseado morirse.

Entonces Simon desvió la mirada y ella comprendió que había perdido a su último defensor.

—Ese es el problema —dijo él entonces, tragando saliva—. Por mucho que yo quiera plantarle cara al marqués, mi padre me dejó órdenes explícitas de que no estorbara de ninguna manera este cortejo. Es extraño, ahora que lo pienso.

—¿Cortejo? —exclamó ella—. Esto no es un cortejo. Esto es Wellington tomando Toulouse, los campesinos franceses tomando la Bastilla, los... —Palideció, todo el color abandonó su cara—. ¿Quieres decir que mi padre no pone ninguna objeción a que yo me convierta en la querida de Sedgecroft?

—Ah —dijo una voz profunda desde la puerta—, nuestra enferma está lo bastante bien para discutir. Hay esperanzas para ella, entonces.

Jane se encogió debajo de las mantas, sintiendo que esa aterciopelada voz de barítono le penetraba hasta los huesos.

—Grayson, esto es muy indecoroso. ¿Qué haces en mi habitación?

Él entró y fue a situarse al lado de la cama; su rostro masculino toda una máscara de solícita preocupación.

—Simon tardaba tanto en volver que empecé a temer que hubieras empeorado. Debo decir que tienes mejor cara de lo que esperaba, Jane.

—También me lo pareció a mí —dijo Simon, echando otra palada de tierra en la sepultura cavada por Jane—. En realidad, en ningún momento he creído que tuviera algo grave... —Se interrumpió al ver la mirada enfurruñada que le dirigía Jane—. Aparte de la fiebre, claro.

—Déjame ver —dijo Grayson inclinándose y poniéndole la fresca mano en la frente, con sus ojos azules perforándole los suyos—. Ay, Dios.

Ella sintió una traicionera oleada de placer con su conocido contacto.

—¿Ay Dios, qué? —preguntó, desconfiada.

—Estás bastante caliente. —Se inclinó otro poco y le dijo en un suave y seductor murmullo—: ¿Es fiebre, o estás pensando en lo que hicimos anoche?

—Vete —susurró ella—. Mi hermano nos está mirando.

—¿Le pido que se marche? —susurró él.

—Eres tú el que debes marcharte —logró balbucear ella—. ¿Simon?

Simon se aclaró la garganta.

—¿Qué dijo tu médico sobre su enfermedad, Sedgecroft?

—Bueno, que sin haberle hecho un examen completo, lo mejor que podía aconsejar era o bien una sangría o unos días de vacaciones junto al mar.

—No me voy a someter a una sangría —dijo Jane, estremeciéndose de repugnancia.

Grayson se enderezó y con la vista recorrió toda entera su figura acurrucada.

—Y eso le dije. Y por eso he organizado las cosas para una estancia en mi villa de Brighton. Nos marchamos mañana a primera hora.

—Bueno —dijo Simon, sin ver las desesperadas miradas de su hermana—. No hay nada como el aire de mar para revivir el espíritu.

—Pero lo que vamos a hacer será ir a reunirnos con la familia en Belshire Hall —dijo Jane, casi chillando—. Unos días de vacaciones no planeados son tentadores, pero no prácticos.

Grayson la miró con un brillo de impía resolución en sus ojos.

—Tratándose de tu salud, Jane —dijo en tono dulce, pero férrea resolución—, no vamos a correr ningún riesgo. Insisto en que pases unos días junto al mar. Me niego a permitirte que vayas al campo.

—Bien por ti —dijo Simon; estaba claro que era de la opinión de que debía mantenerse la paz a cualquier precio—. Jamás hace caso de mis consejos.

Jane se sentó lentamente, sin dejar de mirar a Grayson a los ojos.

—¿Me vas a obligar?

Él curvó los labios en una leve sonrisa.

—Si es necesario. Le he prometido a tu padre que te protegeré en lugar de él. Descuidaría mi deber si no me tomara en serio esta enfermedad tuya.

—De repente me siento mucho mejor —dijo ella, con forzada cordialidad.

Él negó con la cabeza.

—La tensión nerviosa por lo que has sufrido últimamente, al final se ha cobrado su precio, Jane. Tal vez no te conviene continuar en Londres.

—¿Sugieres que me refugie en un escondite?

—No podemos permitir que languidezcas en la cama y te engordes, mi pichoncita.

—No quiero ir —dijo ella entre dientes, recalcando cada palabra.

—Necesitas unos días de vacaciones, Jane. Yo te llevaré por el paseo marítimo empujándote en la silla de ruedas de los baños junto con los demás hipocondríacos.

—Vaya oferta más tentadora.

—Cabalgarás en burro, entonces.

—Sé quién será ese burro.

Él sonrió.

—Podrías disfrutar bañándote y restregándote con las algas de la playa.

—Podría disfrutar estrangulándote con ellas.

—Le ordenaré a una criada que te ayude a hacer el equipaje —dijo Grayson en voz baja, desafiándola con la mirada.

Ella no apartó la vista, pensando si la primera mujer que cayó víctima de los Azules Boscastle se sentiría como se sentía ella en ese momento. Porque si bien estaba espantada por lo que le había propuesto, en el fondo de su corazón deseaba ir dondequiera que la llevara ese hermoso demonio. Deseaba estar en sus brazos, entregarse a él, ser la mujer que él deseaba. Tontamente se había enamorado de esa ilusión de que se convertiría en su protector.

—Tu ofrecimiento es muy generoso, Grayson —dijo al fin, en un último intento de resistírsele—. Pero no puedo ir de vacaciones sola contigo.

Él arqueó sus tupidas cejas, sorprendido.

—Claro que no. El tío Giles y Simon estarán allí en nombre de la decencia.

Guardó silencio y su endemoniada sonrisa la informó de que la decencia era lo último que tenía en la mente.

Sí, era cierto, todo había cambiado entre ellos. Él había planeado eso hasta el último deshonroso detalle. Sobre él había descendido una calculada frialdad, una objetividad que indicaba peligro. Sí, estaba tan encantador y atento como siempre, pero debajo de esas cualidades dejaba ver la astucia de... de un animal de la selva esperando el momento oportuno para arrojarse sobre su presa.

¿Se había imaginado toda esa amabilidad, esa amistosa afabilidad que lo hacían tan irresistible a una mujer? ¿O fue su conciencia culpable la que le embotó la capacidad para ver? Su vida había tomado un horroroso desvío del camino de la decencia y el viaje de vuelta sería oscuro y difícil. Tal vez imposible. Tal vez incluso lo disfrutaría.

—No es posible, ni decente, en realidad —dijo, con más valor—. Una mujer sola con tres hombres, aun cuando dos sean familiares suyos.

Su sonrisa paternalista la hizo sospechar que él iba adelantado dos pasos en el juego.

—Jane, me conoces muy bien para pensar en eso. Naturalmente le he pedido a Chloe que nos acompañe.

—Y ¿ella aceptó?

—Sí.

Aún cuando conseguirlo le costó dos horas de amenazas y lágrimas, pensó cínicamente, y la aceptación llegó gracias a la conclusión de Chloe de que su presencia en Brighton podría ser el único consuelo para Jane en su desgraciado destino: una seducción Boscastle. Claro que ni Chloe ni ningún otro se entrometería en la lección que pretendía darle a su amada engañadora. Él simplemente preparaba el escenario con los adecuados apuntalamientos. Ah, con qué ilusión esperaba esas vacaciones.

—Por supuesto que Chloe aceptó —continuó—. Ha llegado a disfrutar de tu compañía tanto como yo. —Se dirigió a la puerta, teniendo ya todo muy claro—. Esto me irá francamente bien —añadió de improviso—. De esa manera os puedo vigilar a las dos.

—Quieres decir tenernos dominadas a las dos, ¿verdad? —gritó Jane a su espalda que se alejaba.

Capítulo 19

Pasar un día entero de viaje encerrada en un coche, traqueteando por el camino a la costa con Grayson, Simon, el tío Giles y Chloe no coincidía exactamente con la idea que tenía de una experiencia relajadora, por muy buenas ballestas que tuviera el coche. Los hombres no paraban de hablar de carreras de caballos con obstáculos y reformas parlamentarias. Chloe se negaba a hablar con su hermano, e incluso a mirarlo, y la utilizaba a ella como medio de comunicación.

Cuando pararon en Cuckfield para almorzar ya nadie hablaba, de modo que al anochecer, el grupo que bajó del coche en la villa estilo georgiano de Grayson, situada sobre una terraza con vistas al mar, estaba silencioso y con las piernas agarrotadas.

En receloso silencio, Jane contempló la hermosa casa de tres plantas. La elegante fachada de ladrillo rojo impresionaba los ojos tanto como su dueño. Sin embargo, ¿qué sorpresas contendría en su interior? ¿Qué descubriría detrás de esas puertas cerradas acerca del hombre al que amaba? ¿Qué descubriría acerca de sí misma?

Los acompañantes se dispersaron tan pronto como entraron en el vestíbulo con pilares de mármol y elevado cielo raso adornado con molduras barrocas en yeso. Chloe subió a ence-

313

rrarse en sus aposentos, mascullando que deseaba bañarse en el mar y una copa de clarete. Simon y el tío Giles salieron inmediatamente a caminar por el paseo marítimo hasta avanzada la noche, con la esperanza de encontrarse con viejos amigos.

Jane y Grayson se quedaron solos, tal como sin duda él había planeado. Y tal como ella había esperado secretamente, si quería ser sincera consigo misma.

—Bueno —dijo, admirando un jarrón Ming que descansaba sobre un pedestal en un rincón, con el fin de aparentar que no sentía hormigueos de expectación—. Hemos llegado. ¿Vendrá Heath a acompañarnos?

—La verdad es que no lo sé —contestó él, observándola desde las sombras, divertido por sus intentos de evitar lo inevitable—. ¿Te sentirías mejor si él estuviera aquí?

A ella le latía desbocado el corazón.

—¿Por qué habría de sentirme mejor?

Él se le acercó y la cogió en sus brazos, musitando:

—Mi hermano tiene un extraño efecto en las mujeres. Algunas se sienten atraídas por él. Otras lo encuentran bastante amedrentador. Jane, cariño, ¿es posible que me tengas miedo?

¿Miedo? Sólo de perderlo, de estropear su vida.

—He empezado a pensar que no te conozco en absoluto, Grayson —dijo, con voz apagada.

—¿No he demostrado que soy tu amigo? —preguntó él, subiendo una mano por su espalda hasta la nuca y acariciándole con el pulgar la sensible parte detrás de la oreja.

La caricia le hizo subir calor a la piel.

—Supongo que eso depende de la definición que cada uno dé a la palabra amistad.

—Vamos, Jane —dijo él con voz ronca, sardónica—. Siempre con la guardia alta. —Y le sopló suavemente en la oreja.

—Al parecer mi guardia me ha fallado —dijo ella, con una vocecita débil.

—Entonces tal vez la línea de conducta más juiciosa... más placentera, es la rendición.

—Y ¿después? —preguntó ella, con el aliento retenido.

—No lo sé. ¿Para qué estropear la sorpresa? —preguntó alegremente—. Supongo que tendremos que obedecer a nuestros instintos y dejar que los dados caigan donde puedan.

Ella tragó saliva para pasar el nudo que tenía en la garganta.

—Hay algo más en juego de lo que crees. Al menos para mí.

—Pero es muchísimo el placer que se ganará.

—Para.

Él se encogió de hombros, como si fuera impotente.

—No puedo parar. No quiero parar. No pararé hasta que seas mía de todas las maneras posibles.

Ella se estremeció por la reacción, a su pesar.

—No es así como yo lo deseaba.

—¿Siempre podemos elegir en nuestra vida, Jane?

—Eso esperaba —repuso ella, con la voz casi inaudible—. Sin embargo, tal vez no siempre.

—¿Aceptarás mi proposición? —susurró, empezando a desabrocharle los botones de la espalda con una mano, acariciándosela y bajando por su columna.

Su farsa casi había llegado a su fin, pensó. No atormentaría mucho tiempo más a su intrigante bienamada, y aprovecharía al máximo el tiempo que le quedaba. No debía llevar muy lejos su lección. Cada vez que miraba sus hermosos ojos verdes sentía menguar un poco más su rabia. Muy pronto se acabaría del todo. Harían las paces mutuamente.

—¿No me amas ni un poquito, Jane?

Ella le sostuvo la mirada, con los ojos nublados por la emoción.

—Sabes que sí —contestó con voz clara—, si no, no estaría aquí.

En esa respuesta al menos, él sabía que era sincera. Ya conocía bien a Jane. Conocía sus miedos secretos, su astucia, conocía la clave de sus deseos. Y por un instante dudó del beneficio de continuar la farsa. Ella lo había engañado, sí, pero también se había enamorado de un impostor.

Él no era el salvador que dijo ser cuando se presentó. No era un héroe, pero la amaba. La amaba con una desesperación tan inmensa que hacía entrar sus fuerzas y sus debilidades en el juego.

Y al final, serían el uno del otro. Muy pronto acabaría el juego y comenzaría su futuro como marido y mujer. Ella comprendería que no podría volver a engañarlo. Y que no necesitaba engañarlo.

Comprendería que podía confiar en él, no sólo confiarle sus secretos, sino también su vida. Toda la pasión y la capacidad de amor de cada uno la centrarían el uno en el otro.

—Ven a mi cama, Jane —le rogó.

Esa impaciencia no formaba parte de su plan, pero no podía esperar ni un momento más. La deseaba tan intensamente, había soñado con eso tantas veces que quería saborear cada momento. Le deslizó la mano por el cuello hasta introducir los dedos en el profundo valle entre sus pechos.

—Vamos. Deja tu dignidad en la puerta.

—¿Qué dignidad me queda? —preguntó ella, en un susurro.

—Sé indigna conmigo —le dijo en broma.

Ella cerró los ojos, pensando. Cómo había llegado a eso, no sabría decirlo. Había cometido un error, tomó un camino equivocado en su deseo de tener un amor elegido por ella. Se había marcado como una proscrita. Y ¿qué había sido real en el galanteo simulado de él, si es que había sido algo? ¿Sólo el deseo, el deseo mutuo? Seguro que tendría que haber algo más...

—Sé tu ser más desenfadado, Jane —dijo él, interrumpiendo sus pensamientos—. No he visto todos tus lados, ¿verdad?

—¿Qué... qué quieres decir?

—Hay otra Jane en el fondo de ti, ¿verdad?

—Tú sí que estás mostrando tus verdaderos colores —replicó ella—. Como en el negro, más negro. Y más negro.

Riendo él la llevó retrocediendo hasta la escalera y comenzó a subirla, su risa ronca y seductora. Muy pronto ella estaría riendo con él. Se reirían el uno del otro, tal vez después de una apasionada pelea. Sería agradable volver a ser él mismo con ella.

—¿Sí o no, Jane? He estado soñando con las maneras de poseerte. Me moriré de cierto si me dices no.

Ella se sintió como si de repente todo el espacio estuviera en llamas. Fuego. Había fuego por todas partes. En el contacto de sus labios en su garganta, en el aire que respiraban; el fuego le subió por las piernas, le saltó al vientre, a las yemas de los dedos. Qué amedrentador amar así. Qué emocionante, qué fascinante. ¿Qué quedaría de ella después de esa noche?

—Sí —musitó, echándole los brazos al cuello para besarlo y llenarse de él. No había otra respuesta—. Sí.

Los dos estaban ardiendo de deseo, de necesidad.

El dormitorio de él era enorme y penumbroso, el cielo raso de yeso también estaba adornado con molduras barrocas. Unos candelabros con dos velas y una figura en espiral montados en la pared proyectaban misteriosas sombras en la mullida alfombra persa, y por las ventanas abiertas entraba una húmeda brisa que soplaba del mar, agitando las cortinas. La colcha de seda estaba seductoramente doblada hacia el pie de la cama dejando a la vista las fragantes sábanas aromatizadas con lavanda.

Jane ya estaba jadeante de excitación cuando él la depositó en la cama y la desvistió con una pericia pausada que podría haberla ofendido pero que sólo le aumentó más la excitación. Estaba ansiosa de placeres de los que ni siquiera sabía el nombre. Se echó hacia atrás apoyada en el otro brazo de él, abriéndose a él, invitándolo.

El corazón se le aceleró mirándole la delgada cara. Nunca se había sentido más vulnerable ni más hermosa que en ese momento, en que él estaba contemplando su cuerpo sin molestarse en disimular su deseo. Cuando él terminó su exploración visual, se sintió como si la hubiera examinado palmo a palmo y encontrado deseable.

—Eres perfección pura, Jane —dijo él, con la voz tan ronca que era casi desconcertante. Le acarició la mejilla—. Créeme. Confía en mí, Jane.

Se sintió hechizada por su voz, ansiosa de que la acariciara. Cuando él subió a la cama, el corazón se le aceleró y sintió acumularse el líquido del deseo en la entrepierna. Entonces él la besó, profunda, largamente, hasta que ella empezó a moverse debajo de él. El deseo que sentía hervir en su interior aumentó hasta casi hacerse insoportable.

—Confía en mí, Jane —repitió él, y sólo un tiempo después ella recordaría el leve tono apenado de su voz.

—Confío en ti —contestó, cayendo en la cuenta de que era cierto—. Nunca he confiado tanto en nadie.

Él se inclinó aun más sobre ella. Con los ojos ardientes, intensos, le bañó de suavísimos besos la cara, la garganta, los pechos y siguió bajando por el vientre hasta llegar al triángulo púbico. Gimiendo de placer, le separó los muslos y frotó la mandíbula en su nido de rizos. Era un león; su amante.

Se le arqueó sola la espalda con la potencia de ese acto prohibido. Él le separó los hinchados pliegues de la vulva con la lengua y buscó el pequeño botón hasta encontrarlo.

—Grayson, no puedes...

—No puedes negarme esto, Jane.

En la penumbra de la habitación él era como un desconocido, su seductor; no el hombre en el que había llegado a confiar, sino un libertino cuya única finalidad en la vida era el placer, que hacía un pausado rito de la seducción. Pero incluso como un desconocido, ella no era capaz de resistírsele. Su corazón lo conocía, sabía su nombre, y su cuerpo respondía a su pericia.

Tal vez su voz le sonaba más profunda, más ronca, diferente. Pero ella lo deseaba desde el día de la boda boicoteada. Ese día ya se había sentido atraída por su potente masculinidad, y había que ver adónde la había llevado esa atracción. Descubrir la ternura y amabilidad que había debajo de su atractivo sensual la había llevado a la perdición. Ya era incapaz de resistirse a su crueldad.

—No puedo creer que estemos haciendo esto —musitó, cuando su cuerpo comenzó a reaccionar, arqueando las caderas, y sintió la necesidad de acariciarle los ondulantes músculos de los hombros.

—Creo que esto es el progreso natural de una relación entre hombre y mujer —dijo él en voz baja, ronca.

Ella olvidó lo que fuera que iba a decir cuando la vibrante tensión de su vientre llegó cerca de la cima. Inundada por el placer, gimió, mientras él aprovechaba su desatada sensualidad para introducirle la lengua lo más al fondo posible.

Era un absoluto placer, dicha, humillante y estimulante a la vez, aunque no suficiente para ninguno de los dos. Ahogó otro gemido cuando se sintió como si el cuerpo se le dividiera en trocitos, y se quedó inmóvil entre los brazos de él. Durante todo un minuto no logró abrir los ojos, y comprendió que él había demostrado su poder sobre ella de la más elemental o primitiva de las maneras.

—Progreso natural y un cuerno —musitó hacia la oscuridad—. Casi me has convencido de que planeaste todo esto desde el principio.

—Qué retorcido sería yo si hubiera hecho eso —dijo él, riendo, con una risa ronca—. Siempre hemos sido sinceros el uno con el otro, ¿verdad?

Ella no podía contestar a eso. Abrió los ojos, con el corazón todavía desbocado, mientras él se desabotonaba lentamente la camisa y la bragueta de los pantalones. Su silueta desnuda le calentó la sangre, como si hubiera estado durmiendo demasiado tiempo al sol. Lo contempló, bajando la mirada por sus musculosos pecho y vientre, hasta la entrepierna, donde se levantaba su miembro hinchado y duro. Volvió lentamente la mirada hasta su cara, sin saber muy bien en qué se había metido. Sólo sabía que lo deseaba, que deseaba que eso pudiera ser para siempre su destino.

A él le brillaban los ojos azul plateado en la penumbra. Ella ansió sentir lo que veía en esas humosas profundidades, la satisfacción de sus deseos secretos. Él tenía su corazón en sus perversas manos. Ocurriera lo que ocurriera esa noche, ella participaría con todo su ser. Nunca sería una mujer que pudiera separar su sexualidad de su ser más profundo.

—Grayson —musitó—, algún día alguien va a domar esa arrogancia.

—Tal vez seas tú —le dijo en broma él.

—Tal vez.

—Creo que me gustaría eso, Jane.

—Ansío ese día.

—Eso exige práctica.

Ella lo miró fijamente, pensando cómo era posible que él la cautivara y enfureciera al mismo tiempo.

—¿Sí?

—Meses y meses de práctica —dijo él, travieso—. A no ser que demuestres poseer un talento natural, y yo sospecho que lo tienes.

Ella sintió calor en el cuello y los hombros.

—¿Te enseño cómo se hace? —le preguntó él, en un ronco susurro.

Ella reprimió un estremecimiento, sintiendo el cuerpo más que dispuesto para lo que él le prometía.

—Sí, por favor.

Él bajó el cuerpo hasta quedar encima de ella. Por instinto ella presionó los pechos contra el duro plano de su pecho. Él se estremeció ante el contacto, metió las manos bajo su espalda y las bajó hasta las nalgas, palpándoselas, apretándoselas suavemente; volvió a subirlas y a bajarlas deslizando las yemas de los dedos por la curva de su columna y nuevamente ahuecó las palmas en sus nalgas siguiendo con los dedos el contorno de la base en forma de corazón. Y así continuó acariciándola toda entera con las manos, tomando posesión.

—Dámelo todo —le susurró—. Lo quiero todo.

Afirmándose en un costado, la estrechó en sus brazos. La sensación de su musculoso cuerpo apretado al de ella la inundó de anhelo. Se arqueó, apretándose más a él, ansiosa de más contacto. Estremecida de expectación, sintió vibrar su pene erecto en el vientre. Sin poder controlar el instinto, bajó las manos hasta tocárselo y cerró las yemas de los dedos alrededor del sedoso y duro miembro. Gimiendo, él se apretó más a ella.

—Tócame así y estaré domado —musitó.

—Ojalá fuera cierto eso —susurró ella—. Creo que siempre serás un salvaje en el fondo de tu corazón. Me costará un horror domarte.

Estaba equivocada, pensó él. Ella no sabía lo que él sentía; no sabía cómo le había cambiado la vida, lo vacío y superficial que era su mundo antes de conocerla. No sabía que sólo en sus manos, con su contacto, se podía amansar. Con ella se sentía hechizado, extasiado, duro como hierro; el deseo era tan intenso que le dolía, estaba tan excitado que casi había olvidado el papel que debía representar. No, ya no podía haber nada de representación; su amor por ella era demasiado real.

—Estoy loco por ti, Jane —musitó.

Ella ya no podía contestar, entregada, rendida totalmente al instinto.

Él le subió la mano derecha por la cadera hasta el pecho y con el pulgar le frotó los rosados pezones hasta que la inundó un cegador placer y arqueó el cuerpo para apretarse a él; con la otra mano le acarició la sedosa piel del interior de los muslos hasta que ella se abrió de piernas con la entrepierna brillante de perlas de humedad.

—Grayson —dijo, con la voz ahogada—, no estoy preparada...

—Ah, sí que lo estás —musitó él.

Diciendo eso enredó los dedos en el rizado vello mojado y la acarició ahí con una magia que le produjo salvajes estremecimientos por dentro. Cerró los ojos, drogada por el placer, tan enamorada de él que le era imposible refrenar sus instintos. Entonces él le introdujo un dedo en la vagina y ella sintió subir la ardiente sensación hasta la base de la columna.

Seducción, pensó. El simple roce de las yemas de sus dedos le hacía arder la piel como un hierro para marcar. Ella se estaba derrumbando mientras él continuaba fuerte, seguro de sí mismo, un hombre que se deleitaba en el arte de la sensualidad. Hundió la cara en su fuerte hombro; la promesa de placer carnal que vio en su sonrisa la hizo ruborizarse hasta el alma.

—Es placentero, ¿verdad? —murmuró él, introduciéndole otro dedo en el estrecho pasaje, con los músculos de la mandíbula tensos.

Ella gimió y se movió apretándose contra su mano, respondiendo sin palabras.

—Sabía que eres un demonio —dijo entonces.

—No tienes idea de lo diabólico que soy —dijo él riendo, y el ronco sonido le vibró en el pecho—. Pero lo descubrirás. Esta noche nos haremos cosas muy, muy inicuas.

Ella levantó la cara para mirarle el cincelado perfil.

—¿De verdad crees que soy inicua?

—Por supuesto, Jane. Toda mujer lo es, si se le da la oportunidad.

Ella no pudo dejar de reírse.

—Qué cosas dices, convirtiendo el vicio en una virtud.

—Bueno, desde mi punto de vista lo es.

—Detesto que seas tan experimentado.

—Y a mí me encanta que tú no.

Pero, la verdad, igual podría estar haciendo el amor por primera vez, pensó. Casi no lograba recordar todas las técnicas que había aprendido hasta dominarlas, ni a las amantes que se las habían enseñado, y sin embargo sentía más afinados que nunca sus instintos, enfocados totalmente a dar placer a esa mujer. Sentía latir el corazón como un tambor de guerra, por el deseo de poseerla.

Todo había resultado tal como lo planeara, a excepción de la inesperada erosión de su autodominio, la intervención de sus emociones. Pero Jane era Jane, incluso en el momento de su caída moral; prácticamente volviendo las tornas y haciéndolo dudar de quién de los dos saldría victorioso en ese juego. Pero la posibilidad de derrota, por remota que fuera, sólo lo estimulaba.

Pero él ganaría esa batalla. Se haría dueño de su cuerpo, la marcaría como suya, la haría suplicarle que le diera más. Movió más rápido los dedos y sintió en ellos las contracciones de sus delicados músculos al acercarse al orgasmo. Cuando la inundaron los estremecimientos de placer, ella le rodeó el cuello con los brazos y amoldó su cuerpo al suyo, una seductora por derecho propio en toda su gloria. La observó disfrutar con todo su desenfado. La intensa ternura por ella que lo invadió lo hizo sentirse humilde. Nunca antes había participado su corazón cuando hacía el amor.

Entonces posicionó la punta del pene para penetrarla, dejando anidados los testículos más abajo. A ella se le tensó todo el cuerpo ante la invasión, por lo que él trató de hacer más lenta la penetración, susurrándole palabras tranquilizadoras y deslizando sus grandes manos por debajo de sus caderas para afirmarla.

—Jane —susurró con la voz ahogada—, ríndete a mí.

Ella le estrechó más fuerte el cuello. Sentía enorme su miembro adentrándose en ella, ensanchándola, en un rito de placer y dolor.

—Eso intento —logró musitar.

Él la penetró un poco más, su deseo y necesidad implacables.

—Te deseo, terriblemente. No sabes cuánto te deseo.

Ella también lo deseaba. Deseaba conocerlo así, introducirlo totalmente en su cuerpo. Deseaba ahogarse en él, sentir su poder en todas sus partes. Con los ojos agrandados le miró la cara en penumbra, con descarada fascinación. Qué bello, su seductor. La apasionada intensidad de sus ojos azules le hacía subir y bajar estremecimientos por la espalda, como rayos. Notó cómo se le tensaban los músculos de los brazos al sostenerse inmóvil encima de ella. Sintiendo correr desbocada la sangre por el suspense, susurró:

—Sí. Ah, sí.

Él echó atrás la cabeza y ella sintió que se le partía el cuerpo con la primera embestida. Sin saber qué seguiría a ese sensual ataque, le enterró los dedos en los hombros y se preparó para la siguiente embestida. Aún así, se sintió tomada por asalto cuando él avanzó las caderas y enterró el miembro en ella hasta la base. Sintió que la fuerza abandonaba su cuerpo.

—No... no puedo...

Él le besó suavemente la temblorosa boca, musitando.

—Perdona. Te lo compensaré.

Su voz la hechizó, penetrando la niebla que le envolvía la mente. Le vibraron los músculos interiores, apretándole el miembro, adaptándose al ritmo impuesto por él. La manera de él de mover las caderas, las lentas y suaves penetraciones y la cruda sexualidad de su cara le quitaron el aliento.

—Caramba, mujer —musitó él—. Qué exquisita eres.

—Tú... tú también.

—Como nada, como nadie que haya conocido jamás.

Eso la emocionó.

—¿De verdad?

A él le destellaron los ojos.

—De verdad, Jane —dijo, dulcemente, como un ronroneo—. Nunca le he abierto el corazón a otra como te lo he abierto a ti.

Ella estaba tan inmersa en su seducción que no hizo caso de la punzada de culpabilidad que le produjo esa declaración. Tal vez entregar su virginidad le resultó más doloroso de lo que había esperado, pero no podía negar lo excitante y bella que era toda esa crudeza primitiva. Simplemente seguir los misteriosos instintos de sus cuerpos. Arquearse, chocar, embestirse mutuamente. Observó que la luz de la luna plateaba los ondulantes músculos de su pecho. Se estremeció por la violenta belleza de su apareamiento.

Grayson había mantenido el cuerpo absolutamente tenso, controlado, para impedirse eyacular a la primera embestida. Las paredes de su vagina virgen se cerraron sobre su miembro como un puño de seda; tuvo que apretar los dientes al sentir el intenso placer de esa presión. Si ella hacía uno más de esos rápidos y seductores estremecimientos explotaría dentro de ella. Sólo cuando la sintió descontrolarse por la proximidad del orgasmo, aflojó la tensión y empezó a embestir descontrolado, penetrándola hasta el fondo, tan profundo que temió hacerle daño.

El orgasmo lo dejó reducido a las sensaciones básicas, apoderándose de todo él, de la cabeza a los pies. La oyó suspirar su nombre cuando se desmoronó sobre ella rodeándole con los brazos sus esbeltos y blancos hombros. Tan pequeña que era comparada con él y sin embargo había demostrado ser su igual en la pasión. Pasado un momento rodó hacia un lado, manteniéndola abrazada, y quedaron yaciendo juntos como dos guerreros que han declarado una tregua después de la batalla: agotados, exhaustos, exultantes.

Él había planeado seducirla, y lo consiguió, con la misma implacable resolución que aplicaba al resto de su vida. Pero no había esperado los sentimientos que acompañaron su placentera victoria. Estrechando en sus brazos su cálido cuerpo, sus corazones latiendo al unísono, se sentía avasallado por emociones que no se conciliaban en absoluto con su pretendida venganza. La ternura le arrasaba el corazón, dejándoselo desnudo. Nunca jamás había amado a nadie hasta ese extremo.

Deseaba sentirse ofendido con ella por haberlo engañado; y se sentía. Deseaba recuperar el mando en su relación; físicamente, eso ya era un hecho, pero en lo demás, bueno, el equilibrio continuaba incierto. La venganza había sido dulce, sí, en especial por la forma elemental que tomó. Ella ya era suya, le pertenecía; ya no podía permitirle que se separara de él. Tampoco podía permitirle que saliera impune del engaño, aun cuando tuviera que pagar un infierno cuando ella descubriera que conocía su secreto.

Ella se movió y abrió los ojos, con su abundante pelo color miel enredado en la muñeca de él.

—Vamos, Grayson —dijo con la voz ronca, embargada por la emoción—, no me mires así.

—¿Así cómo? —preguntó él, con su enorme mano abierta sobre su vientre.

—Como un inmenso animal satisfecho que acaba de comerse...

—¿Una ratona? —bromeó él dulcemente, introduciendo la rodilla entre sus piernas.

Ya no podía dejar de tocarla, acariciarla. Sintió una punzada de celos al pensar que ella podría haber terminado casada con su primo.

—Tal vez deberías volver a tu habitación.

—Esta es mi habitación —contestó él, y continuó, travieso—: Todas las habitaciones son mías.

—Quise decir... escucha, Grayson, pese a todas las apariencias en contra, yo no estoy hecha para ser una amante.

Eso él lo sabía, lógicamente. Ella tenía marcados el matrimonio y la maternidad en todos los huesos de su delicioso cuerpo. Y su preocupación le producía un intenso sentimiento de culpa por dentro. Pero no podía perdonarla tan fácilmente. Primero tenía que terminar su juego, y entonces le concedería el perdón.

Simuló que lo pensaba.

—Bueno, ciertamente no podemos permitir que te conviertas en una solterona.

Ella se sentó lentamente, y el color sonrosado de bienestar dejado por la relación sexual se fue desvaneciendo ante las complicaciones de la realidad.

—Tampoco puedo convertirme en una cortesana.

—Vuelve a acostarte, Jane —le dijo él, en tono tranquilizador—. Te falta aprender unas cuantas cosas para llegar a esa categoría.

—No hay alternativa, Grayson. Tenemos que casarnos.

—¿Casarnos? —exclamó él, llevándose una mano al corazón, fingiendo estar horrorizado—. Cielo santo, que alguien me ponga una pistola en la boca.

Ella lo miró con los ojos entrecerrados.

—Continúa así y eso no está fuera del dominio de lo posible.

—Sabes lo que pienso de la ratonera del cura. —Esbozó su sonrisa perezosa—. Aun cuando tú seas una ratoncita deliciosa.

Ella hizo una inspiración profunda.

—Soy una mujer decente, o al menos lo era, déspota. Fuiste tú el que te presentaste a mis padres como un hombre respetable.

—¿Me estás proponiendo matrimonio, Jane? —preguntó él, travieso.

—Eso me parece —dijo ella, al parecer nada complacida por tener que reconocerlo.

Él exhaló un triste suspiro.

—Creí que habíamos llegado a un arreglo conveniente.

—Ser una ramera no va conmigo —dijo ella, ceñuda por la indignación.

—¿No? Pero creo que tienes un talento natural para serlo.

—¿Dónde está esa pistola de que hablaste?

Él le pasó las yemas de los dedos por el vientre, notando la reacción en el movimiento de sus músculos.

—¿Matrimonio? Déjame que lo piense uno o dos días. Tal vez se me pueda persuadir. Mientras tanto, cariño, ponte boca abajo.

—Boca ab... —Se tragó una exclamación—. ¿Qué vas a hacer?

—Hay un espejo a la izquierda si quieres mirar —contestó él con su voz sedosa—. Si no, simplemente cierra los ojos y disfruta de la experiencia.

Se pasó todo el resto de la noche despertando su cuerpo. No tomó ninguna precaución para prevenir un embarazo, por primera vez en su vida. Estaba absolutamente preparado para ser padre de todos los hijos que ella le diera, para protegerla a ella y proteger a sus seres queridos. Amiga, amante, esposa. Continuaría seduciendo a su hermosa picaruela todo el camino hasta el altar. La amaría todo el resto de su vida.

Capítulo 20

Jane levantó el musculoso brazo que le aprisionaba la cintura y lo dejó sobre la cama. El dueño del brazo, ese inmenso animal rubio y desnudo que la había embelesado haciéndole el amor, emitió un gruñido de satisfacción y se puso de costado. Ese movimiento le permitió a ella admirar el largo torso que se iba ahusando hasta las magras nalgas y los muslos duros como hierro. Mientras lo admiraba, él dobló el brazo sobre el cojín que ella había intentado meter entre ellos toda la noche.

Aunque esa insignificante barrera no había sido en absoluto un impedimento para él, pensó, sarcástica. No le había hecho el amor de modo poético. Alegremente la había seducido de todas las maneras imaginables, y ella, también alegremente, lo había animado a elevarse a nuevas alturas en la seducción.

Miró maravillada el desastre en que estaba convertido el dormitorio. Había sido una noche memorable, inolvidable. Sillas volcadas, las copas de champán en el suelo, su camisola colgada del poste de la cama como emblema de su rendición.

¿Rendición? Santo cielo, hacia el final había sido ella la que iniciaba el ataque, aprovechando al máximo, sacando el mejor partido de su gloriosa caída. ¿De verdad permitió que él la atara a la cama con sus propias medias? Y ¿esos mordiscos amorosos que les dejó marcas por todo el cuerpo a los dos?

¿Cómo pudo ocurrir eso? Hasta hacía poco ella era un señorita decente, muy virtuosa y formal. Sí, la rebelión siempre había estado hirviendo a fuego lento bajo la superficie, pero las cosas a las que se entregaron ella y Grayson esa noche eran indeciblemente inmorales según cualquier criterio. Amarlo le había vuelto su mundo totalmente del revés. La idea de que él pudiera resistirse a corresponderle su amor era insoportable.

Oyó unos vacilantes pasos fuera de la puerta. A eso le siguió un suave golpe en la puerta. Retuvo el aliento mirando el pomo, que no se giró. Ese sólo podía ser Simon, pensó, espantada, y se apresuró a bajarse de la cama, donde su compañero en el vicio continuaba durmiendo.

Se puso el vestido de viaje de muselina azul celeste y hurgó en el enredo de ropa de cama tirada en el suelo hasta encontrar sus botines. Cuando estuvo vestida se dirigió sigilosamente a la puerta. Allí se detuvo a mirar acusadora en el espejo a la mujer deshonrada en que se había convertido. Tenía muy claro que había convertido su vida en un desastre y que necesitaría teteras y teteras de té y días de soledad para pensarlo.

—Por lo menos podrías tener la apariencia de lamentarlo —susurró a su deshonrada imagen—. Las mejores personas de la aristocracia te lo advirtieron, pero no les hiciste caso. No, te convertiste en una querida.

• • •

Cuando iba por la mitad de la escalera se acordó de que la tía de Nigel vivía en Brighton con su marido, abogado jubilado. Puesto que continuar en esa casa sólo alentaría su indecencia latente, tal vez podría pedirle refugio hasta lograr convencer a Simon de que la llevara a casa. Si es que alguien de su familia volvía a hablarle, pensó, suspirando pesarosa por lo que había hecho.

Cuando iba pasando de puntillas por entre los pilares de mármol del vestíbulo vio su capote y su ridículo en el perchero, donde los dejó un criado mientras su dueña revelaba desvergonzadamente su lado lujurioso en el dormitorio de arriba.

Se puso el capote y contempló la puerta principal con su ventanilla en forma de abanico transversal, por la que entraban tenues rayos de sol que atravesaban la apacible penumbra. Parecería una prostituta caminando sola por el paseo marítimo, aunque si Grayson se salía con la suya, ese sería su destino.

—Mi hermano no me perdonaría jamás si te dejara escapar —dijo una voz profunda salida de las sombras. Un joven alto y ancho de hombros se separó de uno de los pilares y avanzó hasta situarse delante de ella—. Y yo tampoco me lo perdonaría. ¿Por qué no me acompañas a desayunar en el salón verde? Así podré conocer a la dama que tiene al cabeza de familia comportándose de forma tan rara.

Ella detectó una orden subyacente a esa invitación. En realidad, ya le había cogido el brazo y la iba llevando hacia el lado este de la casa. Este tiene que ser Heath, pensó, mirándolo disimuladamente de reojo, un representante moreno, más callado, más severo, del lado masculino de la familia Boscastle. Llevaba peinado hacia atrás su pelo negro liso, dejando libre su cara angulosa, de facciones bien cinceladas, y una mandíbula cuadrada que denotaba fuerza. Era más o menos tan alto como su hermano, tal vez un poco más delgado, y su andar revelaba el dominio peligroso, sinuoso, de una pantera. Había arrogancia en él, aunque más moderada. Sentía su mirada examinándola mientras caminaban por las baldosas de mármol del largo vestíbulo.

—Es muy temprano para estar levantada —dijo él, y calló un momento—. Sobre todo después de un día de viaje. Soy Heath, Jane, como probablemente ya lo has adivinado. Creo que nunca nos han presentado como es debido.

Ella sonrió pesarosa.

—No sé si podríamos llamar como es debido a estas circunstancias.

Los ojos color azul vivo brillaron de circunspecta diversión.

—¿No?

—Ya sabes cómo es Grayson.

—Sí —dijo él con voz grave, que invitaba a confiar en él—. Pero a ti no te conozco, Jane.

—No estoy en mi mejor momento —repuso ella, con la voz rota.

Se mojó los labios, consciente de que él la recorría rápidamente con su mirada azul oscura, evaluando todos los detalles de su apariencia, desde las ojeras que le ensombrecían los ojos al ridículo que apretaba nerviosamente en la mano derecha. Claro que sabía que no estaba agotada por el viaje sino por una noche pasada en la intimidad con su hermano mayor. Esa comprensión le hizo subir un ardiente rubor a las mejillas.

—No me apetece desayunar —dijo, negando con la cabeza.

Él arqueó una ceja.

—Tal vez yo logre hacerte cambiar de opinión.

—Sé lo que debes de pensar de mí —logró decir ella, con la voz entrecortada.

—Eso lo dudo.

Ella tragó saliva, pensando qué tendría él que la hacía sentirse cómoda tan de inmediato.

—Fuiste tú el que golpeó la puerta del dormitorio, ¿verdad?

—Sí —reconoció él, esbozando una sonrisa de disculpa.

—Entonces me has pillado.

Él la hizo entrar en una inmensa sala en la que crepitaba alegremente un fuego en el hogar y había una mesa con mantel de lino que tentaba el apetito con un suculento desayuno para dos.

—Sí, te pillé saliendo a dar un paseo antes de comer. Ese es un pecado terrible. Venga, Jane, siéntate y come.

—No lo entiendes —dijo ella, disgustada—. Mi vida se está deshaciendo hilo por hilo.

—Y ¿no hay manera de volver a unir las partes? —preguntó él, cauteloso.

Ella pensó en el pícaro que estaba durmiendo arriba y sonrió algo triste.

—No veo cómo.

El estómago se le contrajo de hambre cuando él levantó la tapa de una fuente de plata para tentarla con unas crujientes lonchas de beicon frito y huevos escalfados. Se sentó, con las manos entrelazadas en la falda, y suspiró.

—No podría comer después de...

La perspicaz mirada de él hizo innecesario terminar la frase. Se quedó callada.

—¿De verdad quieres tanto a ese monstruo? —musitó él, como si estuviera pensando en voz alta.

—No estaría aquí si no lo amara.

Él bajó la vista, reprimiendo una sonrisa.

—Ah —dijo—. Entonces lo siento.

Aunque por quién de los dos lo sentía, pensó, aun no lo tenía decidido. Estaba claro que Grayson había continuado adelante con su plan de venganza, que hacía unos días parecía divertido. Pero en ese momento, sentado cara a cara con Jane, y habiéndose formado su opinión personal, no veía que ella fuera la mujer frívola y doble que se había imaginado. En realidad, admiraba su iniciativa para escapar de un matrimonio no deseado. No pudo reprimir la sonrisa al recordar a Nigel en la cama con Guante de Hierro.

—¿Encuentras divertida mi situación, Heath?

Él negó con la cabeza.

—Es la vida la que me divierte, Jane. —Se levantó a coger la tetera del aparador y volvió a la mesa a servir el humeante té negro en las tazas de los dos—. Los criados de esta casa están extraordinariamente bien entrenados. No aparecen nunca, a menos que se los llame.

Ella rodeó con las manos la taza de porcelana.

—Me imagino que eso le viene muy bien a las necesidades de tu hermano.

Él volvió a su silla.

—En realidad, creo que Grayson no ha traído nunca a una mujer aquí, aunque sé que está de moda mantener a una querida en un balneario junto al mar. Esta villa siempre se ha reservado para la familia. Y por favor, no lo repitas, no digas que yo te he contado esto.

Jane bajó la taza hasta el platillo, intentando recordar lo que le había contado Grayson acerca de Heath. Había sido espía y soldado, ¿no? Y se las había arreglado para encontrar información acerca de Nigel. Levantó la vista y disimuladamente observó sus hermosas facciones. Daba la impresión de ser un hombre muy paciente, muy agradable, pero comprendió que sería peligroso infravalorarlo. ¿Habría adivinado su secreto? Al parecer no, si se podía juzgar por la tranquila expresión de su angulosa y muy seductora cara. O igual era un maestro ocultando sus pensamientos, valiosa habilidad para un agente del servicio de inteligencia. Le daba miedo preguntarle qué descubrimientos había hecho, pero tenía que saberlo.

—Grayson dijo...

Heath giró la cabeza una fracción de segundo antes que su hermano mayor apareciera en la puerta. Al instante Jane pensó si habría estado todo ese tiempo ahí escuchando la conversación. Él se dirigió en línea recta hacia ella, ágil y muy elegante con una levita de mañana gris peltre sobre una camisa de lino blanco y pantalones beis. Llevaba peinado hacia atrás su pelo rubio trigo, dejando despejada la hermosa estructura ósea de su rostro. Cuando él captó su mirada, sintió pasar una ráfaga de calor por todo el cuerpo.

A pesar de su confusión, a pesar de la incertidumbre acerca de su futuro juntos, notó que se ablandaba al verlo. Esa noche se había ladeado aún más la balanza del equilibrio entre ellos, pero no sabía qué significaría eso. Él le había robado el corazón. Ella había compartido su cama. ¿Qué sería de ella ahora?

Todo, pensó. Lo deseaba todo entero para ella, cada pecaminosa pulgada de él. Lo deseaba para toda la vida. Qué pareja más escandalosa formaban. Cómo se horrorizaría la alta sociedad con su comportamiento. Repentinamente se ruborizó, sintiendo la mirada de Heath sobre ella. ¿Cómo saber qué pensaba él de todo eso?

—Oí mi nombre —dijo Grayson, inclinándose osadamente a besarle la nuca antes de sentarse en la cabecera de la mesa, al lado de ella—. ¿Se ha hablado de mí en términos halagüeños?

Ella deseó meterse debajo de la mesa al ver su complacida sonrisa, aun cuando el beso le había hecho bajar un estremecimiento por toda la espalda.

—¿Tú qué crees?

Él la miró con los ojos chispeantes, dejándola clavada, inmóvil.

—Creo que después de anoche estaría indicado algo halagüeño.

Heath tosió y bajó su taza.

—Tan modesto como siempre, ¿eh?

—Estoy de tan buen humor que no me voy a molestar con la modestia —dijo Grayson, dirigiéndole a ella una sonrisa sensual que la invadió de calor—. ¿Por qué no comes, cariño? —le preguntó, preocupado, poniendo la mano sobre la suya—. ¿Mi hermano te ha intimidado?

Su actitud era tan masculina, tan posesiva y franca acerca de lo que ocurría entre ellos que Jane no supo cómo reaccionar. Era evidente que no pensaba ocultarle nada a su hermano, que daba la impresión de no saber qué hacer ante ese comportamiento.

—No tengo hambre —contestó, tratando de liberarse la mano.

—¿Cómo es posible que no tengas hambre después de lo que hemos...? —se interrumpió y miró a Heath, repentinamente serio y con expresión desaprobadora—. ¿Le has dicho lo de Nigel? ¿Eso es lo que le ha quitado el apetito?

Heath se echó hacia atrás y miró a su hermano sonriendo resignado.

—¿Por qué no se lo dices tú, Grayson? Me revienta ser portador de malas noticias.

A Jane le dio un vuelco el corazón.

—¿Malas noticias? —preguntó—. ¿Acerca de Nigel?

—Muy bien —dijo Grayson, apretándole la mano en gesto protector—. Heath se enfrentó a él, Jane. No sé ninguna manera fácil de decir esto, así que seré franco y te lo diré todo. Mi primo se casó con otra mujer. Ella está embarazada de él.

Jane se sintió sofocada, como si se hubiera acabado el aire en la sala; los dos hombres la estaban mirando con tanta atención que casi no pudo ni tragar saliva. Nunca se había considerado buena actriz ni mentirosa. Su primer impulso instintivo fue confesar su culpa.

—Comprendo. Entonces ya está.

—Qué resignación la tuya para aceptarlo —musitó Grayson—. Yo en tu lugar no lo aceptaría. Jane, esto hay que arreglarlo.

—No puedo decir que sea una sorpresa total para mí —dijo ella, y levantó la cabeza, obligándose a sostener las miradas de curiosidad de los dos—. Te dije que nunca nos amamos de esa manera.

Grayson le soltó la mano y pasó la yema de su ahusado índice por la afilada hoja de un cuchillo.

—De todos modos —dijo, pensativo—, hay que hacérselo pagar. Tus padres insistirán en eso. Yo insisto. Tal vez incluso lo rete a duelo.

Ella retuvo el aliento.

—Pero es tu primo. Eso causaría un escándalo peor aún, por no hablar de la posibilidad de que resulte mal herido o muera. Yo no quería casarme con él. Yo...

—Es una cuestión de honor, Jane —interrumpió él, haciendo girar el cuchillo entre las manos—. Haré lo que deba para mantener el honor de mi familia.

Heath se aclaró la garganta.

—Yo no sé si estoy de acuerdo —dijo.

—¿De acuerdo? —repitió Grayson, perforándolo con una autoritaria mirada—. Pues claro que lo estás. Al fin y al cabo hay consecuencias judiciales. Jane podría ponerle un pleito a Nigel por incumplimiento de una promesa, aunque yo personalmente prefiero meterle una bala en el corazón y acabar de una vez por todas.

Heath arqueó una ceja, acusador.

—¿Y dejar viuda a su mujer y a su hijo huérfano de padre? ¿Cómo se te puede ocurrir eso?

Grayson se encogió de hombros, indiferente.

—Hay que vengar a Jane.

—No necesariamente —dijo ella, que por fin encontró la voz, aunque le salió como un feo chillido—. Con el tiempo se olvidará todo este escándalo...

—Jamás —exclamó Grayson, y su voz resonó en las paredes como un trueno—. Su comportamiento fue deplorable. Me niego a dejar en paz este asunto, y eso es concluyente.

—Ha hablado el Señor —dijo Heath, sonriendo irónico y mirando a Jane.

Jane echó atrás la silla y se levantó. En ese momento una retirada de cobarde le parecía la mejor opción.

—Creo que os dejaré solos para que discutáis esto.

Grayson la miró ceñudo.

—No te sientas obligada a retirarte, cariño. Tienes todo el derecho a saber con todo detalle cómo pienso vengar tu honor.

A ella se le ensombreció la cara.

—Sinceramente, preferiría simular que nada de esto ha ocurrido nunca.

«De eso no me cabe duda —pensó Grayson, contemplando el cuchillo que tenía en la mano—. Pero no te preocupes, mi amor, te prometo el final feliz que te mereces. Los dos tenemos una deuda de gratitud con Nigel por reunirnos. La historia de nuestro romance entretendrá a nuestros descendientes en los años venideros.»

—¿Te gustaría que Nigel te pidiera disculpas públicamente antes del duelo? —le preguntó, mirándola muy solícito.

Ella palideció.

—Eso no será necesario. Grayson, tienes que entender que a mí no me importa que esté casado. Podría tener siete esposas, por lo que a mí respecta.

Él negó con la cabeza, descartando eso.

—Las mujeres perdonáis con demasiada facilidad. Además, es un Boscastle, y yo he asumido el papel de protector tuyo. ¿Qué pensarían de mí si no me enfrentara a ál para vengarte? ¿Qué pensaría mi padre si supiera que le he fallado a mi familia?

Ella cerró los ojos y volvió a abrirlos pasado un momento.

—Heath, por favor, trata de convencer a tu hermano de que sea sensato. Por lo visto yo soy incapaz de disuadirlo de esa idiotez masculina.

Heath bajó la vista, al parecer sin saber qué hacer.

—Haré todo lo que esté en mi poder, pero mi hermano no suele aceptar consejos.

Ella dirigió una sombría mirada Grayson y se apartó de la silla.

—Sí, lo sé. Pero inténtalo de todos modos. Voy a subir a mi habitación.

Antes que pudiera dar otro paso, Grayson le cogió la mano.

—Nos han invitado a las carreras en Plumpton mañana, si estás con ánimo para eso. Y esta tarde hay un espectáculo de títeres en el paseo marítimo. Pensé que podríamos ir a verlo antes del baile de esta noche. —Le sonrió, mirándola a los ojos, y añadió con voz seductora—. A no ser que prefieras quedarte en casa sola conmigo. Esa idea me atrae, Jane.

Entonces, Jane, horrorizada, sintió bajar esa enorme mano por su espalda, y en lugar de resistirse al pícaro tunante, se sorprendió a sí misma acercándose más a él, ansiosa por sentir contra ella ese cuerpo cálido y duro. Mientras tanto Heath los observaba en silencio, absolutamente fascinado.

—Suéltame inmediatamente —dijo con firmeza.

—Dame un beso antes de irte.

—Quítame la mano del trasero, tonto animal —le susurró, dobándose hacia atrás por la cintura.

Él le acarició la curva de las nalgas.

—No mientras no me beses.

—Tu hermano nos está mirando.

—No sería la primera vez.

—Grayson, eres un...

—Un beso —exigió él—. Heath, mira para el otro lado.

Ella se inclinó a besarle recatadamente la mejilla recién rasurada. Un segundo después estaba sentada en sus muslos, rodeándole el cuello con los brazos, mientras él la besaba con una descarada sensualidad que los dejó a los dos con la respiración agitada. A él le brillaban los ojos de crudo deseo cuando finalmente, de mala gana, la puso de pie.

Al instante ella se dirigió a la puerta. La llama de pasión entre ellos había dejado cargada la sala como la quietud antes de una tormenta. Llevaba la sensación de su potente cuerpo grabada hasta la médula de los huesos, como una marca.

Salió a toda prisa al corredor, sin atreverse a girar la cabeza para mirar a Heath. Pero si se hubiera quedado un momento más, habría captado la significativa mirada que intercambiaron los dos hermanos. Podría haber visto el amor y el deseo por ella que Grayson se esforzaba tanto en ocultar.

—Fiuuú —resopló Heath, apoyando la parte tenar de las palmas en la mesa—. Después de esta exhibición me siento bastante incapaz. Felicitaciones. Ahora lo entiendo todo. No hace falta encender la chimenea en la habitación cuando estáis juntos.

—No me felicites todavía —dijo Grayson, con la voz algo ronca, tratando de dominarse para no salir detrás de ella; Jane lo debilitaba sin siquiera intentarlo—. Todavía no la he llevado al altar. Podría encontrar la manera de deshacerse de mí.

Heath lo miró incrédulo unos segundos y luego echó atrás la cabeza y soltó una carcajada. ¿Grayson temía perder a la mujer que deseaba? ¿Grayson inseguro en el papel de seductor? Le brillaron los ojos de cariño y comprensión.

—Una primicia en la historia familiar de los Boscastle, uno de nuestros hombres conspirando para capturar a una esposa.

—Te falla tu memoria legendaria, Heath —dijo Grayson, irónico—. Nuestros antepasados raptaban a sus mujeres como lo más natural del mundo. Y no olvides la vergüenza de nuestra historia reciente. Nigel llegó a extremos desesperados por casarse con el objeto del deseo de su corazón.

Heath sonrió encantado por el recordatorio del turbulento pasado de su familia.

—Pero nunca lo consideramos uno de nosotros, ¿verdad? Recuerdo que fracasó en nuestro rito de iniciación en el castillo cuando cumplió los trece.

Grayson sonrió de oreja a oreja.

—Cierto. Había olvidado esa. ¿Te acuerdas de la cara que puso cuando la lechera comenzó a desvestirse delante de él?

—Y entonces lo rescató... —Heath pareció pasmado—. Guante de Hierro. Anda, caramba. Ese debe de haber sido el comienzo de ese infame romance. Esther lo rescató de nuestra corrupción sólo para corromperlo ella años después.

—¿De veras nos golpeaba con una vara, o era con sus manos?

—No estoy del todo seguro. Pero fuera como fuera, eran golpes tremendamente dolorosos.

—¿De quién fue la idea de sabotear la boda? —preguntó Grayson, curioso—. ¿De Jane o de Nigel?

—Nigel se negó a decirlo, lo cual fue extraordinariamente valiente o estúpido, dado que yo lo estaba apuntando con dos pistolas.

—Fue de Jane —dijo Grayson, con absoluta certeza—. Nigel no habría tenido jamás ni el ingenio para idearlo ni el valor para atreverse a hacerlo. Supongo que podrían haber escapado impunes si yo no hubiera intervenido para salvar la situación. No es de extrañar que Jane se mostrara tan consternada cuando me ofrecí para ayudarla.

Los dos estuvieron un rato en silencio. Heath fue el primero que lo rompió, levantando la cabeza, con el ceño fruncido, preocupado.

—Simplemente no olvides que los tiros pueden salir por la culata, Grayson. Con todos sus defectos, Jane es un encanto. Ninguno de los dos es lo que podríamos llamar una persona dócil. No es justo que juegues con ella cuando está clarísimo que te adora.

—Yo también la adoro, Heath —repuso Grayson en voz baja—. Ya tengo en mi escritorio la licencia especial que obtuve en Londres antes de venirme. Jane y yo estamos a un día de la respetabilidad.

—Entonces dile que sabes lo que hizo. Tarde o temprano tendrás que decírselo.

—Y se lo diré. Cuando llegue el momento oportuno.

Estaba más que convencido de que si Jane fue capaz de sabotear su propia ceremonia de bodas, no lo respetaría si él se dejaba embaucar. La astucia de Jane exigía que su pareja actuara con los mismos retorcidos subterfugios que empleó ella.

—No quiero decepcionarla, ¿sabes? —añadió, pensativo—. No puedo permitir que me gane en ingenio mi futura esposa.

—Juegas con ella en una competición. Podría ser que no fueras tan inteligente como crees.

—Nuestro juego acabará pronto.

—¿Estás seguro de que vas a ganar?

—¿Cómo podría perder?

Heath sacudió la cabeza. El amor tan evidente por su hermano que vio en la cara de Jane le había tocado algo en el fondo del corazón. Jane y Grayson formaban una pareja perfecta, una pareja ideal para una familia que estaba al borde del derrumbe. Antes de conocerla no entendía la atracción de Grayson por ella. Ahora sí la entendía. ¿Dónde encontraría su hermano una mujer con las agallas que había demostrado tener Jane, una compañera que desafiara su testaruda naturaleza? Se complementaban a la perfección.

—Díselo, Grayson. Fíate de mis instintos. Díselo esta noche después del baile, si no podrías tener más problemas de los que podrías haber imaginado. —Se rió en voz baja—. Ciertamente voy a gozar viendo cómo acaba todo esto.

Capítulo 21

Jane entró en el dormitorio y se quedó con la frente apoyada en la puerta con el corazón retumbante de terror. Si Heath había encontrado a Nigel y Esther, sólo sería cuestión de tiempo que uno de los dos se desmoronara y revelara el papel que tuvo ella en el escándalo de la boda.

Nigel era su amigo; la defendería hasta cierto punto, pero no podía esperar que fuera capaz de hacer frente a un hombre de la talla de Grayson. Y mucho menos si este seguía adelante con su obstinada idea de retarlo a duelo. Nigel se desmayaba con sólo ver un dedo levantado. Su mujer tenía más trazas de estar capacitada de enfrentarse a Grayson en un duelo. Y tal como le iba resultando la vida a ella, igual acababa sirviéndole a Nigel de madrina en el duelo.

Solamente había una solución; era lo único que podía hacer. Confesarlo todo; pedir disculpas a todos los involucrados. Y luego abandonar lo que quedara de ella a la merced de Cecily y su duque mientras el mundo la censuraba. Tal vez podría llegar a ser la institutriz de sus hijos y darle palizas a los que se portaran mal para ganarse la vida. Lo peor sería la reacción de Grayson. De ninguna manera demostraría que su engaño lo había herido; simplemente la mataría.

No era tan tonta para pensar que podía confesárselo todo a la cara y vivir para contarlo. Él no la perdonaría jamás. Lo más seguro era que se riera si ella intentaba explicarle con qué desesperación había deseado evitar un matrimonio arreglado. Y, francamente, era tan cobarde que no se atrevería a decírselo personalmente. Le escribiría una carta y la dejaría debajo de la almohada.

Cuando se giró hacia el escritorio de palisandro, que estaba junto a la ventana, vio que la habitación ya estaba limpia y ordenada, sin duda el eficiente trabajo de una de las discretas criadas. A un lado del biombo había una bañera de asiento llena de agua caliente, humeante. Sobre la cama, una pila de toallas limpias y en la mesilla de noche un pequeño jarrón con fragantes rosas mosqueta.

Y sobre el tocador, al lado de su preciado broche con el ratón de diamante, había otra cajita de joyero de terciopelo azul con una tarjeta metida debajo. La leyó dos veces, con los ojos empañados de lágrimas:

Algo para conmemorar la primera de nuestras muchas noches juntos.

G.

En la caja encontró un pendiente: un enorme brillante en una cadena de oro. Caro, elegante. El regalo que haría un hombre generoso a una amante para señalar una noche de pasión.

—¿Te gusta? —preguntó Grayson desde la puerta.

A ella se le deslizó la joya por entre los dedos.

—Es precioso, y un absoluto despilfarro. Ojalá pudiera aceptártelo.

—Pero claro que puedes. ¿Por qué no te desvistes y me lo enseñas puesto?

—Perdón, ¿a esta hora del día?

Él la contempló largamente con su seductora mirada.

—Mañana, tarde, medianoche. Estoy totalmente obsesionado por ti, Jane. —Cerró la puerta—. Es un placer para mí regalarte joyas.

¿Cómo puede una mujer montar una defensa cuando el hombre hace comentarios como ese? ¿Cómo podía esperar ser capaz de pensar cuando él le rodeó la cintura con los brazos y la hizo caer con él en el sillón?

Le dolió el corazón cuando él introdujo los dedos en su pelo y acalló sus protestas con el más tierno de los besos. Se había acostado con él y no lo lamentaba.

—Jane —musitó él—, gracias por anoche.

Ella cerró los ojos, imaginándose la cara que pondría él cuando leyera su carta, tratando de agarrarse al pensamiento de lo disgustado y furioso que estaría. Era implacable con la rebeldía de Chloe, absolutamente convencido de que es el deber del hombre dominar la vida de una mujer. Jamás comprendería lo que ella había hecho.

—¿Te pasa algo, Jane? —preguntó él, dulcemente—. No es de lágrimas ese brillo que veo en tus ojos, ¿verdad?

—Prométeme una cosa, Grayson.

—Lo que quieras —dijo él, acariciándole la mejilla con el dorso de la mano.

—Prométeme que no le harás daño a Nigel.

Él se quedó inmóvil.

—De verdad es intolerable que menciones su nombre cuando estás en mis brazos.

—¿Me lo prometes?

Sus ojos azules le perforaron los suyos.

—Las personas se merecen un castigo cuando han herido a otras, ¿no te parece?

—No lo sé; no estoy tan segura de eso.

Él continuó perforándola con los ojos, con implacable intensidad. Por mucho que lo amara, había momentos en que alegremente lo golpearía hasta dejarlo inconsciente.

—Hay un tiempo para el perdón —añadió.

—No en mi opinión. ¿Hablemos de otra cosa?

—Por favor, Grayson. Sólo te pido eso.

—¿Qué me darás a cambio?

Ella habría aceptado darle lo que fuera que deseara su perverso corazón si en ese momento no hubieran resonado fuertes pisadas en la escalera y luego en el corredor en dirección a esa habitación.

—¡Grayson! —gritó una irreverente voz masculina fuera de la puerta—. ¿Dónde diantres estás escondido? Acabo de dejar a Helene en Londres; la mujer está furiosa maldiciéndote de aquí al infierno. ¿Estás ahí?

—Dios todopoderoso —masculló Grayson, mirando airado hacia la puerta—. Es Drake. Quédate aquí mientras yo me libro de él.

Ella se desprendió de sus brazos.

—Prométeme que no le harás nada a Nigel.

Él se levantó, pensativo, y se alisó los faldones de la levita.

—Tendré que pensarlo, Jane. Ten presente que Nigel y sus padres han dependido de la prodigalidad de mi familia durante muchos años. Su conducta es un insulto tanto para mí como para ti.

* * *

Las voces se fueron apagando poco a poco a medida que los dos hombres se alejaban por el corredor. Jane se desvistió y se metió en la bañera revestida de cobre y se puso a contemplar su futuro como mujer caída.

Tan pronto como terminara de asearse y arreglarse, escribiría dos cartas, una para Grayson y la otra para su familia. Aunque después de la forma como su padre prácticamente la arrojó al león, no tenía la más mínima esperanza que le perdonara la vergüenza y deshonra que había causado a su familia.

Exhaló un largo suspiro, pensando en sus hermanas, en la agradable vida que siempre había dado por descontada, en la forma como su padre la mandoneaba y protegía, en el matrimonio que arregló porque creía que Nigel sería bueno con ella.

Se hundió más en el agua aromatizada, frunciendo más y más el ceño por la concentración.

Pensándolo bien, encontraba muy irracional el comportamiento de su padre. Y su madre, ¿habría apoyado realmente ese cambio tan brusco en su moralidad, ese empujón a su hija deshonrada ante la sociedad arrojándola a ese estilo de vida sibarita? Eso desentonaba muchísimo con la forma de ser de sus padres. Después de todo, sus motivos para elegir a Nigel fueron su amistosa afabilidad, su lealtad de perrito, su aparente falta de interés en el libertinaje.

En resumen, eligieron a Nigel porque era exactamente lo contrario de Grayson. Lo cual hacía más inexplicable y misteriosa su traición. A no ser que...

Se le cayó la esponja en el agua.

A no ser que supieran. A no ser que una de sus hermanas se hubiera ido de la lengua y les hubiera contado lo de su pacto secreto con Nigel. Con lo cual, ella quedaba como la traidora, no la traicionada.

Y si toda su familia conocía su secreto, era muy posible que también lo supiera Grayson, y, mmm, esa humillante situación en que se encontraba olía a Boscastle de lejos.

Lo sabe todo, pensó.

Esa sesión con la modista. El cambio que había notado en él. Ese cruel brillo de sus ojos. Su repentino deseo de traerla a Brighton.

Grayson lo sabía, seguro.

Ella era el inconsciente peón en su diabólico juego. Pero ¿por cuánto tiempo? ¿Con qué fin?

Lo sabía, sí, seguro.

Salió bruscamente de la bañera, Venus de camino a la guerra, chorreando agua por toda la elegante y mullida alfombra Axminster.

—Ay, el muy canalla —masculló, deteniéndose ante el tocador, totalmente desnuda y chorreando agua—. ¡Ese intrigante hijo de Satán! Jugando conmigo como jugaría un león... —sus ojos se posaron en el broche de diamante—, ¡con un ratón!

Le pasó por la cabeza el pensamiento de que fue su plan para sabotear la boda el causante de todo ese enredo, pero se apresuró a meterlo debajo de una manta de justa indignación. Convertirla en una cortesana de clase alta, ¿eh? Exhibirla cubierta de diamantes y seda rosa, ¿eh? Jamás, ni en mil años, su gazmoño padre habría aceptado una cosa así sin nada a cambio.

Bueno, haría falta un Boscastle para derrotar a un Boscastle, y no le cabía duda dónde encontraría el eslabón más débil de la cadena familiar.

Se vistió de prisa y, sin ponerse los zapatos, salió al corredor y se dirigió pisando fuerte a la habitación de Chloe. En la puerta echó a la criada que quería volver a entrar en la habitación para continuar ordenándola.

Al parecer, Chloe se había vuelto a entregar a su pasión por la reforma social después de enterarse de que a su oficial de caballería, William, lo habían enviado a unas nuevas barracas en Devon. Estaba sentada en el diván con las piernas recogidas, y la falda llena de cartas a amigos del Parlamento, una caja de chocolates a medio comer y una lista de los trabajos que pensaba poner por obra. Tenía las persianas cerradas, para reforzar el aura de solemnidad.

Cuando Jane irrumpió en su habitación, Chloe simplemente arqueó las cejas y se echó hacia atrás la negra melena.

—Ah, tu primera pelea con mi bestial hermano, ¿verdad? —dijo en tono compasivo—. No sé qué ves en él, por cierto. ¿Chocolate para la herida de amor?

—Quiero la verdad, Chloe.

Chloe dejó a un lado la pluma, captada su atención.

—¿La verdad? Es un tirano, un destructor de todo lo que a uno le es querido. Esa es la verdad. Fue a por la cabeza de William y lo hizo enviar a Devon a vérselas con contrabandistas. Mi hermano cortó toda posibilidad de que yo lo vuelva a ver. Y no es que yo lo quisiera ver de nuevo, eso sí, pero habría sido agradable despedirme de él.

—Lamento tu pérdida, Chloe, pero necesito saber una cosa. ¿Para qué me ha traído aquí Grayson?

—Yo diría que eso es evidente —contestó Chloe, no sin amabilidad—. Pobre Jane. Tenía tanta esperanza de que te resistieras a él.

—Contéstame.

Chloe la contempló en silencio un momento, con sus ojos azules brillantes de emociones encontradas.

—Jamás, jamás, nunca en mi vida, he traicionado un secreto Boscastle, pero puesto que tú eres prácticamente una Boscastle, y miembro de mi sexo, estoy obligada por el honor a traicionarlo.

Jane se dejó caer en el diván, sintiendo hormiguear la piel por la nota vengativa que detectó en la voz de Chloe.

—¿Qué quieres decir?

—Ni Grayson ni Heath saben que yo lo sé —dijo Chloe, vacilante.

—¿Que sabes qué?

—No me lo han dicho.

—¿No te han dicho qué?

—Yo lo oí absolutamente todo, ¿sabes? Estaba escondida en la biblioteca cuando Grayson envió a llamar a los abogados.

—Chloe, si no me das una respuesta clara inmediatamente, te tendré colgada fuera de la ventana cogida del pelo hasta que me la des.

Chloe frunció sus rosados labios, reprobadora.

—Ya hablas como un Boscastle.

—¿Por qué Grayson hizo llamar a sus abogados?

Chloe se acercó más a ella.

—¿Me protegerás de su ira cuando se entere de que fui yo la que me chivé?

Jane enderezó la espalda, alarmada. ¿Qué cosa horrenda habría hecho Grayson a sus espaldas?

—Haré lo que pueda.

—Nigel se lo dijo todo a Heath, Jane, «todo». Le contó cómo conspirasteis los dos para frustrar los deseos de tus padres para que él pudiera casarse con Esther; lo del generoso regalo de bodas que les hiciste, lo del mes que os pasaisteis planeándolo todo.

—Nigel, que me juró que jamás revelaría nuestro pacto ni aunque lo torturaran —exclamó Jane indignada, aunque en realidad no tenía por qué sorprenderse—. Vamos, cobarde, blandengue sin carácter. Lo estrangularé por esto. Si es que Esther no lo ha hecho ya.

—Heath sabe ser muy amedrentador cuando quiere —dijo Chloe.

—Grayson también.

—Parece que es un rasgo de la familia.

—Ten la bondad de volver al tema, Chloe.

—Ah bueno, seguro que ya lo has adivinado. Heath se lo dijo a Grayson, y Grayson reaccionó a su típica manera despótica. ¿Te dijo algo? ¿Te enfrentó y te dio la oportunidad de explicárselo? Ah, no. Hizo venir a sus abogados a medianoche y tuvo una reunión secreta con tu padre.

—¿Para meterme un pleito por sabotear mi propia boda?

—No, para arreglar una... La tuya con él.

A Jane el corazón se le saltó varios latidos. No logró imaginarse a su padre metido en esa intriga de medianoche. ¿Qué pretendía hacer ese diabólico amante suyo?

—Creo que te he entendido mal. ¿Grayson quiere...?

—Casarse contigo.

—¿No que me convierta en su querida?

—Uy, santo cielo, no. Eso es parte de su plan para darte una lección. —Se echó un chocolate a la boca mientras Jane la miraba muda por la conmoción—. ¿Seguro que no quieres uno de estos?

—El muy canalla —musitó Jane.

Dejó salir lentamente el aire y por la cara se le extendió una sonrisa de placer. Así que había estado jugando con ella, ¿eh? Había planeado un travieso jueguecito para castigarla por el engaño. De acuerdo, tal vez se lo merecía, pero él no había ganado todavía. Su espíritu de lucha cogió el reto al vuelo. Tendría que pensar con sumo cuidado su próxima jugada. Esa noche cayó en la trampa cuando le pidió que se casara con ella. Cuánto disfrutaría él viendo su terror.

—Tendría que haber sabido que el pícaro sin principios tramaba algo —masculló.

—¿No lo odias? —le preguntó Chloe, compasiva.

A Jane se le tensó la sonrisa.

—No, cómo lo voy a odiar. Lo amo, si no no habría permitido que me colocara en esta horrorosa posición.

—Ojalá yo pudiera colocarme en una posición horrorosa con un hombre al que amara —dijo Chloe, con los ojos brillantes de melancólica travesura—. Cada vez que estoy cerca de una, aparece uno de mis hermanos y lo estropea todo. Desde la muerte de mi padre, Grayson y Heath me han protegido hasta el punto de que igual podría estar viviendo en una jaula. Creo que soy muy parecida a ti, Jane.

Jane se quedó callada, reflexionando sobre el comentario de Grayson al decir que su hermana se había desmadrado después de la muerte de su padre. ¿Qué tipo de hombre sería un buen marido para Chloe? Un pretendiente muy fuerte pero amable. Entrar en la familia Boscastle por matrimonio no era para los débiles de corazón. En todo caso, a no ser que alguien interviniera, daba la impresión de que hermano y hermana llegarían muy pronto a un choque de voluntades.

Y ella iba a tener que darse de puñetazos con Grayson, que se creía tan inteligente por haber planeado su compromiso en secreto. Sólo una mente diabólica llegaría a esos extremos para entramparla totalmente. Podría sentirse furiosa con él por haber jugado con ella si no hubiera iniciado ella misma todo el asunto.

—¿Qué puedo hacer, Chloe?

—En mi opinión, darle una lección inmediatamente.

Ah, esa idea le gustó a Jane. Tener en estado de alerta a su amado demonio.

—¿Sí?

—Tal vez podríamos pedirle consejo a la señora Watson —sugirió Chloe, entusiasmada por la idea de crear un problema en la vida de su hermano—. Esa mujer es una experta en el macho inglés.

—Señora Watson... ¿la cortesana por excelencia de Londres?

—La cortesana por excelencia de Brighton; llegó ayer por la tarde. Llegan diligencias cada media hora de Londres.

—¿Te importaría llevarme a ver a la señora Watson hoy? Me iría bien el consejo de una mujer experimentada.

—¿Por qué me iba a importar? No tengo nada más que hacer aparte de languidecer bajo la vigilancia de Grayson.

—¿Crees que le molestaría ayudarme?

—¿Molestarle? Creo que se sentiría honrada. Audrey siempre ha sentido una especial debilidad por mi hermano. Y le encanta este tipo de diversión.

Jane se levantó decidida.

—Iré a ponerme los zapatos y los guantes mientras tú terminas de vestirte. Y, por favor, que tus hermanos no se enteren de adónde vamos.

—Les diré que vamos a la biblioteca —dijo Chloe, burbujeante de alegría—, a ampliar nuestra formación.

Cuando llegaron las dos jóvenes, la señora Watson acababa de volver de una caminata por el paseo marítimo para tomar aire marino acompañada por un grupo de caballeros. El coche las dejó delante de su encantadora casita con ventanas saledizas y reja de hierro forjado. Audrey estaba muy elegante, con un vestido de talle alto de popelina amarilla y una pamela de paja adornada con plumas de avestruz. Tenía más aspecto de señora respetable que de una notoria cortesana.

Cuando reconoció a sus visitantes dio alegres palmadas con sus manos enguantadas.

—Ah, mis amores, que amabilidad venir a verme. Y justo a tiempo para tomar pasteles y coñac. —Abrazó afectuosamente a Chloe, susurrándole—: Niña tonta, mira que ir a enamorarte de un soldado, con todos esos príncipes extranjeros que están a punto de visitarnos para celebrar nuestra victoria. Te creía con más sentido común. Y usted, lady Jane, bueno, ciertamente las dos con Sedgecroft estáis haciendo la competencia a mis pequeños escándalos. Pasad, pasad, e iluminadme. Estoy hambrienta de cotilleos.

Después de ordenar que les llevaran refrigerios, Audrey las llevó a un salón decorado en tonos azul y crema, tonos que no se limitaban a los muebles sino que se extendían también a las cortinas de brocado y la alfombra persa. Se sentó en su diván con incrustaciones de marfil a presidir la reunión como una emperatriz, y Chloe le explicó el motivo de la visita.

—Oh, qué halagada me siento —exclamó Audrey, con una mano en el corazón y sosteniendo en la otra su tercera copa de coñac—. También estoy un poco borracha, pero eso es mucho mejor para tramar intrigas.

Cómodamente reclinada en el sofá, Chloe le contó el secreto de Jane y el inesperado resultado.

—Mi horrendo hermano la ha hecho creer que la desea como su querida cuando a sus espaldas ha firmado con su padre un contrato de matrimonio con ella.

—Entonces, una querida será —dijo Audrey, con los ojos chispeantes de expectación—. Dime, Jane, ¿quieres divertirte un poco? Creo que es tu deber enfrentar a ese niño malo.

—No sé si tengo el valor.

Audrey la miró fijamente.

—Cualquier mujer que es capaz de plantarse a sí misma tiene valor a paladas, créeme. La pregunta es, ¿estás preparada para ganarle a Sedgecroft en este juego?

—¿Cómo? —preguntó Jane, repentinamente dudando de que tamaña hazaña fuera posible.

—¡Convirtiéndote en una cortesana que acabe con todas las cortesanas! —exclamó Audrey, con las mejillas teñidas por un favorecedor tono rosa fuerte—. Te enseñaremos a seducir a Sedgecroft totalmente, hasta la médula de sus huesos.

—Bueno, no sé si...

—Lo haremos —dijo Chloe, dejando la copa en la mesa—. Pero tendremos que comenzar esta misma tarde, porque Heath me vigila como un halcón y va a creer que vengo aquí a verme con un amante. Y no es que a este paso vaya a tener un amante alguna vez.

—Chloe, mi amor —dijo Audrey, en tono de dulce reconvención—, que yo le enseñe a ser una seductora a la futura esposa de Sedgecroft es algo que él sólo tendrá que agradecerme. Profusamente. Pero instruir a su hermana soltera en las artes sexuales, es otro asunto muy distinto. Vuelve cuando vayas a casarte.

—¿Las artes sexuales? —dijo Jane, riendo nerviosa—. Eso es, mmm, algo bastante sencillo, ¿no? Es decir, ¿qué necesita saber realmente una mujer?

Audrey se levantó y se dirigió a su escritorio diciendo, con voz tan enérgica como la de una maestra de escuela.

—Hay mucho más en los «detallitos» de la relación sexual, como si dijéramos, de lo que llega a saber alguna vez la típica esposa inglesa. —Desató la cinta de seda azul que cerraba una abultada carpeta, sacó un detallado dibujo y se lo enseñó—. Mirad esta ilustración.

Jane ahogó una exclamación y se atragantó al querer inspirar. ¿Sería «eso» lo que ella pensaba que era?

—Ah, caramba.

—¿Sabes qué es?

Chloe terminó de beber su coñac de un solo trago.

—No será uno de esos nuevos cohetes a la Congreve, ¿verdad? Drake me enseñó el dibujo de uno en el diario, pero tengo que reconocer que no le presté mucha atención.

—Chloe —dijo Audrey en tono firme—, ¿podrías salir del salón e ir a entretenerte sola en mi biblioteca? Aunque por falta de una palabra más delicada llamaremos cohete a lo que representa este dibujo, una esposa bien informada debe conocer su adecuado manejo, no sea que se dispare antes de tiempo.

—¿De verdad necesito saber esto? —preguntó Jane, bebiendo un largo trago de su coñac.

—¿Querrías que un cohete te explotara en las manos antes que lo hayas llevado a su destino? —preguntó Audrey.

Chloe se giró a medio camino hacia la puerta.

—No es justo. Yo la traje aquí, Audrey. Debería poder oír lo que decís.

—Ya te llegará tu turno —contestó Audrey, haciéndole un gesto para que saliera, y entonces sacó otra ilustración de su carpeta—. Ahora, Jane, observa esto, por favor.

Jane se inclinó a mirar el dibujo y se quedó boquiabierta.

—¡Santo cielo! Eso es físicamente imposible.

—No sólo es posible —replicó Audrey—, es también muy placentero para el hombre.

Chloe asomó la cabeza por la puerta.

—¿Adónde fue el cohete?

Jane cerró los ojos y le contestó con la voz trémula por la risa.

—No te conviene saberlo.

Capítulo 22

Jane y Chloe volvieron a la villa ya avanzada la tarde. Por su apariencia eran dos damitas bien educadas que habían pasado unas apacibles horas en la biblioteca. Fortalecida por el coñac y el tesoro de conocimientos sensuales que habían hecho temblar hasta sus cimientos sus sensibilidades aristocráticas, Jane se detuvo titubeante en el vestíbulo. De arriba llegaba el sonido de voces masculinas. Una de ellas era la del hombre al que iba a seducir hasta la médula de los huesos.

—¿Qué hago ahora? —susurró.

Chloe se estaba quitando la papalina.

—Pon todo por obra mientras todavía tengas ese coñac en el torrente sanguíneo.

—No puedo hacerlo.

Chloe le dio un empujón hacia la escalera.

—Toma el mando, Belshire.

Haciendo una inspiración profunda, Jane se desabrochó las presillas de su capote, se lo pasó a Chloe y se dirigió a la escalera. Un momento después, vio salir a Grayson de la sala de estar de sus aposentos, en el otro extremo del corredor, acompañado por Heath y Drake; seguían conversando animadamente.

Interrumpieron la conversación al verla aparecer y ella sintió un leve escalofrío de incertidumbre por ese experimento que iba a hacer siguiendo las ideas de Audrey. Tal vez, pensó, todas las mujeres se preguntaban secretamente cómo sería ser una cortesana si tuvieran la oportunidad de serlo; debajo de su ansiedad estaba consciente de que era un buen reto seducir a un hombre que había hecho un arte de la seducción.

—Jane —dijo él, frunciendo el ceño, severo—. Has llegado. Empezaba a preocuparme. El tío Giles y Simon salieron a buscaros. Yo fui dos veces a la biblioteca. ¿Adónde fuisteis?

—Ah, por aquí y por allá.

Avanzó hacia él, con el andar ondulante que le había enseñado Audrey al hacerle la demostración, lo que al principio la hizo sentirse tonta, y luego gratificada al ver que Grayson agrandaba los ojos.

—¿Te has hecho daño en el pie, Jane?

Ella se puso de puntillas para cogerle el cuello entre las manos.

—Qué encanto preguntármelo. ¿Ningún beso de saludo a tu amante?

Él le desprendió las manos de su cuello y sonrió azorado encima de su hombro.

—Heath y Drake nos están mirando.

—¿Sí? Bien por ellos.

—No está bien —dijo él en voz baja, desconcertado.

Ella bajó las yemas de los dedos por la musculosa pared de su pecho.

—Pero estuvo bien en el desayuno.

—Sí, pero..., ¿me has tocado donde creo que me has tocado?

—Esa es mi función como querida, ¿no?

—No delante de mi familia, cariño —dijo él, con los pómulos teñidos por un rojo subido—. Jane, ¿de veras te sientes bien? Es posible que yo no me haya tomado lo bastante en serio esa fiebre. Tal vez abusé demasiado de tus fuerzas anoche.

—Qué alharaquiento eres. —Lo obligó a entrar en la sala de estar de la que él acababa de salir y cerró la puerta con el pie—. Ahora estamos solos. Échate en el sofá.

—Creo que eres tú la que necesitas echarte. ¿Sirven coñac en la biblioteca, Jane?

—He estado reconsiderando tu proposición.

—¿Sí?

Ella lo llevó hasta el sofá en ángulo del rincón.

—Tal vez no es tan mala idea, después de todo.

—Bueno...

Ella lo sentó a su lado, tironeándolo de las solapas de la levita.

—Necesitaré práctica, eso sí.

Él la miró con las cejas arqueadas, intrigado.

—¿Práctica? ¿En qué?

Ella le desabotonó la levita y continuó con los botones del chaleco bordado.

—En darte placer.

—Me das mucho placer.

—Pero siempre se puede hacer mejor —repuso ella, acariciándole el pecho.

Él le cogió la mano, con un músculo vibrando en la mejilla.

—Lo haces mejor que nadie que haya conocido. ¿De qué va esto?

—De deseo.

—¿Deseo?

—De lujuria, Grayson. De pasión. De hacer estallar cohetes.

Él se aclaró la garganta.

—Todo esto es muy excitante e inesperado, pero... —Levantó los muslos para atraerla hacia él, pero se quedó inmóvil al oír la voz de Drake fuera de la puerta:

—¿Vas a bajar, o cancelamos nuestra reunión?

—¿Qué reunión? —preguntó Jane, agradeciendo la interrupción.

Por momentos se iba sintiendo más y más insegura de ser capaz de poner por obra el plan de Audrey sin delatarse. No estaba tratando con un bobo sino con un contrincante impetuoso y ladino.

—La reunión acerca del futuro de mi familia —dijo él, suspirando. Le dio un beso largo y profundo y la soltó—. Mis hermanos y yo esperamos encontrar un marido conveniente para Chloe, antes que se deshonre totalmente.

—Qué bueno eres, Grayson, al tomar esa decisión por ella. Dios sabe que las mujeres somos incapaces hasta de elegir un par de zapatos solas.

Él se levantó y la observó, sonriendo extrañado.

—No he dicho nada de eso. Comienza a vestirte para la noche, ¿quieres? Deseo exhibirte.

—¿Cómo a tu nueva querida?

Él vaciló, abotonándose el chaleco, y al final contestó en tono neutro.

—Por supuesto, cariño. ¿Cómo si no?

* * *

Llegaron retrasados al baile posterior a las carreras, y al cochero le costó encontrar un lugar para aparcar en medio de la cantidad de coches que bordeaban la calzada en pendiente. Drake se había disculpado de asistir en el último momento, presumiblemente para ir a visitar a una cierta damita que acababa de llegar de Londres. Simon, Heath y el tío Giles se separaron de ellos inmediatamente para ir a la sala de juego, donde se estaban haciendo las apuestas para las carreras del día siguiente. Grayson condujo a Jane y a su hermana hacia el salón de baile totalmente iluminado con velas de la casa del vizconde Lawson.

Había estado meditando acerca de la advertencia de Heath y decidido que tal vez sería mejor hacer caso de su intuición. Había llegado el momento de las revelaciones. Era evidente que Jane estaba tramando algo.

Otra vez.

Pensó en las dos Jane que había llegado a amar. Una era la damita pragmática y sensata a la que había acompañado por las fiestas de Londres, supuestamente para sanar su corazón roto. Adoraba ese lado de ella. Su respetable imagen calzaba a la perfección con el tipo de mujer que sus padres habrían elegido para él. Esa Jane era la esposa ideal para un marqués.

Amable, educada, elegante, una joya de la corona de la aristocracia.

Pero la otra Jane, ah, sí. La misteriosa beldad cubierta por un velo de novia de pie ante un altar vacío. Esa mujer enigmática y sus misteriosos motivos atraían a su lado tenebroso. Ese lado de él que despreciaba las convenciones sociales; ese lado de él que la despojaría de su último velo y contemplaría su alma desnuda en toda su pecaminosa gloria.

¿A cuál de las dos prefería?

A ninguna por encima de la otra. Era la fusión de esos dos seres incongruentes la que lo hechizaba, lo embelesaba. Era la mujer en su contradictoria totalidad la que amaba y al mismo tiempo deseaba superar en ingenio.

Ya era casi la medianoche de la farsa entre ellos.

Cuando estaban a punto de separarse fuera del cuarto guardarropa y tocador, Grayson le tocó la cara a Jane con el dorso de su mano enguantada.

—Fíjate en lo acalorada que estás, toda envuelta en ese capote. Nadie adivinaría jamás en lo tentadora que te has convertido. No veo las horas para comprobar qué me tienes reservado para esta noche.

Ella bajó los ojos recatadamente, contestándole en silencio, divertida: «Espera, mi querido arrogante. Te tengo otra sorpresa».

—Es muy abrumadora, Grayson, esta exhibición pública de tu querida.

—Qué tontería —dijo él, mirando por encima de su hombro a Chloe, que estaba con su morena cabeza sopechosamente gacha—. Vas a causar sensación.

«Y esa es mi intención», dijo ella para sus adentros.

Él la miró ceñudo.

—¿Has dicho algo, Jane? No logro oír, por el arpista que está tocando en la galería.

—No he dicho nada.

Él volvió a mirarla, con los ojos entrecerrados.

—Ve a quitarte ese capote, no sea que te desmayes. Aquí estamos tan apretados como arenques en escabeche.

—Como quieras, Grayson. Sólo existo para complacerte.

Eso lo dijo con la voz tranquila pero ya empezaba a retumbarle el corazón. Estaba a punto de sacar al león de la jaula. ¿Como lograría manejarlo después?

—¿Qué has dicho? —preguntó él.

—Que espero no disgustarte nunca —dijo ella, mansamente.

Chloe lo apartó de un codazo.

—Espéranos fuera del guardarropa una vez que nos hayamos arreglado, Gray. No hemos venido aquí a charlar toda la noche en el vestíbulo.

Ya en la sala tocador guardarropa, Jane se quitó el capote forrado en seda y susurró:

—No puedo salir ahí a exponerme a todas esas personas, a todos esos desconocidos, con el aspecto de una... de una prostituta del East End.

—Estás francamente preciosa —contestó Chloe, examinando el vestido de noche de vaporoso tul color melocotón, uno de los vestidos de su guardarropa secreto, que no se ponía nunca, y que le prestó a Jane para esa noche—. Creo que deberíamos humedecerlo otro poco para que se te ciña más. ¿Necesitas un poco de colorete para...?

—¡No! —chilló Jane, horrorizada, atrayendo la atención de la joven criada que estaba en la puerta. En voz más baja añadió—: Así ya enseño demasiado de mis partes rosadas. Igual podría ir cubierta sólo con un pañito de encaje.

Chloe ahogó la risa, divertida.

—Tienes un cuerpo que envidiaría una diosa.

—Envidiaría, Chloe, no exhibiría de esta manera tan horrorosa.

—No me perdería por nada del mundo la cara que va a poner Grayson cuando te vea.

—Se va poner fuera de sí de furia.

—¿No se trata de eso?

Jane tardó más o menos un minuto en divisar al hombre alto de pelo dorado que estaba en un apretujado grupo de invitados; eran damas elegantísimas que deseaban reanudar el trato con él, aristócratas de antiguas familias que alternaban en los mismos círculos sociales selectos, exclusivos. Grayson se veía tan cómodo, tan a gusto, en ese mundo de riqueza y elegancia, que Jane dudó que fuera posible perturbarlo.

Le ardían las mejillas abriéndose paso hacia él. Los jóvenes a cuyo lado pasaba se quedaban totalmente en silencio, en deferencia a esa nueva estrella que había aparecido en su rutilante galaxia.

Uno de ellos emitió un suave silbido apreciativo. Otro pasó un billete al maestro de ceremonia para que le dijera su identidad. Otro se puso la mano en el corazón y declaró su amor eterno. Sin desatender la conversación, Grayson medio se volvió a mirar, con expresión divertida, hasta que vio a la causante de esa conmoción. Sus ojos se encontraron con los de ella, y luego bajaron por su cuerpo tan seductoramente expuesto, y volvió la mirada a su cara. La expresión de sorprendida furia, controlada pero elocuente, que ella vio en sus ojos, casi la derrumbó.

Con ese vestido de tul color melocotón humedecido se sentía desnuda como... como un melocotón mondado. Sólo una finísima tela color carne protegía su cuerpo sin corsé de miradas salaces. Sus pechos presionaban la finísima tela del corpiño de forma tan evidente que no se atrevía a arriesgarse a respirar.

—Jane —dijo él sonriendo. Su sonrisa no reveló su disgusto pero la forma de apretarle la mano sí—. Ese no es uno de los vestidos que elegí. ¿De dónde salió?

—Me lo prestó una amiga, Grayson. ¿Te gusta?

—A todos los hombres de este salón les gusta —contestó en voz baja, en tono abrupto—. No vuelvas a hacer esto en público.

—¿Hacer qué?

—Enseñar lo que es mío, sólo mío.

—Pues, yo pensé que este vestido era apropiado para mi estreno como cortesana en formación.

Él la miró con los ojos brillantes de furia.

—¿Sí?

—Bueno, cariño, una querida no puede permitirse parecer... un ratón.

Él la alejó del grupo de invitados, haciendo un gesto de disculpa a la anfitriona por encima del hombro.

—Tal vez deberíamos bailar —dijo.

—Como quieras, cariño.

—Quiero que dejes de hablarme así —ladró él.

Ella fingió sentirse herida.

—Puedo dejar de hablar del todo si lo prefieres. Aunque, claro, sí me gustaría hablar de mi asignación. ¿Crees que deberíamos hablar de eso antes de proseguir?

—¿Con nuestro baile? —preguntó él, sombrío.

—¿Vamos a publicar en el diario nuestras negociaciones? —preguntó ella, cuando llegaban a la orilla de la pista de baile.

—No creo que eso sea necesario.

Ella se mordió el labio, pensando hasta dónde podría atormentarlo sin que él perdiera los estribos. Una vez que había empezado, era como si no pudiera parar.

—Pero si no me forjo un nombre en la alta sociedad... —Guardó silencio mientras ocupaban su puesto en la pista—. ¿No has traído papel y pluma, verdad?

—¿Papel y pluma? —repitió él, incrédulo—. ¿Para escribir mientras bailamos?

—No, tonto. Para mis memorias. Es muy improbable que tú vayas a ser mi único protector, Grayson. Voy a necesitar otra fuente de ingresos en el futuro. Una mujer debe ser práctica.

—Perdón —dijo una voz tímida detrás de ellos—. ¿Podría interrumpir esta conversación para pedirle este baile a la hermosa dama?

—¿Y yo podría interrumpir tu cara con mi puño si te atreves a hacerlo? —replicó Grayson, con expresión feroz.

—Mi cara...

Pestañeando horrorizado, el joven retrocedió varios pasos y luego desapareció en medio del gentío.

Grayson y Jane ocuparon sus puestos en la pista. La orquesta inició una cuadrilla. Él hizo su venia; ella hizo su reverencia. Pero ninguno de los dos tenía la mente puesta en la danza. Él estaba ocupado dirigiendo miradas asesinas a los hombres que se atrevían a mirarla, mientras ella intentaba parecer grácil en sus movimientos a la vez que se cubría el cuerpo con los brazos. En un momento pasó Chloe por su lado y le susurró:

—Nunca había visto a una mujer que se pareciera más a un molinete. Cógete la falda y extiéndela, por el amor de Dios.

—No puedo.

—¿Por qué no?

—Porque es transparente y se me ve todo.

Grayson hacía sus pasos por la pista con las piernas rígidas y la mirada sombría, negra, y amenazadora. Después, cuando terminó la danza, la llevó con escalofriante resolución hasta el rincón más oscuro de la sala, donde estaban reunidos los invitados mayores sentados en sillas.

—¿Por qué estamos aquí como un par de flores del papel de la pared? —preguntó al fin ella, en el tono más inocente—. ¿No deberíamos ser más sociables?

—No estoy de humor sociable —contestó él, mordaz.

—Bueno, nadie nos va a ver si seguimos aquí.

—Y ese es mi objetivo, Jane. —Se le ensombreció más la cara, mirándola de arriba abajo—. Se ve demasiado de ti esta noche.

—Tal vez podrías ir a jugar a las cartas —sugirió ella.

—Tal vez iría —dijo él arrastrando la voz—, si no estuviera ocupado protegiéndote de todos los aristócratas lascivos de Brighton.

Ella miró alrededor, porque no se atrevió a mirarlo a los ojos llenos de furia.

—Ah, mira, ¿no es esa tu vieja amiga, la señora Watson?

—Sí.

—¿No sería cortés ir a saludarla?

—No estoy de humor para eso tampoco —dijo él, rechinando los dientes.

—Bueno, ¿para qué estás de humor, entonces?

Él decidió no contestar, pero la respuesta era enloquecedoramente simple: para ella. Junto con la mayoría de los hombres presentes en el salón, se la estaba imaginando sin el vestido: Jane en el altar de su lujuria con su exuberante cuerpo y sus cabellos miel dorada sueltos sobre esos blancos y suaves hombros. Como una diosa inalcanzable, desafiaba a los mortales que la rodeaban a demostrar que eran dignos de su atención. Bueno, Heath se lo había advertido. La Jane tenebrosa estaba teniendo su victoria.

Obedeciendo a un impulso, la cogió por el codo y la llevó en dirección a la puerta lateral.

—¿Por aquí se va a la sala de refrigerios? —preguntó ella, sin poder evitar la nota de miedo en la voz.

Él la miró significativamente.

—No. Nos vamos a casa.

—¿Por qué?

—Para tener esa conversación de que hablaste.

—Y ¿Chloe y Simon? Y ¿el tío Giles? No podemos dejarlos aquí.

—Después les enviaré el coche.

Jane giró la cabeza a mirar el atiborrado salón y vio que Audrey le hacía un leve gesto de asentimiento, aprobadora. El objetivo había sido desarmar a cierto sinvergüenza, pero de repente tenía sus dudas, dudas que aumentaron vertiginosamente cuando, en un corredor oscuro, se encontró apretada a un pecho de acero, con la boca de Grayson a unos dedos de la suya.

—¿Es que quieres volverme loco? —le preguntó él en voz baja—. Si es así, lo has conseguido.

Estrechada en sus musculosos brazos a ella le resultaba muy fácil olvidar que él había decidido todo su futuro sin pedirle el consentimiento, y que tendría que hacer frente a ese tipo de conducta el resto de su vida. Sólo sabía que ya le pertenecía, que su destino quedó sellado hacía poco tiempo por una sola mirada entre ellos en una atestada capilla preparada para una boda; el día en que supuestamente iba a entregarse a otro hombre. Y luego Sedgecroft se presentó en lugar de ese otro, demostrando ser el mejor aliado y la peor amenaza que podía enfrentar una mujer.

—¿Qué ha pasado? —preguntó Chloe detrás de ellos.

—Jane se siente algo... —Miró de arriba abajo su cimbreña figura—. Ha cogido un enfriamiento.

—Ay, Dios —dijo Chloe, con los ojos bailando de travesura, acercándose a ellos—. Entonces tendrás que llevarla a casa, Grayson. Audrey me tendrá vigilada.

Si ese comentario le pareció raro a él, estaba tan obsesionado por los acontecimientos de esa noche que no hizo ninguna pregunta. Jane, lógicamente, entendió lo que Chloe quiso decir, y no le agradeció el recordatorio: que tenía que poner por obra la segunda parte de su plan tan pronto como fuera posible.

Seguía oyendo la voz de Audrey en la cabeza: «Cógelo desprevenido, cariño. Nunca es más vulnerable un hombre que en el tocador».

Pero ¿era menos vulnerable una mujer?, pensó Jane entonces, deseando poder llevar a Audrey con ella para que le diera consejos a cada momento. Una cosa es hablar de seducir a un marqués en la seguridad de un salón y otra muy distinta realizar esa seducción estando cara a cara con dicho marqués. Cuando hay que desnudarlo; cuando hay que abrirse paso por en medio de su furia para excitarlo.

Sí, Audrey era una experta en esos asuntos, y había revelado a su alumna unas técnicas que habrían hecho ruborizarse a la dueña de un burdel. Pero Grayson también era un experto. Y ella no.

Lo miró y sintió moverse el suelo. ¿Sería posible para alguien dejar impotente a un hombre así?

—No te metas en problemas —le dijo Grayson secamente a su hermana, rodeando a Jane con el brazo y alejándola firmemente—. Yo ya tengo bastante trabajo con un problema para una noche.

—Espera —gritó Chloe—. Se ha olvidado el capote.

—Pues, corre a buscárselo.

Cuando él se giró para continuar caminando, Chloe se acercó a Jane y le susurró al oído:

—Estaré toda la noche pensando en esos cohetes de Congreve. Sé valiente. Y cuéntamelo todo por la mañana.

Si vivía para contarlo, pensó Jane, estremeciéndose por la expectación de la seducción que iba a realizar.

Capítulo 23

Durante el corto trayecto de vuelta a la villa, Jane se libró de hacer frente a lo peor del disgusto de Grayson gracias a la repentina decisión de su tío de marcharse del baile con ellos. Nunca antes había sentido esa glacial desaprobación en la actitud de él hacia ella. Nunca antes había puesto a prueba hasta ese extremo la profundidad de los sentimientos de él. Sólo podía esperar que el tío Giles sirviera de amortiguador entre ella y un muy furioso marqués.

—A mi edad —explicó el anciano, después de subir tras ellos en el coche y sentarse—, soy más una vergüenza que un entretenimiento en estas fiestas. Mi vista ya no es la que era. Ahí estaba yo jugando a las cartas con un encantador joven vizconde, al menos eso creía yo, hasta que un lacayo me llevó amablemente hacia un lado para decirme que mi contrincante era una vizcondesa. ¿Quién se lo iba a imaginar, con esa ropa que lleva? Charreteras y botones militares en una casaca de húsar. Tú siempre vistes como una dama, Jane, ¿no estás de acuerdo, Sedgecroft?

Grayson apartó la vista de la ventanilla para mirarla.

—Nadie discutiría eso —dijo, con sarcasmo.

Jane se estremeció dentro de su protector capote. ¿Había oído alguna vez ese filo de navaja de afeitar en su tono?

—Vas a coger un catarro, querida mía —dijo el tío Giles, preocupado—. Vete a la cama tan pronto como lleguemos.

Y vaya si no sería feliz ella de poder seguir su consejo. Cuando entraron en la casa, agradeció el momento de respiro cuando su tío detuvo a Grayson en el vestíbulo para hablar de las carreras del día siguiente. Como el caballero que era, se quedó a contestar amablemente las preguntas del anciano. Pero no había la más mínima amabilidad en sus ojos de párpados entornados mientras la observaba subir a toda prisa la escalera para escapar a su habitación.

Su expresión le advirtió a ella que no eludiría su furia mucho rato.

La voz de Audrey se burlaba de su cobarde retirada: «Cógelo desprevenido, cariño. Nunca es más vulnerable un hombre que en el tocador».

—No puedo hacer esto —masculló—. No puedo, no puedo, no puedo. No voy a demostrar nada. Sólo voy a hacer el ridículo.

¿Qué había hecho esa noche? ¿Darle una lección o soltar a una bestia? Cualquiera supondría que el escándalo por su boda le habría enseñado que no se llevan a cabo los planes sin que haya consecuencias inesperadas.

Aún no habían transcurrido veinte minutos cuando lo oyó entrar en la habitación contigua. Ya ataviada con su bata de seda rosa, se sentó ante el tocador, con el corazón palpitante de ansiedad, y empezó a cepillarse el pelo. Se abrió la puerta que comunicaba las habitaciones. Vio su alta figura en el espejo. Cogió con más fuerza el mango del cepillo de armazón de plata. La frialdad de los ojos de él pareció bajar en varios grados la temperatura de la habitación.

—No te has cambiado todavía. No te has quitado el traje de noche —dijo, por decir algo, y retuvo el aliento mientras él avanzaba.

Él se situó detrás de ella, con los hombros rígidos como los de un soldado.

—¿Hablamos de ese vestido?

—Eh... sólo es un vestido.

—En otra mujer, tal vez —dijo él, y su voz se enroscó alrededor de ella como un suave golpe de advertencia de un látigo—. En ti es un escándalo.

—Tenía la impresión de que me querías con ropa... ¿cómo fue lo que dijiste donde la modista? «Con el mínimo de complicaciones».

Él apretó las comisuras de la boca.

—Eso no significa que desee exhibir tus encantos ante el mundo.

—No podemos mantener en secreto nuestra relación, Grayson.

—Tal vez no, pero yo soy un hombre reservado, muy mío, y no tengo la más mínima intención de exhibirte ni compartirte con nadie.

Ella bajó el cepillo a todo lo largo de su pelo. Captó su mirada en el espejo y lo que vio en sus ojos la hizo tragar saliva. ¿Cómo pudo atreverse a desafiar a un maestro en su propio juego?

—¿Qué esperabas ganar? —le preguntó él, quitándole el cepillo y comenzando a bajarlo por su pelo, lentamente y con la mano firme—. ¿Qué...?

Ella se levantó y se echó atrás la bata, que se deslizó hasta sus pies en un sibilante frufrú, dejándola totalmente desnuda, sólo con el pendiente de brillante.

—El vestido te ofendió. Me lo quité. ¿Estoy mejor así?

Grayson guardó silencio, sin saber si podía dar crédito a sus ojos. Su Jane tenebrosa hacía otra espectacular aparición.

Dejó el cepillo en el tocador, y bajó lentamente la vista por su cuerpo, deslizando la mirada por sus pezones encogidos, rugosos, su redondeado vientre, y el triángulo de vello abajo. El corazón le retumbaba en el pecho. Así que nuevamente estaba a un paso por delante de él, ¿eh? Bueno, él era buen perdedor, y le gustaba apostar en el juego. Si la dama lo deseaba, fueran cuales fueren sus motivos, ¿quién era él para negarse? Y la verdad, no podía negarse.

—El tema de tu comportamiento de esta noche no está cerrado —dijo, comenzando a soltarse la corbata, con los ojos oscurecidos por el deseo—. Pero la conversación puede esperar.

Ella le rodeó el cuello con las dos manos.

—Desvestirte es tarea mía, como querida. Déjame.

—Como quieras, pero... cielo santo, Jane, más lento. Me vas a romper la camisa.

Ella frunció los labios.

—¿Cómo puedo evitarlo si estoy ansiosa por adorar a mi maravilloso protector?

Él miró el suelo, bastante asombrado.

—Eso fue un botón. Le has arrancado un botón a mi camisa.

—¿Te importa?

—A mí no, pero a mi sastre podría importarle.

Ella le cogió la cara entre las manos y lo besó como si en ello le fuera la vida, introduciéndole la lengua en la boca y moviéndola contra la suya, hasta que él le rodeó la cintura con los brazos y la estrechó fuertemente. Grayson aprovechó el momento para tomar la iniciativa, y retrocedió con ella hasta la cama. Ella le cayó encima, con su cuerpo desnudo firmemente atrapado entre los muslos de él.

Se quedó quieto tendido de espaldas, todavía algo desconcertado, pero receptivo a lo que ella le hacía, equilibrándose afirmada en las rodillas para desvestirlo.

—No es que ponga objeciones, pero siento curiosidad —musitó—. ¿De qué va esto?

Ella tiró la camisa al suelo por encima del hombro y procedió a desabotonarle la bragueta.

—Seducción.

—¿Qué has hecho hoy con Chloe?

—No metas a tu hermana en el tocador, Grayson.

—¿Has dicho tocador?

—Esa es una palabra más apropiada que dormitorio para una querida, ¿no te parece? ¿Te importa si te ato a la cama?

Con su sensual boca curvada en una sonrisa, y su musculoso cuerpo desnudo hasta las caderas, él parecía el pecado encarnado.

—¿Qué te ha inspirado esto? —preguntó.

—Una cosa que vi en un libro.

—Ah, un libro. —Subió las manos por su caja torácica hasta sus pechos y ahuecó las palmas sobre ellos—. ¿No un libro de los que dejan en la biblioteca, supongo?

—No —respondió ella, sonriéndole seductoramente y alargando la mano por encima de él hacia la mesilla de noche.

—Entonces...

Se interrumpió al verla sujetar sus medias entre los dientes. Entrecerrando los ojos, la observó en silencio mientras ella le cogía las manos, y le ataba diestramente las muñecas a los postes de la cama.

—Interesante cambio de suerte —musitó—. Me vas a atar en un bonito paquete, ¿eh?

—Esos no son simples lazos, Grayson. Son los Nudos Belshire de la Aniquilación. Mis hermanas y yo los perfeccionamos en Simon durante nuestra infancia. Funcionan especialmente bien en el hombre que se enorgullece de someter a otros.

Él tensó y relajó los hombros y los bíceps para probar las ataduras.

—Muy bonito. Continúa, por favor.

A Jane la sorprendió descubrir que le gustaba esa sensación de tener poder sobre él. Sentía vibrar todos los puntos de pulso de su cuerpo al recordar las instrucciones de Audrey. Esbozando una sonrisa perversa, le bajó lentamente los pantalones hasta quitárselos y luego subió las manos, deslizándolas suavemente por el interior de sus muslos hasta llegar al tupido triángulo de vello en el que anidaba su grueso miembro masculino.

—Ahora no muevas ni un solo músculo.

—Ni lo soñaría —murmuró él.

Se le levantaron solas las caderas cuando ella cerró la mano alrededor de la base de su hinchado pene.

—Cariño, quédate quieto —musitó ella, perversamente.

En medio del torrente de sensaciones que lo asaltaban, él cayó en la cuenta de que en la agresiva sensualidad de ella había algo más de lo que veían los ojos. Siempre lo sorprendía con algo, desafiándolo a planear varias jugadas por adelantado, pero para eso... bueno, fuera lo que fuera lo que pretendía ella, no había ninguna estrategia, aparte de someterse. No le importaba un bledo lo que ella tuviera planeado, mientras no parara.

—No trates de soltarte —dijo ella, acariciándole el vibrante pene con las yemas de los dedos, con ligeros toques, como de pluma—. Esos nudos están muy firmes. No querría que te hicieras daño.

Como el caballero que era, no se molestó en decirle que con un mínimo esfuerzo podría haberse liberado las manos y ya la habría arrojado a ella de espaldas en la cama; en ese caso, el cambio de papeles era decididamente juego limpio. Y estuvo a punto de explotar cuando ella bajó la cabeza y, rozándole las ingles con su sedoso pelo, le pasó la rosada y mojada lengua desde la base del pene hasta la punta; se le tensó todo el cuerpo con la dulce tortura de contener la excitación sexual.

—¿Cómo lo sientes? —le preguntó ella en un susurro.

—Eh...

Entonces ella cerró la boca apresando su hinchado miembro y a él se le arqueó el cuerpo y se le escapó un gemido.

—Ponte encima —murmuró, arqueando la espalda.

—Pero es que no he terminado...

Él se soltó las muñecas de las ataduras, se incorporó bruscamente y, cogiéndola por debajo de las axilas, la montó encima de él.

—Muéstrame qué más aprendiste hoy en casa de Audrey.

Ella le miró la cara, afligida.

—¿Cómo lo sabes?

—¿Crees que voy a permitir que vuelvas a engañarme, Jane?

—Tal vez debería marcharme.

—No bromees. Por fin estás justo donde te he deseado.

Pasado un horroroso momento, Jane logró moverse, atrapada entre las enormes manos de su torturador sobre sus caderas. Por desgracia, comprobar que su amado era un bribón más listo de lo que había supuesto no disminuyó en nada su impotente atracción por él.

Por el contrario. Su cuerpo ya estaba absolutamente sensible a sus caricias. Cuando él la bajó suavemente para succionarle los pechos, se debilitó más aún y sintió acumularse el líquido de excitación en la entrepierna.

—Yo soy mejor que cualquier libro de consulta, Jane —susurró él, rodando con ella y dejándola de espaldas—. Algunas cosas hay que experimentarlas de primera mano.

Ella no podía discutirle eso. Mucho menos cuando él le levantó las piernas, las pasó por encima de sus fuertes hombros y hundió la cara en su entrepierna. Y mucho menos cuando a los pocos segundos llegó al orgasmo, inundada de vergüenza y placer, con el corazón desbocado.

—¿Qué más aprendiste hoy? —preguntó él, perforándola con sus ojos ardientes, desafiándola.

—Deja que te lo demuestre —dijo ella dulcemente, liberando el cuerpo.

—Soy todo tuyo.

Ella montó a horcajadas encima de él, se posicionó y comenzó a bajar introduciendo en ella su miembro erecto. Por un instante, de verdad creyó que sería capaz de controlarlo. Emitiendo un ronco gruñido, él se incorporó y le acarició los pechos con las manos y con la boca. Arqueando la espalda, con el pelo rozándole hasta el vientre, ella comenzó a moverse, a experimentar en darle placer. Él la dejó hacer un rato y luego le cogió las caderas y se arqueó, penetrándola hasta el fondo, más al fondo de lo que ella habría soñado posible.

Creyó que se iba a disolver ahí mismo.

—Grayson, oh, ooohh.

Él volvió a arquearse.

—Lo estás haciendo muy bien. No pares ahora.

—Voy a...

—Más, Jane.

—Es... no...

—Más.

Ella gimió y comenzó a moverse al ritmo impuesto por él, subiendo y bajando, cabalgándolo, notando el ensanchamiento y tensión de sus músculos internos para contenerlo, hasta que llegó el momento en que no pudo continuar moviéndose. Él la afirmó por las caderas mientras su cuerpo se descontrolaba en las contracciones y estremecimientos de otro intenso y potente orgasmo.

—Grayson, ten piedad.

Pero él continuó moviéndose al mismo ritmo, apretándole los pechos y las nalgas, embistiendo y machacándola hasta el instante mismo en que le llegó el orgasmo, con el que todo su musculoso cuerpo se estremeció de placer.

—Nunca había tenido una relación sexual así —reconoció con la voz ronca cuando por fin pudo hablar.

Jane no logró encontrar palabras que decir, y pensó que debía acordarse de enviarle una nota de agradecimiento a Audrey por la mañana. Aunque claro, eso no era el tipo de cosa que se pudiera expresar fácilmente con palabras.

Cerró los ojos y se desmoronó a su lado, sumergiéndose en la placentera negrura que la llamaba.

Hasta que la voz sardónica de él le penetró la niebla y comprendió que había llegado la hora de arreglar cuentas.

—Venga, Jane, ¿no crees que ha llegado el momento de hacer nuestras confesiones?

Suspirando, ella abrió los ojos y miró su angulosa cara iluminada por las velas. Los dos estaban finalmente sin sus máscaras, revelado ya el último de sus secretos. Exhaló otro suspiro de rendición.

—Me parece que ya era hora.

Capítulo 24

Jane estaba sentada en la banqueta del tocador, nuevamente envuelta en su bata, y en una mano sostenía el borgoña que le había servido él. Su acusador se paseaba por delante de ella, solamente vestido con los pantalones negros de su traje de noche.

Él se echó hacia atrás el mechón de pelo revuelto que le había caído sobre la cara. Tenía la cara seria, pero no expresaba la rabia que ella había esperado.

—No amabas a Nigel —dijo lentamente, como si estuviera intentando armar un rompecabezas—. Él no te amaba, lo cual es aún más difícil de entender. Pero muchísimas otras parejas se ven obligadas por sus familias a someterse a un matrimonio arreglado. Los dos podríais haber tenido vuestras aventuras después de la boda.

Ella lo miró reprobadora.

—Ese es tu estilo, tal vez, pero Nigel amaba a Esther, y ella estaba embarazada de él. Yo suponía que tú no entenderías el sacrificio, ni cómo se siente una mujer obligada a compartir su vida con un hombre al que no ama.

Él se detuvo a mirarla.

—Es cierto que no entiendo cómo se siente una mujer. Pero sí entiendo tu renuencia a comprometerte en un matrimonio sin pasión.

—Uy, Grayson —suspiró ella—. De verdad no me hace sentirme mejor que hayas decidido ser tan tolerante.

Él la miró en silencio, con el aspecto de sentirse vulnerable y dolido.

—Lo que de verdad me cuesta entender —dijo al fin, apoyando las manos en el tocador, dejándola entre sus brazos—, es por qué me engañaste.

—No sé muy bien cómo ocurrió —se apresuró a explicar ella—. La situación entre tú y yo fue evolucionando, y antes que me diera cuenta, las cosas se hicieron muy difíciles de explicar. No es que te engañara intencionadamente. Una cosa llevó a la otra y, entonces, de repente, descubrí que... que me había enamorado de ti.

Él la estaba mirando con los ojos acerados, ya oculta su vulnerabilidad.

—Además —continuó ella—, tú vivías haciéndome parecer un dechado de virtudes, encareciendo mis buenas cualidades, hasta que yo ya me morí de vergüenza por dentro.

—No fue un dechado de virtudes la que me ató a esa cama, Jane.

Ella asintió tristemente.

—No, fue una mujer muy perversa.

—Te he dicho que admiro tu perversidad. Y ¿qué esperabas demostrar seduciéndome, por cierto?

—Descubrí lo del contrato de matrimonio, que esta tontería de la querida sólo era una farsa para disciplinarme.

—Ah —dijo él, reprimiendo la sonrisa.

—«Ah». ¿Eso es lo único que se te ocurre decir?

A la cara de él volvió su habitual arrogancia.

—Nos casaremos, Jane. ¿Qué más hay que decir?

—Me niego a que me impongan otra boda por la fuerza.

—¿Qué deseas? —preguntó él, curioso, sin dudar ni por un instante que el asunto ya estaba decidido y prevalecería su voluntad.

No había llegado a esos extremos en contrarrestar su estrategia para admitir una derrota.

Ella hizo una larga inspiración.

—Deseo ser cortejada.

Cortejada. ¿Eso había dicho? Cielo santo, de qué manera más enigmática funcionaba el cerebro de una mujer. En especial de esa mujer. Cortejada.

—Y ¿qué diantres crees que he estado haciendo estas dos últimas semanas?

—Grayson, si no ves la diferencia entre cortejar y seducir, no sé qué decir.

Él levantó las manos, riendo sin poder evitarlo.

—Nunca en mi vida había puesto tanto esfuerzo en conquistar a una mujer.

Ella agitó la cabeza.

—Hablas como si cortejarme fuera... fuera una experiencia penosa.

—Bueno, hubo ocasiones.

—¿Nadie me va a permitir jamás decidir con quién y cuándo casarme?

La sonrisa de él rezumaba seguridad en sí mismo.

—Te vas a casar conmigo, Jane, eso ya está decidido. Si mal no recuerdo, tú ya me propusiste matrimonio. Puedes seguir adelante e incluso comprarme un anillo de bodas si quieres.

—Es la manera como procediste en todo esto lo que me duele. Tú y mi padre manipulando mi vida a la luz de velas, a puerta cerrada.

—¿Cómo sup...? —Ah, claro. Sólo había una persona capaz de descubrir eso. Tomó nota mental de hacer encarcelar a Chloe en la Torre de Londres—. Manipulando tu vida. Expresado así suena desagradable. Y no es que tu conducta no haya tomado sus desvíos sinuosos.

—Lo sé. Ya he pedido perdón...

Él le quitó la copa de la mano, sonriendo con un leve aire sardónico.

—No hay ninguna necesidad de pedir perdón. Tu naturaleza sinuosa es una de las cosas que, extrañamente, encuentro atractiva en ti.

Ella se levantó, le dio la espalda y lo miró por el espejo.

—Entonces entiendes mi deseo de ser cortejada.

—Te cortejé —dijo él, haciendo un despreocupado encogimiento de hombros.

—No —repuso ella, apoyándose en el tocador—. Me conquistaste como a una ciudadela. Yo anhelo lo romántico, Grayson, flores, cartas de amor, íntimas cabalgadas por el parque.

—Fuimos a cabalgar por el parque, y te compré una carreta entera de flores —dijo él, divertido, apartándole un mechón del hombro—. ¿Quieres toda una pradera?

—Nadie me ha cortejado nunca —dijo ella en voz baja.

Él contempló su imagen iluminada por las velas en el espejo, absorbiendo todos los detalles de su cara.

—Deja de autocompadecerte. No te ha faltado atención masculina. Puede que Nigel sea un bobo, pero te llevaba a fiestas y eventos sociales.

Ella sorbió por la nariz, en un gesto de muy atípica autocompasión.

—De lo único que hablaba Nigel en esas salidas era de Esther. Esther esto, Esther aquello. Los bellos pechos y la voz trémula de Esther.

Él se rió.

—Esther tiene la voz de un general prusiano.

—Eso pensaba yo también, pero está claro que Nigel era sensible a esa voz. —Guardó silencio un momento y continuó con acento triste—: Lo único que deseaba siempre en el fondo de mi corazón era que alguien me amara así.

—Bueno, dame esa oportunidad —dijo él, en su tono seductor—. Creo que lo puedo hacer tan bien como Nigel, ¿no?

—Pero todo esto comenzó como una farsa —dijo ella, deseosa de que él le disolviera los temores—. ¿Cómo sé que no me voy a convertir en otra Helene?

—No hay comparación entre tú y ella.

—Siempre dabas a entender que no te casarías nunca.

—Y entonces te conocí a ti —dijo él, como si eso lo explicara todo.

A ella se le oprimió la garganta al ver la emoción en sus ojos.

—Creí que todo estaba perdido, hasta que tú me salvaste.

—Corriste un riesgo que muy pocas mujeres se atreverían a correr.

—Y tú, malvado, haciéndome creer que sólo me querías como tu querida.

—Y ¿cortejarte me disculpará de la cruel broma que te gasté?

Grayson se aferraba a la esperanza de encontrar una manera sencilla de aliviarle la ansiedad. Dios lo librara de que Jane decidiera ponerlo a prueba con métodos más sinuosos.

Antes que ella pudiera contestar sonó un suave golpe en la puerta.

—Oye, Jane —susurró el tío Giles—, ¿cómo sigues de ese catarro?

—¿Qué catarro? —preguntó ella, distraída, porque él dejó la copa en el tocador y la atrajo hacia su cálido y seductor cuerpo.

—El catarro que contrajiste en el baile, cariño, cuando te presentaste medio desnuda para darme una lección —le dijo Grayson en voz baja, deslizando suavemente las manos por sus hombros.

Entonces le rozó la nuca con los labios, y ella se estremeció involuntariamente.

—Parece que está peor, tío Giles. Me ha bajado al cuello, a una velocidad alarmante.

—Te ha cogido bien cogida —dijo el tío Giles, compasivo, a través de la puerta—. No conviene que se te instale en el pecho.

—No, claro que no —contestó Jane, ruborizándose pues Grayson le metió las manos bajo la bata para cogerle los pechos.

—El mejor remedio es una buena noche en la cama —dijo el tío Giles.

—No podría estar más de acuerdo —susurró Grayson, estirándole un rosado y sensible pezón con las yemas de los dedos.

—Seguro que estaré mejor por la mañana —dijo Jane, y susurró en un resuello—. Para. Puede que sea viejo pero no es un incompetente.

—No te oí eso último, Jane —dijo el tío Giles—. ¿Me has pedido una compresa caliente? Excelente idea. Te traeré una y un vaso de leche caliente al instante.

Cuando se apagaron sus fuertes pasos, Jane se desprendió de los brazos de Grayson.

—¿Me vas a cortejar? —le preguntó, colocando el corazón en sus manos, y no en forma de súplica sino más como una afirmación de una condición.

—Jane, tomaría a todos los ejércitos de Napoleón yo solo por tenerte. —Una vez confesado eso, se sintió impulsado a añadir, tironeándole el cinturón de la bata para abrírsela—: Aunque lo encuentro muy raro, eso de cortejar a la propia esposa.

—Ah —exclamó ella, exasperada, sujetando los extremos del cinturón—, el objetivo es que me cortejes para que me convierta en tu esposa.

—¿Qué sentido tiene cortejar a una mujer a la que ya se ha conquistado? —bromeó él, atrayéndola tirando del cinturón.

—Grayson, ese comentario es otro ejemplo de tu increíble arrogancia. Vete.

Él exhaló un suspiro de placer ante el contacto de su cuerpo con el suyo.

—¿Me permites recordarte que esta es mi casa?

—Podrías visitarme otro día, cuando yo no me sienta indispuesta.

—Puedo visitarte cuando me dé la maldita gana. —La atrajo más hacia sí con otro tirón del cinturón, para demostrarle quién estaba al mando; al menos por el momento—. Porras, Jane, lo hemos hecho todo al revés. Nos conocimos en el altar, nos hicimos amigos, tuvimos relaciones íntimas, y ahora al final, un cortejo.

—Supongo que bien está lo que bien acaba.

—Te debo lo que desea tu corazón —dijo él dulcemente—. Si eso es lo que hace falta para demostrarte mi amor, lo haré.

—¿De verdad, Grayson? —preguntó ella, colocándole las manos en su pecho desnudo.

—Por ti y por nuestras familias. Lo haremos decentemente esta vez.

Ella se mordió el labio, y lo miró riéndose.

—¿Decentemente? ¿Tú y yo?

—Bueno, todo lo decentemente a que logre llegar este par formado por tú y yo.

Grayson entró en la biblioteca iluminada por velas y miró pensativo a su hermano Heath, que estaba en el otro extremo sentado en un sillón con los brazos cruzados en la nuca.

—Venga, ríete a gusto. Me rechazó.

—¿Quién lo creería? —dijo Heath, divertido—. Una mujer rechaza a mi irresistible hermano.

—Esto es asunto serio, Heath. Se niega a casarse conmigo mientras yo no cumpla ciertas condiciones.

—Bueno, nadie te obliga a ti a hacer nada, así que ahí se acaba todo.

A Grayson le brillaron los ojos de diversión.

—Imposible. Es probable que mi retorcida dama ya lleve en su vientre al heredero de la familia. ¿Crees que existe la más mínima posibilidad de que no nos casemos?

Heath dejó a un lado el libro que había estado leyendo, bastante divertido por la situación. No se había imaginado que Jane le caería tan bien como le caía. Secretamente la admiraba por resistirse a su hermano.

—Eso plantea un problema interesante. ¿Qué vas a hacer? ¿Raptarla?

—No creas que no se me ha pasado esa idea por la cabeza —dijo Grayson, sombríamente.

—Escocia es bastante agradable en esta época del año. ¿Armarían un lío sus padres si te fugaras con ella?

Grayson emitió un bufido.

—Belshire está tan furioso con ella que igual la arrojaría por la ventana dentro del coche que la estuviera esperando. Pero mi Jane desea decidir ella, y no me gustaría una esposa que no me dirigiera la palabra durante nuestra luna de miel.

—A mí tampoco.

—¿A ti? —Grayson miró atentamente a su hermano, cuyos actos y emociones parecían envueltos en sombras desde hacía años; Heath siempre era muy misterioso en todos sus asuntos—. A ti no te gusta nadie para esposa, ¿verdad?

—Tengo otras obligaciones que atender.

—Eso quiere decir que no ha acabado tu trabajo para el servicio de inteligencia.

—No lo sé. Aún no se han comunicado oficialmente conmigo.

—¿Hay algún peligro todavía?

—Algunos lo consideran evidente —contestó Heath, cauteloso, eligiendo con sumo cuidado sus palabras—. En el exilio, Napoleón sólo puede esperar que haya discordia entre las potencias mundiales. En Europa hay desasosiego. Los parados están llegando en masa a nuestras fronteras.

—Y los erarios están agotados.

—Pero ¿por qué hablamos de política cuando tienes problemas con una mujer, Grayson? —dijo Heath; esa era su manera de decir que no deseaba hablar más de ese tema—. Francamente, entre la guerra y el cortejo a una mujer, no sé en qué es más fácil ganar.

Grayson sonrió de oreja a oreja. La verdad, él esperaba con ilusión ese futuro incierto con Jane.

—Puede que tengas razón, aunque hay más placer en mi batalla. Eso te lo garantizo.

—Entonces sólo puedo desearte...

Heath estaba de pie con una pistola sacada del cajón del escritorio antes que Grayson alcanzara a llegar al aparador. Había un alboroto en el vestíbulo, se oían ruidos de pisadas, gritos de una mujer y relinchos de caballos en la calle.

—¿Quién diantre podría ser a esta hora? —dijo Grayson, siguiendo a Heath hasta la puerta.

Ya habían apagado las velas de los candelabros del vestíbulo, por lo que al principio a los dos les costó reconocer a las personas que habían llegado a esa hora inverosímil: una de ellas era un joven de aspecto mediocre todo cubierto por un abrigo marrón, y la otra una mujer envuelta en una capa forrada en piel cuyo abultado vientre delataba un sano embarazo.

—Ahí está ese canalla, Nigel, acechando en la oscuridad como suelen acechar los canallas —declaró ella, con voz enérgica, quitándose los guantes y arrojándoselos al atónito mayordomo, que, como bien educado que estaba, se mordió la lengua.

—Ah, caramba, esa es la voz de mis pesadillas —dijo Grayson a Heath.

—Y de las mías —contestó Heath, divertido y consternado a la vez por esa nueva situación—. ¿Se te ocurre qué podría querer?

—Bueno... —Grayson se interrumpió al mirar hacia el rellano de la escalera, donde estaba asomada Jane en camisón de linón—. Bueno, ahí podríamos tener nuestra respuesta.

Esther Chasteberry, ya lady Boscastle, a cuyos perspicaces ojos jamás se les había escapado ni una sola aberración social en toda su carrera como institutriz, emitió una exclamación de espanto:

—¡Está en camisón de dormir, Nigel! El hombre ni siquiera es sutil. El mundo se ha ido al infierno, te lo digo. ¡Está absolutamente deshonrada!

Nigel estaba mirando a Jane boquiabierto de asombro. En todos los años de amistad, jamás se había imaginado que vería llegar a eso a su bondadosa y generosa Jane. Peor aún, sabía que él era el responsable. Si se hubiera casado con ella, tal vez los dos habrían sido desgraciados, pero por lo menos ella sería respetable. Seguro que no se habría convertido en la querida de un libertino que recibía a la gente en la escalera en camisón de dormir.

—Ay, Jane —dijo en voz baja, moviendo la cabeza desesperado—. ¿Cómo has podido? Y con mi primo.

—No es culpa suya —exclamó Esther, indignada, avanzando por el vestíbulo como una falúa real por el Támesis—. Se ha aprovechado de ella ese —apuntó un dedo acusador a Grayson— niño malo.

Heath se echó a reír.

—Creo que ha habido un malentendido —dijo Grayson, ya recuperado de la sorpresa.

—Que no te intimide, Nigel —dijo ella—. Haz algo.

Nigel tragó saliva, tratando de armarse de valor para actuar. En realidad, quien lo intimidaba era su amada mujer, pero Grayson siempre lo había asustado un poco también, con su temperamento Boscastle respaldado por destreza física. Lo había visto dejar fuera de combate a un contrincante con el primer puñetazo.

En eso estaba, preparándose, cuando Esther se giró hacia él y le cogió el brazo.

—¿Haces algo tú o lo hago yo? —le preguntó.

A Heath le brillaron de humor los ojos.

—Cuidado, Gray, que podría haber traído su vara.

Nigel dio un paso adelante. Era por lo menos una cabeza más bajo que sus primos, de abundante pelo castaño ondulado y lucía el comienzo de una doble papada bajo una cara simpática aunque no hermosa. En ese momento tenía más el aspecto del humilde baronet que era que el de un valiente defensor de damitas víctimas de pillaje.

Aunque claro, porras, Jane no era sólo una mujer deshonrada; era también su mejor amiga, un espíritu valiente que había sacrificado muchísimo por él. La rabia se abrió paso por en medio de su cobarde vacilación. Cuando logró hablar, la voz le salió tan bronca y varonil que casi lo asustó a él mismo.

—Debería darte vergüenza, Sedgecroft —dijo—. ¿Qué significa esto? Contéstame inmediatamente.

A Grayson le estaba costando muchísimo mantener la cara seria. Solamente un residuo de miedo a la institutriz de la familia le permitió contestar sin reírse:

—Yo debería hacerte a ti esa pregunta, Nigel, ¿no te parece?

—Bueno, esto...

—Fue un egoísmo increíble por tu parte dejar a tu prometida abandonada a los lobos, querido primo —continuó Grayson, haciendo un leve ceño a Jane, que desapareció de la escalera, presumiblemente a ponerse un atuendo más presentable—. Fue un buen escándalo el que dejaste para que yo lo limpiara por la familia. Y no es que me haya molestado hacerlo. Y no es que el escándalo no haya sido muy, muy entretenido. Pero bueno, fue un escándalo de todos modos.

Nigel bajó la cabeza, derrotado por la lógica de su primo.

—Bueno...

—No habría sido tan escandaloso si no te hubieras entrometido tú —dijo Esther, cuando se le hizo evidente que la bravata de Nigel se había desinflado—. Aunque no me sorprende. Vuestra rama de la familia Boscastle siempre tomaba la iniciativa.

—Vamos, gracias, Esther —dijo Heath, sonriendo de oreja a oreja a su hermano mayor—. Creo que esta es la primera vez que nos elogias.

—Tal vez no lo haría —dijo ella, con la voz ahogada—, si ahora no fuéramos de la misma familia. No toleraré que nadie de fuera critique a los míos.

—¿Qué habéis venido a hacer aquí, por cierto? —preguntó Grayson, cruzándose de brazos, resignado.

Esther alzó el mentón, en absoluto acobardada por un hombre cuyo trasero había golpeado.

—Hemos venido a salvar lo que queda de la reputación de Jane.

—Entonces baja la voz —dijo Grayson, apaciblemente—. Su hermano y su tío están durmiendo arriba.

Nigel miró hacia un lado. Jane, ataviada con un vestido de muselina y con aspecto muy decente para ser una mujer caída, acababa de bajar la escalera para meterse en la refriega. Se sintió culpable por su feliz vida conyugal, tan en contraste con la triste deshonra de ella, aunque... buen Dios, ¿qué fue esa mirada que intercambiaron ella y Sedgecroft?

Electrizante. Fuego blanco, como el arco de un rayo una noche de verano. Hasta el aire chisporroteó con esa fogosa corriente, y ahí estaba él en el medio, un simple espectador impotente. De repente pensó si existiría una manera de persuadir a un hombre como Sedgecroft de hacer lo honroso.

Grayson se aclaró la garganta, más alto, más corpulento, más fuerte de lo que Nigel recordaba.

—¿Por qué no nos retiramos al salón, señores, para conversar de esto?

Nigel enderezó sus estrechos hombros. Una conversación sí podía manejarla.

—Quédate aquí, Esther —dijo en tono autoritario, y añadió dulcemente al girarse para seguir a Grayson—: Por favor.

Capítulo 25

—Jamás habría aceptado nada de esto si hubiera sabido el enredo que se iba a armar —le confió Esther a Jane cuando se quedaron abandonadas en el vestíbulo.

—Yo tampoco —dijo Jane. Lo cual, si lo pensaba, era una absoluta mentira; había disfrutado de cada minuto con su Boscastle, tanto como Esther había disfrutado con el suyo—. Nadie podría haber previsto nada de esto —añadió; esa parte al menos era cierta.

—Espero que Nigel sepa defenderse solo —dijo Esther, ceñuda de preocupación.

Jane sólo pudo responder con un gesto de asentimiento nada convencida. ¿Qué posibilidades tenía Nigel contra Grayson y Heath?

—Las habladurías sobre vosotros corren por toda la ciudad —dijo Esther, moviendo la cabeza de un lado a otro, dejando ver a la institutriz que había en ella—. Por lo menos Nigel y yo fuimos discretos.

—Porque yo os encubrí —señaló Jane.

—Sí, sí, desde luego. Y no creas que no estamos agradecidos. Claro que el padre de Nigel lo va a dejar sin un céntimo ahora que nuestro matrimonio es de conocimiento público. Pero eres tú nuestra preocupación inmediata. Cuando corrimos a Londres a rescatarte, tu deshonra ya era la comidilla en todas partes. ¿Qué se pudo apoderar de ti para hacer esto, querida mía?

—Lo mismo que se apoderó de ti y de Nigel, me imagino.

—Nigel y yo nos horrorizamos hasta la médula de los huesos cuando nos enteramos de que tus padres se lavaron las manos, desentendiéndose de ti, y se marcharon al campo.

—Bueno...

—No temas. Nosotros no te abandonaremos en tu hora de vergüenza y notoriedad como ha hecho tu familia —la consoló Esther.

—Sois muy amables —contestó Jane, nada dispuesta a que la pusieran bajo custodia—, pero lo llevo bien y tengo conmigo al tío Giles.

—No lo llevas bien en absoluto —insistió Esther—. Te engaña tu pasión por Sedgecroft.

—¿Cómo lo sabes?

—Porque yo he combatido tentaciones similares en el curso de mi carrera como institutriz. —Los ojos castaño claro de Esther se desenfocaron, contemplando sus recuerdos—. Una vez hubo un duque que..., ah, no tiene importancia. El problema es qué hacer contigo.

—Soy muy capaz de llevar mis asuntos.

—El hecho de que estés en esta casa contradice eso —suspiró Esther—. Tal vez se nos ocurra alguna solución durante el trayecto a Londres.

—¿A Londres?

—Sí, Jane. Nigel y yo debemos enfrentar a sus padres juntos y ponerte bajo nuestra protección. A no ser, claro, que

Nigel logre persuadir a Sedgecroft de que haga lo correcto contigo.

Jane sonrió.

—Grayson ya me ha pedido la mano.

—Ah, bueno. De todos modos debes vivir con nosotros hasta que se acaben las habladurías.

—Por una vez, Esther, sólo por una vez, querría tener voz y voto en mi vida. Simplemente una que otra palabrita aquí y allá. Una oportunidad de dar mi opinión.

Esther la miró francamente.

—No deberías haberte enamorado de un Boscastle.

—No tuve mucha opción en eso —contestó Jane, recordando su primer encuentro con Grayson y cómo a partir de entonces se habían producido muchos interesantes cambios en su vida—. En realidad, todavía no entiendo muy bien cómo le entregué el corazón.

—Ninguna mujer lo entiende nunca, Jane. Ni siquiera yo, con toda mi sabiduría y experiencia en manejar a chicos rebeldes, pude resistirme a mi dulce Nigel, y cada día agradezco al cielo que sus primos no lograran corromperlo.

Nigel ya se había bebido dos copas de oporto cuando por fin reunió el valor para ir al grano. La idea de que lo más probable era que Esther estuviera escuchando la conversación en la puerta lo envalentonó; aunque también lo aterraba. Prefería enfrentarse a Grayson en un duelo con los ojos vendados antes que enfrentar la ira de su mujer embarazada.

—Tal como yo lo veo, sólo hay una solución —declaró, abanicándose disimuladamente con la mano para desviar la nube de humo de cigarro que Heath había soplado en su dirección.

—¿Solución a qué? —preguntó Grayson, que estaba cómodamente reclinado en el sofá con los ojos entrecerrados.

—A este... a esta desastrosa situación como amante en que ha caído Jane.

Ya está, lo había dicho, y sin acusar a Grayson de ser el canalla que la había empujado en esa caída.

—Mi opinión es que, sin duda, debería casarse con ella —dijo Heath.

—¿Sí? —preguntó Grayson, enderezando la espalda.

—Eso ataría algunos cabos sueltos —dijo Nigel, disimulando su alivio.

—Entonces, ¿crees que eso sería una solución aceptable? —preguntó Grayson, como si sólo en ese momento le pasara la idea por la cabeza—. ¿Podría contar contigo para que convenzas a Jane de aceptar la proposición? Ya que eres su mejor amigo, etcétera.

—Ah, pues sí —contestó Nigel, tan halagado por participar en una conspiración con sus dos primos que perdió de vista su primer objetivo—. Haré todo lo que esté en mi poder para persuadirla, siempre que...

—¿Siempre que qué? —preguntó Heath, mirándolo con los ojos entrecerrados.

—Antes tendré que pedirle consejo a Esther, lógicamente. Es un simple acto de cortesía, dado su estado.

—¿Sigue blandiendo esa vara? —preguntó Grayson, girando la cabeza.

Nigel se ruborizó; todavía le dolía recordar las muchas veces que lo excluyeron del bullicioso clan Boscastle.

—No sé cómo reaccionar a esa pregunta —dijo, azorado.

—Creo que todavía la tiene —dijo Grayson.

—Creo que tienes razón —dijo Heath, esbozando su sonrisa diabólica.

Capítulo 26

Así que a eso había ido a parar todo, estaba pensando Grayson, asomado a la ventana de su dormitorio, observando a los criados cargar su equipaje en su coche. Volvería a Londres con la mujer que amaba. Los dos desandarían lo andado en su escandaloso romance y volverían a recorrer el camino de una manera socialmente aceptable.

Y todo para terminar donde habían comenzado: en un altar para la ceremonia de bodas. Y esta vez no se escaparía de la boda ninguno de los dos. Se casarían aunque tuvieran que realizar la ceremonia encadenados. Él no tenía la menor intención de permitir que Jane lo derrotara otra vez.

Se giró a contemplar la habitación en la que habían tenido relaciones tan íntimas que le ardió la piel al recordarlas. Sólo Dios sabía a cuántos estúpidos bailes y meriendas campestres tendría que asistir con Jane para por fin poder disfrutar de ella en su cama nuevamente. Se sentía más o menos como el diablo girando en círculos para cogerse la cola, pero no le cabía ninguna duda de que le daría caza.

¿Duraría ese equilibrio que habían encontrado o fluctuaría a lo largo de su vida conyugal? Ya se conocían y comprendían mutuamente. Tenía la sensación de que habían llegado a su fin los engaños entre ellos. De todos modos, tenía la certeza de que no existía otra mujer en el mundo capaz de desequilibrarlo como Jane. Estaba seguro de que ella le presentaría desafío tras desafío en los años venideros.

Y no lo querría de ninguna otra manera.

Cuando el coche emprendió la marcha, Jane contempló la elegante villa junto al mar por la ventanilla; sintió una punzada de pesar por dejar la casa donde ella y Grayson habían puesto fin a la representación de su farsa. De todos modos, la gratificaba saber que él nunca había llevado ahí a ninguna otra mujer. Si lo hubiera hecho, ella podría haberse visto obligada a insistir en que la vendiera. No siendo así, podrían volver allí a lo largo de los años a pasar nostálgicas vacaciones.

Suspirando, se acomodó en el mullido asiento y apoyó la espalda. Ya lo echaba de menos, aun cuando él venía detrás en su coche. Deseaba viajar con él, tenerlo a él a su lado, en lugar de ir con Nigel y Esther, que la sofocaban con sus atenciones. La trataban como a una niña abandonada a la que acababan de rescatar de un orfanato.

—Juntos haremos el camino de vuelta a la respetabilidad —dijo Esther enérgicamente.

Y Jane tuvo que sonreír. Sí, es agradable tener el consuelo de amigos cuando se ha estado a punto de estropearse la vida.

Cuando llegó a Londres con su comitiva de protectores, fue un alivio para ella comprobar que su familia ya estaba de vuelta en la casa de Grosvenor Square. Su padre le dio un abrazo tan efusivo que le hizo crujir los huesos, con la cara arrugada por la emoción. Ella no se había esperado eso, como tampoco se había dado cuenta de lo mucho que echaba de menos a sus padres. Su sincera preocupación por ella la obligó a perdonarles la mala pasada que le jugaron.

En realidad, el perdón fue el triunfador del día. Ella los perdonó; ellos la perdonaron. Incluso se mostraron amables con Nigel y Esther, actuando como verdaderos aristócratas, como si nunca hubiera habido una boda saboteada.

—Muy bien, entonces —dijo lord Belshire, sirviendo coñac y pastas para el té a los huéspedes—, sólo falta Sedgecroft en nuestra pequeña reunión. ¿Dónde está tu novio, Jane?

Jane detuvo a medio camino a la boca la teja de almendras.

—Todavía no estamos comprometidos oficialmente, papá.

Lord Belshire dio la impresión de que se iba a desmayar. Miró indeciso a su mujer, que había logrado descodificar el misterio basándose en lo que le había contado Simon.

—Tiene que haber un periodo de cortejo, Howard.

Él palideció hasta un cadavérico matiz de gris.

—¿Por qué? Es decir, el contrato ya está firmado. Ya cortejaron. Sí, cortejaron, en esta ciudad, en esta casa. Yo los vi con mis propios ojos. Yo mismo... —la fría sonrisa que vio en la cara de su mujer le dijo que no esperara ayuda de ella—. Creí que era cortejo —terminó, sin convicción—. ¿Estaba equivocado?

Athena apretó los labios en señal de advertencia. Se había sentido tan culpable, había estado tan preocupada por su queridísima hija mayor durante la estancia de esta en Brighton, que estaba resuelta a hacer las paces con ella, aunque eso significara contradecir a Howard por primera vez en su vida conyugal relativamente pacífica.

—No fue un cortejo decente, Howard.

Él pestañeó una, dos, tres veces, como un búho expuesto repentinamente a una luz muy brillante.

—¿Decente? Como si hubiera habido algo decente en esta familia últimamente. Institutrices embarazadas, bodas saboteadas, conspiraciones a cada paso.

Nigel bajó la vista a su plato; Jane mordisqueó su teja de almendras con expresión pensativa; Caroline y Miranda, que estaban sentadas en el sofá, se quedaron inmóviles como estatuas, con la cabeza gacha sobre un álbum de recortes; Esther cogió su tercer pastelillo.

—Un cortejo como es debido —dijo Athena, suspirando— pondrá fin a todas las habladurías de una vez por todas.

—Sólo si acaba en matrimonio —dijo Howard, y miró a su mujer paralizado por el horror al pasar por su cabeza otra posibilidad—. Porque esto va a acabar en boda entre ellos, ¿no? ¿Jane no va a volver a cambiar de opinión?

—Sinceramente, querido —dijo su mujer, agitando impaciente la cabeza—, no se puede contestar a esa pregunta sin estropear todo el romance.

Ciertamente la pregunta había sido contestada a entera satisfacción de las hermanas menores de Jane. Las dos estaban en el dormitorio de Caroline, tendidas boca abajo sobre la cama, examinando platos y menús de moda a la luz de unas velas, con vista a preparar el grandioso acontecimiento.

—Tendremos que comenzar totalmente de cero —dijo Caroline—. Jane no puede ponerse el mismo vestido.

—¿Deberíamos invitar a Nigel? —preguntó Miranda.

—Sí, pero tendremos que reservar un banco entero para la Chasteberry. Da la impresión de que va tener trillizos.

—¿Crees que Grayson va a invitar a sus ex amantes esta vez?

A Caroline le brillaron de travesura los ojos.

—Creo que por lo menos tendría que preguntárselo a Jane primero, aunque sí que aportan un cierto condimento.

—Y que lo digas.

Caroline rodó hasta quedar de espaldas, haciendo volar hasta el suelo hojas con listas y dibujos.

—¿Podremos contratar al chef francés del Gunter otra vez?

—Nosotras vamos a necesitar vestidos nuevos también —musitó Miranda.

—Me gustaría saber si Drake y Devon van asistir esta vez —dijo Caroline, distraída.

—Yo diría que sí. Parecen ser una familia muy unida.

—Una familia escandalosa.

—Y apasionada.

—La nuestra también lo es.

Miranda levantó la cabeza.

—¿Qué? ¿Apasionada o escandalosa?

—Creo que hay potencial para ambas cosas —dijo Caroline mirando el cielo raso, contemplando la pintura de amorcillos retozando—. Deberíamos haber sospechado que Jane tenía planeado algo diabólico cuando se resistía a hacerse las pruebas de los vestidos para su ajuar. No deseaba atraer a Nigel.

Miranda esbozó rápidamente en su bloc de dibujo una novia con un ramo de malas hierbas y rosas marchitas.

—¿Cómo íbamos a imaginarnos? ¿Se te ocurriría a ti sabotear tu propia boda?

—Yo me voy a fugar —dijo Caroline—. Si llego a conocer al hombre de mis sueños, yo misma lo llevaré directo al altar.

Capítulo 27

La paciencia era una de las pocas virtudes que Grayson había cultivado entre vicio y vicio. Si Jane quería que la cortejara, pues la cortejaría. No le cabía la más mínima duda acerca de quién resultaría victorioso en ese juego de amor. Ella podía atormentarlo todo lo que quisiera, pero al final dominaría el hombre. Alegremente llevaría su corazón en la manga para demostrarles a ella y al mundo que la adoraba.

Sin embargo, aun cuando tenía plena confianza en su capacidad para ganar, no daba por descontado mucho más en la vida. Jane lo había desafiado emocional e intelectualmente desde el momento mismo en que se conocieron. Mientras no fueran declarados marido y mujer ante Dios y los hombres, continuaría dándole caza, aunque sólo fuera para demostrarle su amor. Para demostrarle que aunque seducirla había sido supremamente placentero, eso no había sido su único objetivo.

Hablaba absolutamente en serio cuando le dijo que la necesitaba para que lo ayudara a manejar a sus hermanos. Qué insensatos y desmadrados se habían vuelto. En la infelicidad tan profunda que manifestaba Chloe veía una revolución en potencia, que si no se frustraba pronto la llevaría al desastre. Heath también parecía ir encaminado hacia una actividad enigmática y sin duda peligrosa.

Sus preocupaciones no acababan ahí. Su gazmoña y correcta hermana Emma había perdido a su marido, y en calidad de vizcondesa viuda estaba en una posición vulnerable ante la sociedad, aun cuando ella se negara a considerar las cosas de esa manera. Drake y Devon siempre habían sido almas inquietas, y se buscaban problemas una y otra vez. Al valiente Brandon, el pequeño, ya le había llegado su hora y no podía volver a fastidiar metiéndose en dificultades.

El linaje Boscastle necesitaba la fuerza y la astucia de Jane para sobrevivir a los peligros y llegar al otro siglo.

Y él la necesitaba para su propia supervivencia.

Esa noche, la del mismo día de su llegada, cuando Grayson fue en visita formal a la casa de Jane para acompañar a toda la familia a la ópera, se quedaron varios minutos solos en el salón, él con un elegante traje de noche negro y relucientes botas; ella con un vestido de satén blanco marfil cuyo corpiño remataba en delicados volantes que le rodeaban sus bellos hombros como los pétalos de una exótica azucena.

Estaban hechos el uno para el otro. ¿Qué otra mujer en el mundo lo excitaba y domaba a sus demonios al mismo tiempo?

Dio una lenta vuelta alrededor de ella, como un león examinando a su presa.

—Ese vestido te sienta demasiado bien —le dijo en voz baja.

—¿Te gusta? Debería. Es uno de los que me elegiste tú, el único de mi guardarropa para querida que podría usar en público.

Él se detuvo detrás de ella a frotarle la seductora curva del hombro con el mentón.

—Creo que lo elegí pensando en una actividad íntima y secreta. ¿El trayecto desde Brighton te permitió darle un descanso a esa tortuosa mente tuya?

—Efectivamente, milord. Y ¿dio tiempo de reposo a tu mente tortuosa?

Él posó los labios en la curva de su cuello, musitando:

—En todo el viaje no hice otra cosa que idear maneras de volver a tenerte toda para mí. Te echo de menos, Jane. —La sintió estremecerse levemente cuando le puso las manos sobre los hombros—. ¿Cuánto tiempo tenemos que esperar?

—No podemos casarnos hasta después que se case Cecily. Simplemente no se pueden celebrar dos bodas en la misma semana.

—¿Nos fugamos?

—Mmm, lo que pasa, Grayson, es que yo tengo puesto el corazón en una ceremonia como es debida, una boda para recordar...

—Ya tuviste una, si mal no recuerdo.

—Bueno, se me ocurrió que esta vez podría invitar al novio.

Él suspiró.

—¿Cuándo es la boda de Cecily?

—Dentro de dos semanas, en Kent, en la casa señorial de su padre. ¿Vas a asistir?

—¿Por qué no? La última boda a la que asistimos tú y yo fue muy entretenida.

—Estará toda mi familia —dijo ella, entusiasmada por la idea de presentar a su pícaro bribón al resto de su parentela—. Bien podrías asustar a mis hermanas con tu espantosa masculinidad.

—Supongo que tendré que acostumbrarme a estas fiestas familiares —dijo él.

La giró para ponerla de cara a él, observando sus curvas envueltas en satén. ¿Estaría embarazada? ¿Habría comenzado a expandirse un poquitín esa estrecha cintura? En Brighton habían hecho el amor las veces suficientes para que eso fuera una posibilidad. Le deslizó un dedo por la base de la garganta. Repentinamente se sentía muy protector con ella.

—Quiero fijar una fecha —dijo.

—¿Una fecha para qué? —preguntó ella, sonriendo.

Él deslizó la yema de un dedo por debajo de sus pechos. Tuvo la satisfacción de ver que a ella se le aceleraba la respiración.

—Para poner a hornear el pudin de Navidad. ¿Qué te parece?

Jane levantó la cara hacia la suya.

—¿No está escrito eso en el contrato clandestino?

—Déspota que soy, olvidé ese importante detalle.

—Me sorprende que el otro déspota, mi padre, haya permitido esa omisión.

—Creo que estaba conmocionado.

—¿Os vais a quedar toda la noche aquí o nos vais a acompañar a la ópera? —preguntó lord Belshire desde la puerta, en tono bronco, para ocultar el placer que sentía porque Jane hubiera encontrado a un hombre como Sedgecroft para cuidar de ella—. No hay nada peor que llegar a la mitad de una maldita aria.

—Causaremos alboroto lleguemos a la hora que lleguemos —dijo Athena detrás de él, esbelta y elegante con un chal de satén blanco sobre un vestido de tafetán azul que formaba aguas—. La gente se muere por saber qué tipo de convenio ha hecho Grayson con Jane. Me pasaré toda la noche negando y haciendo gestos de repulsa.

El alboroto pronosticado por Athena se hizo realidad a los pocos segundos de que entraran en el palco a ocupar sus asientos.

Ni siquiera las personas enteradas del asunto lograban decidir cómo interpretar lo que veían. Lord Belshire con toda su familia, y su vibrante hija mayor cogida del brazo de un guapo bribón; y esta notoria damita se veía radiante, para ser una mujer supuestamente caída. ¿No habían informado los diarios una o dos semanas atrás que un cierto marqués fue visto con su «amante» comprándole a esta un guardarropa? Además, una indiscreta dependienta había dado a conocer la jugosísima conversación que tuvo lugar en la sala de pruebas de la primera planta de una muy conocida tienda de Bond Street.

Señoras e hijas se pasaban gemelos entre ellas para echarle una buena mirada al vestido de satén blanco marfil de Jane, y reconocieron el estilo de la modista madame Devine, muy estimada por las mujeres mundanas. Nadie recordaba haberle visto ese determinado vestido antes. Y entonces, ¡oooh!, el siempre delicioso Sedgecroft le dio un beso en la oreja. Típico de él darle gusto a la multitud. Sí, acababa de darle un beso en público, justo en el momento en que los dos se inclinaron al mismo tiempo para recoger el programa que se le había caído a Jane.

—Todos lo han visto —susurró Jane, sintiendo arder las mejillas, cuando él levantó la vista y la miró sonriendo.

—Tu padre no —susurró él—. Eso es de lo único que tengo que preocuparme.

—Los traficantes de chismes van a decir que estaban en lo cierto, y los diarios van a seguir publicando cosas horrorosas de nosotros.

—Los cotilleos no nos van a matar, Jane, si no, yo ya habría muerto hace mucho tiempo.

Ella simuló estar leyendo el programa, tentada de echarle los brazos al cuello para besarlo ella también.

—Puede que tengas razón.

Él volvió a acomodar su corpulento cuerpo en el asiento.

—La verdad, cariño, es que todo aquel que sea alguien va a desear ser invitado a todos los eventos sociales cuya anfitriona sea la nueva lady Sedgecroft. Y esa serías tú.

Ella sonrió, imaginándose a los dos presidiendo una fiesta con los miembros de la aristocracia en el salón de baile de la casa de él en Park Lane.

—Yo soy el cabeza de familia —continuó él—. Como tal, me corresponderá disfrutar del privilegio de vigilar a los Boscastle solteros arrinconados en las fiestas con cena que ofrezca mi mujer. —Se le acercó más a susurrarle al oído—. Y esa serías tú.

Ella miró su hermosa cara y sintió henchido el corazón de una felicidad que casi le daba miedo. Sí, ese era su Boscastle. Su maravillosa y pícara progenie estaría formada por hijos de ella, sería su legado también. La perspectiva debería hacerla caer en un sofá con un paño con vinagreta aplicado a la frente, pero ella había sido siempre el tipo de mujer a la que le gusta desafiar al destino.

—¿Cuál crees que será tu siguiente hermano que se case? —preguntó—. ¿Drake?

A él se le oscureció el azul de los ojos.

—Por el momento estoy concentrado en conseguir ese estado para mí. Tal vez tenga que hacerte desearme más.

—¿Cómo? —susurró ella, incapaz de imaginarse que fuera posible semejante cosa.

—Después de esta noche no volveré a tocarte, Jane. No habrá ni un solo beso más hasta el día de nuestra boda.

—¿Tú, Grayson, demostrando autodominio?

—Veremos quién se debilita primero —dijo él, engreído.

—¿Es un reto lo que acabas de hacerme?

—Creo que sí.

—¿Qué apostamos?

—¿Tienes algo que ofrecer?

—Perdón —dijo lord Belshire, que estaba sentado detrás de ellos, inclinándose a darles una palmadita a cada uno en el hombro—. ¿Es que la ópera interrumpe vuestra conversación? ¿Le pido a la *signora* Nicola que salga al callejón a cantar su aria?

—Mis disculpas, señor —contestó Grayson, con la cara muy seria—. Presta atención a la actuación, Jane, querida —añadió, en voz lo bastante alta para que se escuchara.

—Ah, pues, sí que estoy atenta —replicó ella, mirándolo con un ceño que podría haber tenido más efecto si Caroline y Miranda no hubieran soltado unas risitas detrás de ella.

Grayson se giró a obsequiarlas con una encantadora sonrisa.

—Muy bien, vosotras dos. Os pondré en la lista de los demás miembros de la familia que necesitan casarse en bien de la sociedad.

—Todo eso está muy bien —gruñó lord Belshire, inclinándose hacia ellos nuevamente—, pero dejémoslo para después que os veamos casados a vosotros, ¿mmm?

Capítulo 28

A lo largo de las dos semanas siguientes, Grayson se portó como un perfecto caballero, un perfecto pretendiente. Acompañó a Jane y a sus hermanas al museo, al anfiteatro, a charlas y fiestas nocturnas. Le llevaba flores. Y no le puso ni un dedo encima, consciente de que la atormentaba, los torturaba a los dos al cumplir su promesa de demostrar autodominio.

Ella quería un cortejo decente, pues decente lo tendría, aunque sólo fuera en la superficie. Ya habría tiempo de sobra para indecencias en la intimidad de su futura vida conyugal.

Pasadas las dos semanas, Cecily celebró su boda con el duque de Hedleigh en una antigua iglesia gótica que estaba a unos pocos minutos de la sede de la familia de su padre en Kent. Jane fue una de sus damas de honor, y Grayson causó otro escándalo al sentarse en uno de los primeros bancos al lado de lord Belshire, que no cesaba de comentar lo felices que se veían los novios, y cuánto deseaba ver a su hija en el altar muy pronto.

Unos cuantos minutos después que hubieran hecho su entrada la comitiva de los novios y la procesión de invitados por las puertas de hierro forjado de la propiedad, soltaron una nube de palomas blancas desde la torre del ala este de la mansión. Las palomas se elevaron en el cielo azul acompañadas por los melodiosos repiques de boda de las campanas de la iglesia del pueblo.

—Qué bonito —exclamó Jane, mirando al cielo haciéndose visera con una mano.

—No será tan bonito si deciden volar por encima del desayuno de bodas —gruñó su padre, mientras ocupaban sus asientos en las mesas donde fuentes con jamón, perdiz blanca, carnes asadas y manjares en gelatina tentaban el apetito de los invitados—. ¿Por qué no pueden celebrar estas cosas en el interior de la casa?

Pasado un momento, Jane cogió su copa de champán para beber un poco, y buscó a Grayson con la vista. ¿Dónde se habría metido? Ah, ahí. Iba caminando por una avenida de elevadas encinas, seguido por dos jovencitas. Frunció el ceño cuando los vio virar a los tres hacia un camino transversal. Fiel a su palabra, no la había tocado desde esa noche en la ópera, y ella ardía, ardía por estar en sus brazos nuevamente. Él estaba jugando con ella, para demostrarle otro de sus pícaros argumentos.

La alta figura de él desapareció de su vista. Pasado un momento se oyeron alegres risas femeninas procedentes de la arboleda. El sonido de las risas hizo trizas los años y años de buena crianza de Jane.

—¿Qué están haciendo? —preguntó, dejando el tenedor en la mesa.

—¿Qué están haciendo quiénes? —preguntó su padre, ensartando una loncha de jamón en el tenedor.

—Grayson y esas chicas.

Lord Belshire paseó la mirada por toda la mesa.

—No veo a Grayson con ninguna chica.

—Exactamente. No están a la vista, lo cual hace bastante sospechoso su comportamiento.

—Yo creo que Grayson sería algo más discreto si anunciarais vuestro compromiso.

—¿Crees que quiere ponerme celosa? —preguntó ella, levantándose.

—Mi querida niña, escapa totalmente a mi comprensión lo que hacéis vosotros dos. Lo único que me importa en estos momentos es que fijéis una fecha para la boda. —Declinó una copa de champán que le ofrecía un lacayo—. Una vez que estéis casados, podéis comportaros como os dé la gana.

Ella dejó la servilleta sobre la mesa y echó a andar a toda prisa por la avenida hacia el lugar donde había visto por última vez a su bribón. Era francamente grosero por su parte que estuviera coqueteando en público, durante un desayuno de bodas, estando todo el mundo mirando. Y eso mientras cumplía a rajatabla la bestial promesa de no tocarla, desde hacía dos semanas.

Llegó a la curva del camino por donde lo vio desaparecer. En el medio del ancho sendero se elevaba un Cupido tallado en piedra, que le estaba apuntando su flecha al corazón.

—Dispara si quieres —masculló—, pero llegas demasiado tarde.

—¿Demasiado tarde para qué? —preguntó una sonora voz traviesa detrás de ella.

Se giró bruscamente y chocó con el musculoso cuerpo de Grayson. Una oleada de sangre la calentó toda entera hasta los dedos de los pies. Eso era lo más cerca que estaban desde hacía dos semanas, y aun así, él no la tocó. No, simplemente continuó donde estaba, en toda su potencia viril, dejando que ella se derritiera.

—Estaba hablando con Eros. ¿Dónde están tus tan risueñas chicas?

—Ah, las señoritas Darlington. Bueno, rescatamos una paloma y ellas se fueron a buscar a su madre.

—¿Qué paloma?

—Una de las palomas que echaron a volar para conmemorar la boda se quedó atrapada en las ramas de un árbol. Entre el jardinero y yo montamos un heroico rescate. ¿Es que te pusiste celosa, Jane?

Ella le puso una mano en el pecho.

—Horrorosamente, como una desquiciada. Grayson, nunca más te pierdas por entre los árboles con ninguna mujer que no sea yo. ¿Querías ponerme celosa?

Él sonrió de oreja a oreja.

—¿Yo, capaz de un acto tan infantil? Pues claro que sí, cariño, y es evidente que mi ardid dio resultado. —Le cogió la mano, rompiendo su promesa—. Vamos a anunciar nuestro compromiso en el baile de esta noche.

—¿Crees que...?

—Sí.

—Yo también —musitó ella, echándole los brazos al cuello y acercándole la cabeza para besarlo—. No soporto estar lejos de ti. Estoy hecha un desastre, Grayson, por dentro y por fuera, pensando en ti.

Una discreta tos interrumpió el apasionado momento tan largamente esperado por Jane.

Grayson fue el primero en levantar la cabeza irritado por la interrupción a ese momento de intimidad.

—¿Qué dian...?

—Perdona, andaba buscando a Chloe —dijo Heath, levantando las manos, reprimiendo a duras penas la risa.

Grayson cogió a Jane de la mano.

—Perdonado, puesto que eres tú, aunque no veo por qué no pudiste esperar un minuto. Íbamos, por fin, a celebrar nuestro compromiso.

—Felicitaciones —dijo Heath mirando a ambos lados de la avenida.

—¿Pasa algo? —preguntó Jane en voz baja.

—No lo sé —contestó Heath volviendo la vista hacia ella—. Chloe desapareció durante el desayuno.

—Tiene que estar en alguna parte de la propiedad —dijo Grayson, encogiéndose de hombros.

—Ya, pero, ¿con quién? —dijo Heath en voz baja—. El barón Brentford desapareció al mismo tiempo que ella.

—La estuvo mirando durante la ceremonia de bodas —dijo Jane, preocupada—. Es un joven muy vehemente.

—Yo pensé que te miraba a ti —dijo Grayson, ceñudo.

—Sólo hasta que Chloe captó su atención. Ella se siente muy desgraciada por haber perdido a su oficial. Me parece que estuvo hablando con Brentford esta mañana.

Un revuelo de movimiento al final de la avenida les atrajo la atención. Jane apuntó hacia la pareja que se acercaba cabalgando hacia las puertas del parque: eran un caballero vestido de negro de la cabeza a los pies, y una joven de vestido azul marino, con la cabeza de negros rizos echada atrás riendo. No los acompañaba ningún mozo. Jane exhaló un suspiro, pensando quién era ella para juzgar a nadie. Esos Boscastle esgrimían sus encantos como armas.

Grayson masculló una maldición, todo su encanto brillando por su ausencia.

—Ya es demasiado tarde. Sea cual sea la diablura en que hayan andado, ya está hecha.

—Lo que no quiere decir que permitamos que vuelva a suceder esto —dijo Heath, con expresión implacable—. Me extrañó ver a Brentford coger una botella de vino de la mesa. Pensé para qué la querría.

—Ahora lo sabemos —dijo Grayson entre dientes, con la mandíbula apretada.

Heath giró sobre sus talones.

—Creo que es hora de que me presente. Supongo que a ti también te gustaría decirle algunas palabras selectas. ¿Le pedimos a Drake que nos acompañe?

Después de mirar a Jane, Grayson se apartó para acompañar a Heath.

—No —dijo—, tiene que quedarse uno de nosotros para vigilar a la reina. Jane, por favor, ten la bondad de presentar nuestras disculpas a nuestros anfitriones.

—¿Esa reina soy yo? Bueno, escuchadme, los dos, os ordeno que no volváis a avergonzar a Chloe.

—Yo soy la sutileza encarnada —dijo Heath riendo.

—Y esa palabra no está en el vocabulario de tu hermano —replicó ella, exasperada.

Se los quedó mirando mientras ellos se alejaban a toda prisa a atormentar a su hermana, pensando: «Eso será mi vida, mi destino». Todos sus actos estarían sometidos a la aprobación de Grayson, las preocupaciones y problemas de su familia serían preocupaciones y problemas suyos. Se giró a mirar la estatua de Cupido, imaginándose los días de tormenta que la aguardaban; lo único que podía esperar era que algún día Chloe encontrara el amor que buscaba con tanta desesperación y que fuera correspondida en su amor.

Grayson y Jane anunciaron su compromiso hacia el final del baile de bodas celebrado en el salón esa noche. Lord Belshire estaba tan aliviado y contento que dirigió un brindis y lo celebró bebiéndose una botella entera de champán. De acuerdo a los peculiares criterios de la alta sociedad, el compromiso anuló instantáneamente todos los escándalos de las semanas anteriores. De pronto todas las consecuencias del picaresco comportamiento de Grayson adquirieron el brillo rosa de un galanteo romántico. Lo correcto, lo esencial, era fingir que se aprobaban las travesuras de la pareja.

«El bribón debe de haber planeado todo esto desde el comienzo —le susurró una condesa viuda a su sobrina—. Ve a hablar con Heath, cariño. Ahora le corresponde a él comenzar a buscar esposa.»

«Forman una pareja perfecta, ¿verdad?» —arrullaban las mismas personas que sólo unos días antes predecían desastre.

«Aunque claro, Jane reemplazó a un vulgar baronet por un marqués.»

«No le ha quitado los ojos de encima en toda la noche», suspiró una señora mayor feliz en su matrimonio.

Jane se encontró rodeada por una multitud de mujeres que le expresaban sus buenos deseos, Cecily en primera fila.

—Parece que yo estaba equivocada respecto a él —le susurró Cecily, tímidamente—. No es el sinvergüenza que todos creían que era.

Jane le dio un fuerte abrazo a su amiga, en celebración de la felicidad de las dos. Cecily tenía ladeada la guirnalda nupcial de tanto bailar, y su precioso vestido de satén blanco tenía descosidas dos o tres puntadas de hilo de seda aquí y allá.

—Bueno —dijo Jane—, no se puede decir que sea un santo, aunque Dios sabe que yo tampoco lo soy.

Cecily ni siquiera hizo amago de mostrar desacuerdo.

—Al menos tu padre se veía muy feliz por el compromiso. Actuaba como si él hubiera arreglado el matrimonio.

—Hablando de matrimonios arreglados —dijo Jane en voz más baja—. ¿Tienes una idea de lo que ocurrió entre Chloe, sus hermanos y Brentford esta tarde?

Cecily frunció el ceño.

—Mi doncella me dijo que Brentford se marchó de la casa poco después de esa reunión, con aspecto bastante perturbado, pero vivo. Chloe está jugando a las cartas con Drake.

—Probablemente Grayson los asustó de muerte otra vez —dijo Jane, paseando la mirada por los grupos de elegantes que atiborraban el iluminado salón—. ¿Dónde se habrán metido él y mi padre, por cierto?

Los dos hombres se habían escapado a la sala de billar. Lord Belshire estaba tan feliz que tenía que refrenarse para no ponerse a bailar un giga alrededor de la mesa. Después de dar una calada a su cigarro y expulsar el humo, felicitó a su futuro yerno por el compromiso.

—Bueno, lo conseguiste, Sedgecroft.

Grayson posicionó su taco y contestó:

—Aún me falta llevarla hasta el altar.

—Estará ahí, créeme, si no, yo mismo me casaré contigo. ¿Tú estarás ahí, no? No se repetirá la historia...

Grayson levantó la vista antes de golpear la bola.

—Estuve ahí la primera vez, señor, ¿no lo recuerdas?

Capítulo 29

En los días anteriores a la boda fue tal el frenesí de actividad que Grayson y Jane escasamente encontraban un ratito para intercambiar unas pocas palabras, lo cual excluía del todo la posibiliad de que sucumbieran a la tentación.

Para empezar, había llegado de Escocia la hermana viuda de Grayson, Emma Boscastle, vizcondesa Lyons. Toda ella bullente de energía, Emma se hizo cargo de los preparativos, organizándolo todo con un solo chasquido de sus elegantes dedos.

Famosa por su comportamiento y porte impecables y por su genialidad para ofrecer una fiesta, también era un verdadero manantial de consejos para aquellos ignorantes de los usos sociales, entre los cuales, según su culta opinión, se encontraban por desgracia sus indisciplinados hermanos.

Drake lo expresó muy bien el día que llegó su hermana: «Bueno, ha llegado a su fin la vida incivilizada tal como la conocemos. Ha llegado la Delicada Dictadora. Va a andar encima de todos. No me extrañaría que nos revisara detrás de las orejas».

Dada la fama de escandalosa que tenía la familia Boscastle, la flor y nata de la aristocracia esperaba con ilusión la ceremonia. La cual, a juzgar por el reciente conato de boda de la novia, prometía, por lo menos, ofrecer a todos un entretenimiento inolvidable.

Y llegó el día de la boda.

Esa mañana Jane despertó con el corazón retumbándole por todo el cuerpo, y pensó si Grayson se sentiría igual. Buen Dios, y ¿si decidiera jugarle una mala pasada y no presentarse en su propia capilla para la boda?

Aunque claro, estaba Emma, que se encargaría de meterlo en cintura. La hermosa Emma de ojos azules, en la que la predilección Boscastle por el desmadre se había invertido, trocándose en predilección por el decoro.

En su residencia de Park Lane, el ayuda de cámara del marqués terminó de afilar su navaja en la tira de cuero y alegremente empezó a cubrir de espumoso jabón la hermosa cara de su amo.

—Bueno, hoy es el día, milord, y, si me permite el atrevimiento, le diré que no creía que viviría para verlo.

Grayson asintió, con su cuadrada mandíbula ya tapada por la espuma.

—Yo tampoco. La verdad es que me cuesta creer que vaya a ocurrir.

Pero ocurrió, exactamente tres horas después.

Grayson Boscastle, quinto marqués de Sedgecroft, se giró a admirar sin tapujos a la novia que, en una conmovedora repetición de la ceremonia anterior, hacía su entrada por el pasillo de la nave de su capilla particular. Sabía de cierto que tenía un bello trasero, y que el resto de ella era algo, bueno... otra historia.

No era que él tuviera por norma mirar con lujuria a jovencitas vestidas de novia, pero daba la casualidad de que esa determinada novia le pertenecía.

O le pertenecería muy pronto. Al fin y al cabo los dos se las habían arreglado para hacer acto de presencia. Enderezó los hombros cuando su padre llegó con ella hasta el altar, llevándola firmemente cogida del brazo, no fuera a escaparse antes del «hasta que la muerte nos separe».

—Hecho —dijo Belshire, simplemente.

Grayson miró la cara de Jane cubierta por el velo, le cogió la mano y dijo:

—Gracias, desde el fondo de mi corazón. La amaré eternamente.

Entre los invitados ya sentados en los bancos se elevó un murmullo de admiración. La novia, todos estaban de acuerdo, no podría haber estado más hermosa. Llevaba un tocado de seda bordada sobre el pelo color miel adornado por hileras de diminutas perlas ensartadas. Bajo un largo velo de finísimo encaje de bolillos de Valenciennes, su bello y curvilíneo cuerpo iba ataviado con un vestido de satén, con la falda y las mangas blanco crema, corpiño ceñido en tono rosa muy claro y un cinturón de pequeños discos semejantes a rosetones que le caía hasta la orilla guarnecida con volantes.

Grayson sintió oprimida la garganta. Ya está. Eso no era un final, era un comienzo. Así estaría junto a ella el resto de sus vidas; en nacimientos, bautizos, en bailes, hasta su último suspiro. La contempló, adorándola. No se arrepentía de su pasado, no, a excepción de aquellas veces en que descuidó a su familia y daba por descontada su existencia. No repetiría ese error en el futuro. Tal vez no era tan bueno como debía, pero había comprendido que tampoco era tan malo.

De la cara de su novia pasó la mirada a sus hermanos y hermanas, todos guapísimos, todos irritantes. Por increíble que fuera, amaba a todos esos pesados.

Santo Dios, no, por favor, otra vez las amantes. Detuvo la mirada en el banco ocupado por dos de sus ex amantes con los frutos de relaciones anteriores.

La señora Parks le sopló un beso amistoso. Sus dos desgarbados hijos de su primer romance le sonrieron, haciendo gestos hacia Jane y dándose codazos para manifestar su aprobación. Al día siguiente él tendría que hacer las diligencias para asegurarles comisiones militares a esos dos patanes.

Volviendo la atención a su novia se encogió de hombros.

—Te juro que no las invité...

—Las invité yo —susurró ella, mordiéndose el labio para reprimir una risa traviesa.

—Ah.

—¿No te alegra?

—¿Debe alegrarme?

—Quería que todo estuviera igual a como estaba el día que nos conocimos.

—¿Igual?

—Bueno, esta vez pensé que debía invitar al novio.

Él se rió en voz baja, pensando cuántas veces recordarían riendo en secreto ese momento.

El cura carraspeó y descendió el silencio sobre la capilla. El exquisito perfume de las rosas se mezclaba con la fragancia de la cera de abeja derretida. Los ojos de Jane se empañaron de lágrimas de felicidad cuando Grayson le apretó la mano en gesto posesivo. Eran el mismo lugar y los mismos invitados, pero el novio era otro y los sentimientos muy diferentes. Esta vez estaba su corazón ante el altar. Se inició la ceremonia y aceptó el corazón de él a cambio del suyo, comprometiéndose a toda una vida de su leonina arrogancia y amor, pronunciando las promesas con voz firme y clara.

Los invitados esperaron y alargaron los cuellos para ver el beso de los recién casados.

—Todos esperaban un escándalo —musitó ella con la boca muy cerca de los frescos labios de él.

Él arqueó sus tupidas cejas, la estrechó en sus brazos y le dio su primer beso de casados.

—Dad al pueblo lo que desea.

—Y eso significa...

Jane se interrumpió echándose a reír porque su escandaloso bienamado la levantó en los brazos y se la puso en el hombro.

—Deseé hacer esto el día que te ibas a casar con Nigel —le dijo él, en voz alta para hacerse oír por encima de los vivas de los simpatizantes, que se levantaron de sus asientos para verlos.

Ella se arregló el tocado que le había caído sobre la frente y le golpeó el otro hombro con su ramillete.

—Yo también te deseé ese día —dijo en un resuello—, pero nunca soñé...

—Grayson Boscastle —dijo una voz grave y culta detrás de ellos—. Haz el favor de recordar el momento y el lugar. Suelta a la marquesa ahora mismo.

Aun estando boca abajo sobre su hombro, Jane notó la reacción automática en el cuerpo de su marido, que la bajó lentamente hasta dejarla de pie en el suelo.

—¿Fue Esther? —le preguntó en un susurro, con las mejillas arreboladas de placer.

Uy, lo que era ser una mujer capaz de ejercer ese poder sobre esa familia de chicos traviesos.

—Ah, no —dijo él, frotándose un lado de la nariz, con las comisuras de los ojos arrugadas por una impía sonrisa—. Fue tu cuñada Emma, la señora Aguafiestas.

Emma, seductora mujer de pelo dorado albaricoque y dulces ojos azules, miró a Jane compasiva:

—Recuérdale al todopoderoso que hay que pasar por un desayuno antes de... de otras cosas.

Con «otras cosas» quería decir llevar a su flamante esposa a la cama. Grayson bajó su posesiva mano por la curva de la columna de Jane hasta detenerla en la elevación de sus nalgas. Aristócrata hasta los huesos que era, acataría las normas sociales haciendo acto de presencia en el desayuno de bodas y agradecería amablemente los brindis y bendiciones que les dieran. Y después, que Dios amparara al que se atreviera a interrumpirlos.

Por segunda vez ese año se celebró un desayuno de bodas en el salón de banquetes de la mansión de Park Lane. Esta vez la pareja de recién casados ocuparon los asientos correspondientes en la mesa principal con los padres de la novia.

Las lágrimas de cristal tallado de las arañas brillaban como estrellas sobre los invitados que charlaban mientras devoraban la ensalada de langosta y bebían champán. Emma recordó amablemente a todos los comensales que se reservaran espacio para los postres de piña de invernadero y la enorme tarta de bodas de muchos pisos del Gunter.

De repente, en medio de uno de los brindis, la madre de Nigel miró a Jane y se echó a llorar.

—Durante casi diez años la he considerado como mi nuera —sollozó.

—Tranquila, madre, no pasa nada —le dijo Nigel en tono consolador—. Viene en camino tu primer nieto para consolarte.

—Sí —dijo ella, sorbiendo por la nariz y mirando el abultadísimo vientre de Esther por encima del pañuelo—. Un nieto que igual va a parecer un gorila por el tamaño que tiene.

En la mesa de al lado, Emma dejó el tenedor en la mesa, alarmada.

—Ay, no, la madre de Nigel está llorando como un grifo. Sabía que era una torpeza celebrar una boda con tanta pompa después de ese reciente desastre.

Caroline la miró sonriendo.

—Creo que no hay que temer parecer torpes. Grayson y Jane se han elevado por encima del caldo del escándalo como la espuma.

—Supongo que tienes razón —dijo Emma, sonriendo resignada—. Ahora te tocará a ti, ¿no?

Miranda se inclinó hacia ellas y susurró:

—En realidad, hemos oído un rumor acerca de ti, Emma, y un cierto hombre...

—Esto es exactamente lo que me hace detestar las bodas —declaró Drake Boscastle a los invitados sentados a su mesa, que, como grupo, se estaban portando con menos educación que los de la mesa de los recién casados.

La señora Parker se arregló el collar de perlas mirando ceñuda a sus hijos, que se estaban metiendo demasiada tarta en la boca.

—¿Eso por qué? —preguntó.

—Toda esta emoción —contestó Drake—. Es decir, fíjate en la madre de Nigel derramando lágrimas en su champán. Todas estas posibilidades de desastre.

—No, nada de eso. Tu hermano ama de verdad a su esposa —dijo la señora Parks, melancólica.

Y Grayson la amaba, francamente, sin disimulo, dando pie a un consenso de opinión entre sus conocidos de que la boda era la prueba de que Boscastle era domesticable. No obstante, unos cuantos de sus amigos más astutos interpretaban el destello posesivo que brillaba en sus ojos cada vez que miraba a su mujer como la señal de que los sagrados lazos del matrimonio no habían apagado del todo su fiereza.

Dos horas después él demostró esto último.

—Champán en la cama a pleno día —musitó Jane, admirando los potentes contornos del pecho de su marido mientras él se quitaba el frac azul—. Esto es indecencia.

—¿No es indecencia so capa de decencia lo que querías? —preguntó él quitándole de las manos la copa de champán que ya estaba a la mitad.

Ella se puso de puntillas para besarlo, agitando la punta de la lengua sobre la suya, sintiendo elevarse la excitación entre ellos como vapor.

—Creo que me conoces muy bien.

—Creo que tienes razón —dijo él con la voz ronca.

Deslizó sus grandes manos por sus costados hasta rozarle los exuberantes contornos de sus pechos. Ella se apartó, traviesa, para quitarse las enaguas que él le había desatado.

Él la contempló de arriba abajo con ardiente expectación. Los lentos movimientos de ella al desvestirse, de espaldas a la cama, lo atormentaban. Se reclinó en la cama, apoyado en las almohadas, y la observó con los ojos entrecerrados, sintiendo excitarse su cuerpo, sintiendo correr con fuerza la sangre por sus venas.

—Adelante, atorméntame —dijo, quitándose la corbata—. Dentro de unos minutos te tendré suplicándome.

A ella le revolotearon los cabellos alrededor de las caderas cuando se giró hacia la cama. No había ni una sola pulgada de su mujer que no lo excitara.

—No sé de qué hablas —dijo, sonriendo traviesa.

—Creo que lo sabes.

Ella puso una pierna sobre la cama para que él le quitara la liga y la media blancas. Esa tarea, la primera como su marido, lo excitó, endureciéndole tanto el miembro que le dolió. El corazón le retumbaba en el pecho al subir la mano por la curva de su pantorrilla para hacer su tarea. Los detallitos íntimos como ese le producían un inmenso placer.

El aroma femenino que era sólo de ella le intensificaba sus instintos animales; su dulce sonrisa lo estimulaba. Desde el fondo del alma se sentía atraído hacia ella. Lentamente le soltó la liga y le quitó una media y luego la otra. Sus ojos brillaban de amor y de intenciones eróticas mientras ella esperaba desnuda delante de él.

Se levantó y empezó a desabotonarse los pantalones, con la cara ensombrecida de deseo. Ella alargó la mano para ayudarlo, metiéndola por la cinturilla.

—Tócame así, tentadora, bajo tu riesgo —dijo él emitiendo un suave gruñido de aprobación.

Ella deslizó los dedos a todo lo largo de su sedoso miembro.

—¿Así?

—Te estás buscando problemas.

—¿No me los busco siempre?

Él la acercó, apretándola a su duro cuerpo.

—¿Y yo no te los doy siempre?

—Sí, pero no con la suficiente frecuencia.

—Eso se remedia fácilmente —dijo él, riendo apreciativo.

—Entonces remédialo, Grayson. —Con una sonrisa sugerente, comenzó a desabotonarle el chaleco bordado y la camisa de lino blanco—. ¿O puedo hacer yo los honores?

—¿Nos turnamos? —propuso él, encantado por la reacción de ella, por su naturaleza apasionada.

Con ella se sentía en paz, afloraba lo mejor de él, y el futuro brillaba como un faro de esperanza y felicidad. El compromiso para siempre que habían hecho ese día sólo endulzaba el mutuo placer.

Terminó de desvestirse y la atrajo a sus brazos.

Deslizó las manos por su suave y blanca piel, acariciándole el cuerpo, esculpiendo sus curvas como un escultor; necesitaba sentirla apretada a él. Le vibraba todo el cuerpo de placer al pensar que podía hacerle el amor siempre que quisiera.

—Lo hicimos —musitó ella, meciendo sus pechos como opulentas perlas contra el cálido pecho de él—. Una boda completa, sin ningún escándalo del que se pueda hablar.

Él inclinó la cabeza para besar su húmeda boca rosada.

—Imagínate. Tanto la novia como el novio se presentaron al mismo tiempo.

—Lástima que no se quedaran para todo el desayuno de bodas.

—Escandaloso —dijo él, cogiéndole la mano—. Me pareció que la novia estaba algo frenética. Sé que hice mal, pero durante toda la ceremonia, en lo único que podía pensar era en meterla en mi cama.

—Yo tenía los ojos puestos en el novio.

—¿Sí? —La llevó a la cama, con su miembro viril totalmente erecto—. Y eso ¿por qué?

—Ardo por él —musitó ella, elevando los ojos hacia su cara.

—¿Es correcto eso?

—Pero no se lo digas a nadie —dijo ella—. Seguro que una mujer decente no debería arder por un hombre durante el desayuno.

Estrechándola en sus brazos, él se sentó en la cama y la montó en su regazo, con las piernas a horcajadas, dejando el miembro presionando su vientre y sosteniéndole las nalgas con sus duros muslos.

—A mí me atrae bastante la indecencia.

—¿Te importaría explicar eso?

Haciéndola girar apretada a su pecho, la tendió de espaldas sobre la colcha de seda azul.

—Tal vez debería demostrártelo. Este tipo de cosas exige una detallada explicación.

Ella se rió, ocultando la cara en la curva de la axila de él, pensando en los días, tardes y noches que estarían juntos; en las promesas nupciales que habían intercambiado ante Dios y sus familias. Y sí, esta vez lo había hecho bien, a la perfección.

—Grayson...

—No me interrumpas, cariño. Demostrar la indecencia es trabajo serio.

Con las yemas de los dedos le rozó los pechos llenos con suaves caricias de pluma y fue bajando, pasando por la concavidad del ombligo, hasta desaparecer por los rizos del vello púbico. Con infalible tino su pulgar encontró la pequeña protuberancia oculta y le excitó esos nervios sensitivos con exquisitas caricias.

—Ooh —resolló ella, incorporándose afirmada en los codos.

Pero al instante se dejó caer nuevamente cuando él le abrió las piernas dejando expuesto a él su sexo. Ella sintió salir el líquido viscoso de su interior. Arqueó las caderas y le rodeó el muslo con la pierna.

Con su sedoso pelo rubio sobre sus anchos hombros, sus ojos azules humosos de seductoras promesas, era el amante perverso de los sueños de una mujer. Y era su marido.

Volvió a incorporarse.

—Grayson, por favor...

—La paciencia es una virtud.

—No me hables de virtud en un momento como este. Te deseo.

Él se bajó de la cama y, cogiéndola por la cintura, la posicionó en el borde. De pie, con las piernas separadas, le levantó y separó los muslos para abrirla totalmente a él. Vio brillar los pliegues de su sexo, rosados e hinchados.

Introdujo la punta del pene por entre esos pliegues mojados y embistió. Dicha. Placer. Excitación. Al sentir vibrar la mojada carne femenina alrededor del miembro, empezó a hervirle la sangre y se le endureció todo el cuerpo. Empezó a moverse, empujando las caderas, posicionando bien el miembro en cada embestida para intensificarle el placer. Embestidas hasta el fondo de su fértil centro y lentas retiradas, en un ritmo parejo que la hizo apretar los dientes de frustración.

—Más —susurró ella—. Más fuerte.

Moviéndose por puro instinto, él la atormentó embistiendo hasta llevarla una y otra vez hasta el borde de la cima para luego retirarse en el último segundo, hasta que pasados unos minutos ella se arqueó, estremecida por las contracciones del orgasmo, y él la siguió, saboreando el placer, la satisfacción y plenitud que sólo conocía en el amor de ella.

Media hora después todavía no se habían movido del lugar donde se desmoronaron. Ya estaba avanzada la tarde y el sol que entraba por la ventana les calentaba el lecho nupcial. Jane estaba acurrucada contra su musculoso cuerpo, escuchando los interesantes sonidos que llegaban de abajo.

—Vaya, por Dios —dijo, intentando sentarse y liberarse de brazos y piernas desnudos y de las sábanas—, esas voces son preocupantes. No sé si vienen de la puerta o de la calle. ¿Crees que...?

—Chss —susurró él, cogiéndola en sus brazos y volviéndola a apretar contra él—. Emma y Heath pueden ocuparse de lo que sea que ocurra. Celebra conmigo, mi amor. Concentrémonos el uno en el otro.

Ella cerró los ojos, con la cabeza cómodamente apoyada en su hombro. Un calorcillo de gratitud le calentó el corazón y la recorrió toda entera. Eso era lo que había anhelado, esa intimidad y aceptación, el premio por el que había sacrificado su reputación. Había valido la pena correr ese riesgo, negarse a aceptar lo que los demás creían que era mejor para ella. Tal vez sus métodos podrían haber sido más refinados, pero nadie podía poner en duda la recompensa: todos sus miedos de una vida hueca reemplazados por el amor de Grayson.

¿Cómo podría haber sabido que su ardid acabaría en esa maravillosa dulzura inmerecida? ¿Quién se habría imaginado que un libertino sería el más amante de los maridos, el hombre que le enseñaría el verdadero significado del amor?

—Lo que deseo —musitó—, es que cada uno de ellos encuentre la dicha y satisfacción que tenemos nosotros. No pude dejar de pensar que Emma y Chloe parecían un poco tristes hoy. Y Drake con esas mujeres, bueno, ¿qué puedo decir?

Él emitió una ronca risa.

—Nada más acabar con una intriga, ya está tramando otra. Mi marquesa ya está haciendo de casamentera. ¿Crees que podríamos dejar esos planes por lo menos para unas horas después?

—¿Tienes pensada otra cosa?

—Ahora que lo preguntas...

Ella medio se giró a acariciarle la cara, esos arrogantes huesos, con las yemas de los dedos.

—Fue la boda perfecta —dijo.

Él la abrazó y sintió henchido el corazón de felicidad y tierna posesión. Su esposa, su amante y su ingeniosa estratega. Su pareja en placeres sinuosos, la mujer que lo ayudó a encontrar su lugar cuando estaba confuso sin saber qué hacer.

—Te amo, Jane.

—Yo siempre te he amado, bribón.

De abajo llegaron sonidos de risas, golpes de puertas, un grito que bien podía ser un reto o un viva. Los sonidos de una reunión de familiares y amigos para celebrar la llegada de dos corazones a su hogar, al lugar donde les correspondía estar.

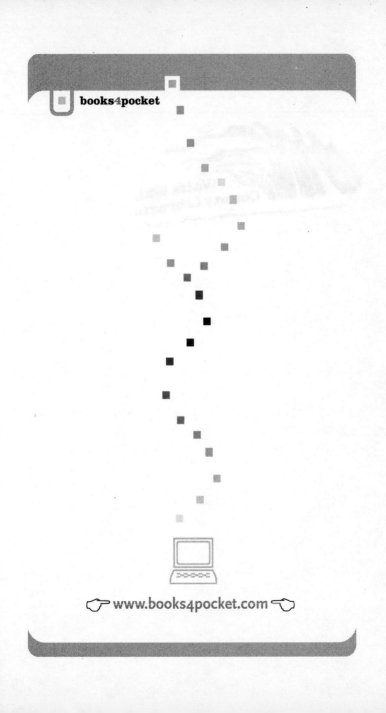

books4pocket

www.books4pocket.com